Y0-BXH-138

La soga

Matthew
FitzSimmons

LA SOGA

Traducido del inglés por Cristina Martín Sanz

AdN Alianza de Novelas

Título original: *The Short Drop*

Diseño de colección: Estudio Pep Carrió

Madrid, 2016
Calle Juan Ignacio Luca de Tena, 15
28027 Madrid
www.AdNovelas.com

ISBN: 978-84-9104-470-3
Depósito legal: M. 28.455-2016
Printed in Spain

Para el tío Dave

No hay satisfacción alguna en ahorcar a un hombre que no pone objeciones a ello.

GEORGE BERNARD SHAW

Primera parte
VIRGINIA

Capítulo 1

Gibson Vaughn estaba sentado a solas en la ajetreada barra de la cafetería Nighthawk. La hora punta del desayuno se encontraba en pleno auge y los clientes pululaban por todas partes en busca de un asiento. Gibson apenas se percataba del estrépito cada vez más acelerado de cuchillos y tenedores ni de las camareras que iban depositando platos sin parar porque tenía la vista fija en el televisor montado detrás de la barra. El informativo estaba pasando el vídeo otra vez. Era una pieza omnipresente, típica de la idiosincrasia de Estados Unidos, diseccionada y analizada a lo largo de los años, mencionada en películas, canciones y programas de televisión. Gibson, al igual que la mayoría de los americanos, había visto incontables veces aquellas imágenes y, al igual que la mayoría de los americanos, no era capaz de despegar los ojos de ellas, por muchas veces que se emitieran. Jamás podría; era todo cuanto le quedaba de Suzanne.

El comienzo del vídeo era granulado y desvaído. La imagen temblaba y el ritmo de los fotogramas se ralentizaba; la pantalla se llenaba de líneas distorsionadas que la recorrían a modo de olas que rompen en una playa salvaje. Subproductos que el encargado de la tienda había grabado una y otra vez en la misma cinta.

Tomadas en diagonal, desde detrás de la caja registradora, las imágenes mostraban el interior de la infame gasolinera de

Breezewood, en Pensilvania. El poder de aquel vídeo radicaba en que aquello podía haber sucedido en cualquier parte: en el pueblo de uno, a la hija de uno. Vistas de principio a fin, aquellas mudas imágenes captadas por una cámara de seguridad constituían un melancólico homenaje a la joven desaparecida más famosa de todo Estados Unidos: Suzanne Lombard. La hora aparecía indicada en una esquina: las 22:47 h.

Beatrice Arnold, una estudiante universitaria que cubría el turno de noche, era, supuestamente, la última persona que había hablado con la chica desaparecida. A las 22:47 h, Beatrice estaba sentada en un taburete detrás del mostrador, leyendo un manoseado ejemplar de *El segundo sexo*. Ella sería la primera en recordar haber visto a Suzanne Lombard y la primera en llamar al FBI una vez su desaparición llegó a los informativos.

A las 22:48 h entró en la tienda un individuo de calvicie incipiente y desaliñada melena rubia. En internet se lo conocía como Riff-Raff, pero el FBI había descubierto que se llamaba Davy Oksenberg y que era un camionero de las afueras de Jacksonville que ya contaba con un historial de violencia doméstica. Oksenberg compró cecina y una lata de Gatorade. Pagó en efectivo y pidió el recibo, pero se entretuvo en el mostrador coqueteando con Beatrice Arnold. Por lo visto, no tenía prisa en volver a la carretera.

Oksenberg, el primer y principal sospechoso del caso, había sido interrogado repetidamente por el FBI en las semanas y los meses que siguieron a la desaparición. Registraron su camión una y otra vez, pero no hallaron ni rastro de la joven. El FBI, de mala gana, lo dejó libre de cargos, pero para entonces Oksenberg ya se había quedado sin trabajo y había recibido varias decenas de amenazas de muerte.

Una vez se hubo marchado Oksenberg, la tienda quedó en calma. Transcurrió una eternidad... y entonces en el vídeo aparecía ella por primera vez: la niña de catorce años vestida con una sudadera demasiado grande, una gorra de visera en la que ponía «Phillies» y una mochila de Hello Kitty al hombro. Durante todo aquel tiempo había estado dentro de la tienda, en el ángulo muerto de la cámara. Para aumentar todavía más la intriga, nadie supo decir con seguridad cómo había llegado Suzanne al interior de la tienda, porque Beatrice no recordaba haberla visto entrar y el vídeo de la cámara de seguridad no ofrecía respuesta alguna.

La sudadera le colgaba en grandes pliegues. Era una niña pálida y de aspecto frágil. A los medios les gustaba contrastar aquellas imágenes en blanco y negro con fotografías familiares llenas de colorido: la niña, rubia y sonriente, con un vestido azul de dama de honor; la niña sonriendo en la playa con su madre; la niña sonriendo y leyendo un libro o mirando por la ventana. Dichas fotos contrastaban vivamente con aquella adolescente de rostro serio y gorra de visera que, encorvada y con las manos embutidas en los bolsillos, parecía un animal que se asoma con precaución a la entrada de su madriguera.

Suzanne iba y venía por los pasillos de la tienda, pero con la cabeza vuelta hacia la cristalera principal. Transcurrieron ciento setenta y nueve segundos. De pronto vio algo al otro lado de la cristalera que atrajo su atención y cambió de postura. Un vehículo, quizá. Tomó tres artículos de las estanterías: unas galletas de chocolate, una lata de refresco y un paquete de regaliz; un conjunto de golosinas que actualmente se conoce como la Merienda de la Niña Desaparecida. También pagó en efectivo, depositando sobre el mostrador varios billetes arrugados y unas cuantas monedas, y a continuación se guardó lo que había comprado en la mochila.

La cámara de seguridad captó su mirada y, durante largos instantes, Suzanne alzó la cabeza para observarla: una expresión congelada en el tiempo, como la sonrisa de la Mona Lisa, interpretada de mil maneras distintas.

Gibson le sostuvo la mirada, como siempre, esperando a que ella le sonriera con timidez como hacía cada vez que quería contarle un secreto, esperando a que ella le explicara qué había sucedido, por qué se había escapado. A lo largo de todos los años que habían transcurrido ya, nunca había perdido la esperanza de hallar una respuesta. Pero la niña que aparecía en el vídeo de seguridad no le dijo nada.

Ni a él ni a nadie.

Su último gesto consistió en calarse un poco más la gorra sobre los ojos y apartar la mirada para siempre. A las 10:56 h salió por la puerta y se perdió en la noche. Beatrice Arnold diría a la policía que a la niña se la veía nerviosa y que tenía los ojos enrojecidos, como si hubiera estado llorando. Ni Beatrice ni las dos personas que estaban poniendo gasolina en su coche advirtieron si se subió a algún vehículo. Otro frustrante callejón sin salida en un caso repleto de callejones sin salida.

El FBI no logró encontrar ni una sola pista sustancial. Jamás apareció nadie reclamando la recompensa de diez millones de dólares que ofrecieron la familia y los amigos. A pesar de la frenética cobertura que hubo en los medios, a pesar de tener un padre famoso, Suzanne Lombard salió de aquella gasolinera y no se la volvió a ver. Su desaparición seguía siendo un misterio, junto con la de Jimmy Hoffa, D. B. Cooper y Virginia Dare.

El informativo dio paso a la publicidad y Gibson dejó escapar un suspiro; no se había dado cuenta de que estaba conteniendo la respiración. Aquel vídeo lo dejaba siempre agotado. ¿Durante cuánto tiempo iban a continuar emitiéndolo? Hacía años que no ocurría nada nuevo en el caso de Suzanne Lombard. La gran noticia de hoy era que Riff-Raff se había cortado la melena y se había sacado una licenciatura universitaria mientras estaba en prisión cumpliendo una condena por un delito grave relacionado con estupefacientes. Internet, con su infinito sarcasmo, lo había rebautizado como el profesor Riff-Raff o Raff 2.0. Aparte de eso, toda la emisión constituía un refrito sensiblero de lo que ya sabía todo el mundo, que era nada.

Pero se aproximaba el décimo aniversario de la desaparición de Suzanne, lo cual significaba que las redes seguirían emitiendo las imágenes de siempre; seguirían explotando el recuerdo de la joven; seguirían echando mano de cualquiera que guardase una relación meramente efímera con la familia o con el caso; seguirían emitiendo las insípidas reconstrucciones de lo sucedido en aquella gasolinera de Breezewood y sirviéndose de modelos computarizados para emular cuál podía ser la apariencia física de Suzanne en la actualidad.

A Gibson dichos modelos le resultaban especialmente dolorosos. Suzanne tendría ya veinticuatro años y se habría graduado en la universidad. Las imágenes lo tentaban a imaginar cómo podría haber sido su vida, dónde podría estar viviendo. Seguro que su trayectoria profesional tendría algo que ver con los libros. Al pensar en esto esbozó una sonrisa, pero se contuvo; no era saludable. Ya era hora de concederle un poco de paz a Suzanne, de conceder un poco de paz a todos.

—Tremendo asunto —comentó el individuo que estaba sentado a su lado, mirando la televisión.

—Ya lo creo —convino Gibson.

—Recuerdo dónde estaba yo cuando me enteré de que había desaparecido esa chica: en la habitación de un hotel de Indianápolis, en un viaje de trabajo. Lo recuerdo como si fuera ayer. Yo tengo tres hijas. —Tocó la madera de la barra con los nudillos, para que le diera suerte—. Estuve dos horas sentado en el borde de la cama, viéndolo. Fue terrible. No me imagino lo que tiene que ser pasar diez años sin saber si tu hija está viva o muerta. Eso es una tragedia para cualquier familia. Lombard es un buen tipo.

Lo último que le apetecía a Gibson era verse arrastrado a una conversación acerca de Benjamin Lombard. Asintió con la cabeza para ser amable, con la esperanza de zanjar de ese modo el asunto, pero el otro no se dejó disuadir con tanta facilidad.

—Digo yo que si un cabrón enfermizo, y perdone que lo diga así, puede secuestrar a la hija del vicepresidente y marcharse de rositas, ¿qué podemos esperar los demás?

—Bueno, en esa época no era vicepresidente.

—Ya, claro, pero era senador. Que tampoco es ninguna broma. ¿Usted cree que Lombard no tenía ya por aquel entonces contactos en los federales?

De hecho, Gibson sabía de primera mano cuánta influencia ejercía Lombard y hasta qué punto le gustaba ejercerla. El vicepresidente Benjamin Lombard era otro tema en el que procuraba no pensar.

—En mi opinión, será un buen presidente —continuó diciendo su vecino de barra—, después de haber vivido algo así. Obtuvo la vicepresidencia cuando la mayoría de la gente se habría encogido como un conejo, y ahora se presenta candidato a presidente. Para eso hay que ser una persona muy fuerte.

Se esperaba que Lombard, que durante dos mandatos había sido la mano derecha de un presidente muy popular, no tardase en obtener la nominación; la convención que iba a tener lugar en agosto era una mera formalidad, una coronación más que otra cosa. Pero de repente había surgido de la nada Anne Fleming, la gobernadora del estado de California, y parecía estar empeñada en aguarle la fiesta. Hoy por hoy, los dos estaban prácticamente igualados en las encuestas. Lombard llevaba la ventaja en el cómputo de votos de los delegados y continuaba siendo el favorito, pero Fleming le estaba haciendo sudar la camiseta.

Que el décimo aniversario de la desaparición de Suzanne cayera en un año en el que se celebraban elecciones había supuesto, perversamente, un empujón para la campaña de Benjamin Lombard. Sin embargo, eso no era nada nuevo: el hecho de defender la Ley Suzanne en el Senado ya lo había situado en la esfera nacional. Por descontado, Lombard, muy digno, se negaba a hablar de su hija. Los escépticos dirían que no tenía necesidad, dado que los medios no podían evitar hacerle ese trabajo. Y además, por supuesto, estaba su mujer. Los incansables esfuerzos realizados por Grace Lombard en nombre del Centro de Niños Explotados y Desaparecidos habían sido el material del que se habían nutrido las emisoras de noticias por cable a lo largo de todas las primarias. Ella era, si cabe, aún más popular que su poderoso marido.

—Si lo nominan, en noviembre le daré mi voto —aseguró el de al lado—. Me da igual quién se presente por la oposición, yo pienso votarlo a él.

—Estoy seguro de que se lo agradecerá —repuso Gibson, al tiempo que cogía el bote de salsa de tomate. Se sirvió una generosa porción en un extremo del plato, la mezcló con un poco de mayonesa y lo revolvió todo con sus gofres de patata, tal como le había enseñado su padre de pequeño. Según la inmortal frase de Duke Vaughn: «Si no tienes nada agradable que decir, toma un buen bocado y mastícalo despacio».

Una frase de lo más útil.

Capítulo 2

Jenn Charles estaba aparcada frente a la cafetería Nighthawk, en la cabina trasera de una furgoneta blanca sin distintivos. Allí se sentía un poco demasiado a la vista de todo el mundo: si la pusieran en una base de operaciones de primera línea situada cerca de la frontera de Pakistán se sentiría como en casa; las furgonetas blancas del norte de Virginia, en cambio, no eran su estilo.

Consultó el reloj y anotó la hora en el cuaderno. Se opinara lo que se opinara de Gibson Vaughn, decir que era previsible era poco. El aspecto positivo era que resultaba fácil vigilarlo; el negativo era que la vigilancia enseguida se volvía tediosa. Los registros diarios eran prácticamente todos iguales. Vaughn empezaba la jornada a las cinco y media corriendo ocho kilómetros. Después hacía doscientas flexiones y otros doscientos abdominales, seguidos de una ducha. A continuación, tomaba el mismo desayuno en la misma cafetería y sentado en la misma banqueta. Aquello se repetía todas las mañanas, religiosamente.

Jenn se remetió tras la oreja un mechón rebelde de cabello negro azabache. Necesitaba una ducha y dormir una noche entera de un tirón en su propia cama. Y tampoco le vendría mal tomar un poco el sol, porque estaba pálida y aletargada después de los diez días que llevaba en la cabina trasera de aquella furgoneta, la cual, como detalle inquietante, ya estaba empezando a parecerle su casa. Estaba abarrotada de material de vigilancia que apenas dejaba espacio para moverse. En la parte delantera había un pequeño jergón que permitía que los miembros de un equipo trabajaran por turnos, pero, aparte de eso, la furgoneta ofrecía más bien pocas comodidades.

«Cumpliendo tus sueños, Charles, cumpliendo tus sueños.»

Si Vaughn continuaba siendo fiel a sus costumbres, dentro de veinte minutos, cuando finalizase la hora punta, se trasladaría a la parte de atrás de la cafetería para trabajar. Era simpático con los propietarios, que le dejaban usar uno de los reservados a modo de oficina improvisada durante aquella temporada, en la que estaba buscando trabajo. Vaughn había perdido su empleo en una pequeña y fracasada empresa de biotecnología, donde había sido director de informática. No estaba teniendo mucha suerte en su búsqueda y, dado su historial, Jenn no esperaba que la cosa fuera a cambiar.

Dan Hendricks, su compañero, era un experto en vigilancia de primera. Una semana antes había entrado en el apartamento de Gibson y, en noventa minutos exactos, lo había dejado totalmente acondicionado: cámaras de infrarrojos que se activaban con el movimiento, micrófonos, de todo. Ello les permitió tener cobertura por vídeo de toda la vivienda, y lo escueto del piso en el que vivía Gibson decía mucho de él.

Tras el divorcio, se había mudado a un edificio de pisos de alquiler barato. El espacio que habitaba estaba amueblado por una mesa de IKEA y una silla de madera. No había televisión, ni sillones tapizados, nada. Su dormitorio era igual de espartano. Espartano pero inmaculado, ocho años en los marines no se borraban así como así. Había un colchón y un somier apoyados en el suelo, junto a una lámpara de flexo que descansaba en una mesita baja. Y también había una cómoda con cajones, sin barnizar y con una pata rota recién reparada. No se veían más muebles. Diseño de interiores por cortesía de Franz Kafka.

Costaba trabajo creer que, con dieciséis años, aquel tipo había sido el hácker más buscado de todo Estados Unidos: el infame BrnChr0m, predecesor del moderno movimiento de piratería informática con motivaciones políticas, el adolescente que estuvo a punto de acabar con el entonces senador Benjamin Lombard, quien robó una década de correos y datos económicos de dicho senador y los publicó en el *Washington Post*. De forma anónima, o eso había creído BrnChr0m: el FBI arrestó a Gibson Vaughn en su instituto y lo sacó esposado de clase de química. Jenn había pegado con cinta adhesiva la foto de su ficha policial a uno de los monitores y se detuvo un momento a estudiar aquel rostro asustado, pero de expresión desafiante. Ahora tenía veintiocho años y ya había vivido una vida repleta de una intensa actividad.

La súbita aprensión del FBI por un hácker de dieciséis años constituía una historia bastante interesante; por otra parte, los documentos que había desvelado Vaughn constituían una historia genial. En ellos se detallaba cómo, de manera cínica y delictiva, se habían desviado fondos de una campaña electoral hacia determinados bancos de las Islas Caimán. Y también se señalaba con el dedo directamente a Benjamin Lombard. Durante una temporada, dichas revelaciones parecieron señalar el fin de la carrera política del senador, y los medios enloquecieron ante la idea de que un adolescente hubiera sido capaz de derribar a un senador de los Estados Unidos. A todo el mundo le encantaba una buena historia de David contra Goliat, aunque David, entretanto, hubiera infringido varias leyes estatales y federales.

Cuando detuvieron a Vaughn, Jenn estaba en la universidad, y esta recordaba haber sostenido por entonces encendidos debates acerca de si el fin justifica los medios. Chorradas abstractas y para mentes superiores que chocaban con su pragmatismo. Ofendida al ver que muchos de sus compañeros de clase veían a Vaughn como un Robin Hood de la era digital, se sintió un poco más que justificada cuando se demostró que BrnChr0m se había equivocado de parte a parte.

Al final, muchos de los documentos más condenatorios habían sido retocados o eran totalmente falsos. Estaba claro que se había cometido un delito, pero el FBI llegó a la conclusión de que el culpable no era Benjamin Lombard sino Duke Vaughn, su anterior jefe de gabinete, quien se había quitado la vida hacía poco. Duke Vaughn no solo había malversado millones de dólares, sino que además había borrado sus huellas implicando a Benjamin Lombard. Era un acto de traición de lo más shakesperiano, y cuando el hácker anónimo resultó ser nada más y nada menos que el hijo de Duke Vaughn… En fin, la historia causó sensación y BrnChr0m se convirtió en una leyenda.

Pero Gibson Vaughn llevaba ya mucho tiempo sin utilizar dicho apodo y en la actualidad distaba mucho de ser una figura legendaria.

Dado que Vaughn pasaba sus días en aquella cafetería, Hendricks había propuesto poner micrófonos también en dicho local. Jenn se opuso a la idea, pero aquello dejó una parte considerable sin cubrir en su labor de supervisión. A las seis de la tarde, Vaughn se iba derecho al gimnasio y pasaba allí una hora y media. Regresaba a casa a las ocho, consumía una cena fría delante del ordenador y a las once ya tenía apagadas las luces. Y vuelta a empezar. Así un día tras otro. Dios. Ella apreciaba la importancia de la disciplina y la estructura, pero preferiría que le pegaran un tiro en la cabeza antes que llevar una vida semejante.

En su informe ya decía que Vaughn tenía organizado todo su mundo en torno a la manutención de su exmujer y su hija.

Lo que Jenn tenía muy claro era que se estaba castigando. Pero ¿estaría intentando recuperar a su mujer, o simplemente expiar sus pecados llevando una vida de renuncia? Primero la engañó, y luego se convirtió en san Francisco de Springfield, en Virginia. Jenn no entendía a los hombres en general, ni a Gibson Vaughn en particular. Vaughn no se gastaba ni un solo centavo en sí mismo, su único lujo era el gimnasio; aunque, para ser justos, en este último caso se trataba de un dinero bien gastado.

No era que Vaughn fuera su tipo, ni mucho menos. Sí, poseía un cierto encanto más bien tosco, y la fascinaba el modo en que taladraba a la gente con aquellos ojos verde claro. Pero todavía traslucía aquel resentimiento que primero lo llevó a comparecer ante un juez y después lo hizo enrolarse en los marines. Por más que hubiera sufrido, no tenía excusa para seguir llevando aquella carga; uno no puede consentir que su pasado lo defina.

Se pasó la lengua por los dientes, un gesto de nerviosismo que, cada vez que se sorprendía repitiéndolo, la irritaba, pero que no podía evitar. Lo cual la irritaba todavía más. ¿Dónde estaría Hendricks con el café que le había pedido?

Como si aquello le hubiera dado pie, Hendricks apareció en la puerta con dos cafés y un buñuelo. Por fuerza debía de llevarle más de veinte años; calculaba que ya habría rebasado los cincuenta, pero era solo una estimación. Después de haber estado dos años trabajando para él, seguía sin saber cuándo era su cumpleaños. El nacimiento del cabello le había retrocedido hasta la coronilla y el vitíligo le había formado unas marcas de color blanco en las comisuras de la boca y alrededor de los ojos que destacaban vivamente en contraste con su piel negra.

—¿Todavía estás aquí dentro?

Jenn afirmó con la cabeza.

—Ese tipo es como un reloj —comentó Hendricks—. Es más regular que cagar todas las mañanas.

Le entregó uno de los cafés a Jenn y le dio un buen mordisco al buñuelo.

—Se les habían terminado los donuts de mermelada. ¿Te lo puedes creer? ¿En qué pastelería se terminan los donuts de mermelada antes de las nueve? Todo este estado necesita urgentemente un quiropráctico.

Jenn estudió la posibilidad de mencionar que Virginia era técnicamente un territorio autónomo, pero se lo pensó mejor. Aguijoneando a Hendricks no conseguiría otra cosa que provocarlo.

—Hoy es el día —dijo en su lugar.

—Hoy es el día.

—¿Tienes idea de cuándo?

—En cuanto tengamos noticias de George.

Estaban a la espera y finalmente iban a abordar a Vaughn. De ello iba a encargarse personalmente su jefe, George Abe. Jenn ya sabía todo esto, naturalmente, pero con la maniobra de hacer girar la conversación de nuevo hacia el trabajo casi siempre conseguía evitar que Hendricks se pusiera a despotricar.

Casi siempre.

Ocho años en la CIA la habían curtido en el arte de trabajar con hombres en espacios reducidos. La primera lección era que los hombres nunca se adaptaban a las mujeres. Aquello era un club de machos, y o te convertías en uno de ellos o acababas siendo una paria. Todo lo femenino se consideraba blando. Las mujeres que prosperaban eran las que decían tacos más alto, hablaban peor y no mostraban el menor signo de debilidad. Con el tiempo, a una la etiquetaban de «tía dura» y, a regañadientes, se granjeaba un cierto respeto.

Ella se había ganado la medalla al mérito de ser una «tía dura» por las malas. En algunas de aquellas bases de Afganistán había pasado semanas sin ver a ninguna otra mujer. Estando allí sola, una nunca era lo bastante dura, pues siempre sería la única mujer en cien kilómetros a la redonda. Había visto cómo la miraban los hombres, con una expresión que podía significar desde deseo hasta hostilidad y agresividad, y había aprendido a dormir con un ojo abierto. Era como estar en la cárcel: todo el mundo te observaba buscando un punto vulnerable. Hubo una base en la que las cosas llegaron hasta tal punto que incluso pensó en acostarse con el comandante, con la esperanza de que el rango militar de este le sirviera de protección. Pero la idea de ser la puta esclava de alguien no iba con ella.

De nuevo se pasó la lengua por los dientes. Le parecieron bastante auténticos, aunque su lengua no estaba muy convencida. El dentista le había hecho un buen trabajo cuando fue evacuada por baja médica a la base aérea de Ramstein. Dicha experiencia habría sido mucho más traumática si hubiera sabido que aquel iba a ser el último día real que pasara en la CIA, pero eso tardó varios meses en comprenderlo. Echaba más de menos la Agencia que sus dientes.

El tipo que se los hizo saltar de un puntapié no necesitó un dentista; no necesitó a nadie, salvo acaso un sacerdote. Su compañero, en cambio, logró llegar a casa. Él continuaba figurando en su lista de asuntos pendientes, junto con uno o dos mandos superiores que se volvieron contra ella cuando se negó a seguirles el juego. Quiso que llevaran a juicio a quien la agredió, pero ello habría implicado desvelar una delicada operación de la CIA. Ingresada en un hospital de Alemania, con la mandíbula escayolada, escuchó a uno de sus superiores explicarle la realidad de la situación:

—Por desgracia, es el precio que hay que pagar por hacer negocios en esta parte del mundo —le dijo, como si la hubieran agredido un par de talibanes en lugar de un par de sargentos del ejército de los Estados Unidos.

Pero el momento en que lo incluyó en su lista fue cuando él le palmeó la mano como si le estuviera haciendo un favor.

Volvió a pasarse la lengua por los dientes. «Nunca hay que dejar cuentas por saldar.» Así se lo había enseñado su abuela.

En comparación, Dan Hendricks era un compañero excelente. Sus veintidós años de trabajo en el Departamento de Policía de Los Ángeles se le notaban en la actitud serena y simple con la que llevaba a cabo sus obligaciones. Sobre todo en espacios reducidos, teniendo en cuenta que medía solo un metro setenta y pesaba como unos sesenta y cinco kilos, siempre que se le atase al cuerpo un pavo de Acción de Gracias. Aparte de eso, era un individuo limpio y no se pasaba todo el tiempo soltando tacos. Y lo mejor de todo: no necesitaba que ella fuera una tía dura, únicamente le pedía que hiciera bien su trabajo. Pero Jenn estaba descubriendo que el problema era que, una vez que se aprendía a ser una tía dura, costaba mucho quitarse esa máscara.

No era que Hendricks no pudiera aguantarla, él mismo podría dar lecciones de mala actitud. Sin lugar a dudas, era la persona inexorablemente más negativa con la que se había topado en la vida, y si sabía sonreír, desde luego ella no podía dar testimonio de ello. No le cabía duda de que el hecho de ser negro en el Departamento de Policía de Los Ángeles —una organización que contaba con un horrendo historial de relaciones interraciales— podía amargar hasta a la persona con más aguante. Pero George Abe llevaba mucho tiempo con Hendricks y le había asegurado que aquella negatividad suya no tenía nada que ver con ser negro en la Policía de Los Ángeles; simplemente era su forma de ser.

De pronto sonó un teléfono y ambos se llevaron la mano al móvil. Hendricks contestó al suyo. La conversación fue breve.

—Por lo visto, ha llegado el momento —dijo.

—¿Está aquí?

—Viene de camino. El jefe quiere que entres tú, no sabemos cómo va a reaccionar Vaughn.

Aquello era cierto. La relación entre Gibson y su jefe tenía sus antecedentes.

Ninguno de ellos bueno.

Capítulo 3

La hora punta se había calmado lo suficiente como para que Gibson pudiera oírse pensar. Echó un vistazo al fondo del local y vio que los de la última mesa estaban preparándose para irse. Cuando se hubieran marchado, tomaría posesión de un reservado y pasaría otro día frustrante buscando trabajo. Era domingo, pero en la búsqueda de trabajo no se tomaba vacaciones. El próximo recibo de la hipoteca de la casa en que vivían su exmujer y su hija llegaría dentro de quince días. Quince días para encontrar un empleo.

Por lo menos, no podía haber pedido un lugar mejor para trabajar. El Nighthawk le recordaba al hogar. Su padre se consideraba un entendido en cafeterías y le pasó el nombre a su hijo. Para Duke Vaughn, las cafeterías eran sinónimo de independencia y pequeños propietarios, no de franquicias y grandes empresas. Los comedores comunitarios de América, las llamaba él. Un territorio propiedad de una única persona, pero en el que, indiscutiblemente, tienen derecho a entrar todos los miembros de la comunidad. No es un ideal populista romántico, sino un lugar en el que la mitología de Estados Unidos se encuentra con su realidad de fondo... para bien o para mal.

Su padre podía —y así lo hacía— disertar largo y tendido acerca de las magníficas cafeterías que había por todo el país, pero la base de operaciones había sido siempre la Blue Moon, situada en la calle West Main de Charlottesville, Virginia. Si Duke Vaughn hubiera sido profesor, su aula habría sido el gastado mostrador de aquel local. Las charlas padre-hijo durante el desayuno habían sido un sagrado ritual de los domingos por la mañana desde que Gibson tenía seis años. Había aprendido de dónde venían los niños comiendo una porción de tarta de cerezas, y aún le daba vergüenza reconocer cuántos años habían transcurrido hasta que logró entender lo que le explicó su padre.

En el Blue Moon, Duke Vaughn era como de la realeza. Gibson jamás lo vio pedir nada y, sin embargo, le servían siempre lo mismo: dos huevos fritos, gofres de patata, gachas de maíz, beicon, salchichas y tostadas de pan blanco. Café. Zumo de naranja. Un desayuno como Dios manda, decía su padre, y no existía ninguna metáfora que Duke no fuera capaz de extraer de aquello. Gibson no había vuelto a entrar en el Blue Moon desde que su padre falleció. Desde que su padre se suicidó.

Llamando a las cosas por su nombre.

Pero, pasado un tiempo, Gibson descubrió que nunca se sentía a gusto en un sitio nuevo, hasta que dio con una cafetería que encajaba con él. «El hogar de paso», lo había denominado su padre. Seguro que su padre habría dado su aprobación al Nighthawk y a su propietario, Toby Kalpar.

Gibson recorrió el local con la mirada y se detuvo en una mujer que estaba al final de la barra, no porque fuera guapa o porque fuera vestida con un traje a medida en una cafetería un domingo por la mañana. Ni siquiera por el ligero bulto que le formaba la sobaquera que llevaba bajo el brazo izquierdo; al fin y al cabo, aquello era Virginia. Llevar un arma oculta era casi tan raro como ver un perro con collar. Fue por el hecho de que a ella, aunque en ningún momento miró directamente en su dirección, se le notaba que estaba atenta a lo que hacía él, y no de una forma que le resultase halagüeña. Se obligó a apartar la mirada. Él también sabía jugar a aquel juego. Un par de desconocidos que no se miraban el uno al otro.

—Bebes más café que una pandilla de poetas malos —comentó Toby al tiempo que le rellenaba la taza.

—Pues deberías haberme visto en los marines. Casi sobrevivía a base de café y Ripped Fuel. Para las seis de la tarde, en mi frente ya se podía freír un huevo.

—¿Se puede saber qué diablos es «Ripped Fuel»?

—Un suplemento. Para la actividad física. Actualmente no es lo que se dice legal.

Toby asintió con expresión filosófica. Veintiséis años antes, su esposa y él habían emigrado de Pakistán y habían comprado la cafetería durante la recesión. Su hija se había graduado en Arte y Diseño en el centro universitario de Corcoran de Washington, y gracias a ella Toby le había tomado gusto al arte moderno y por ello quitó el nombre antiguo de la cafetería y la rebautizó como el cuadro de Edward Hopper. Todo el local estaba salpicado de obras enmarcadas de artistas norteamericanos de mediados de siglo: Pollock, de Kooning, Rothko. El propio Toby, delgado, con una barbita gris pulcramente recortada y unas gafas de montura metálica, tenía todo el aspecto de alguien encargado de la conservación de alguna colección de libros raros, no de anotar los pedidos del desayuno. Pero, dejando a un lado las apariencias, Toby Kalpar había nacido para ser el dueño de una típica cafetería americana.

Toby permaneció unos momentos junto a la barra y puso cara de sentirse ligeramente avergonzado.

—Perdona que te lo pida otra vez, pero no me vendría mal que me echases una mano con los ordenadores. Llevo dos noches intentando entender ese galimatías y estoy totalmente perdido.

Seis meses antes, Gibson se había ofrecido a ayudar a Toby cuando lo oyó quejarse de los ordenadores del Nighthawk, que eran un auténtico laberinto de software malicioso, *cookies* espías y virus de todas clases. Resultó que Toby necesitaba con urgencia alguien que lo rescatara de su compulsión por darle al «OK» a todo lo que aparecía en la pantalla.

Gibson había pasado varias horas limpiando el sistema, instalando una red, un antivirus y un paquete de software para restaurantes. Y entretanto se habían hecho amigos.

—No hay problema. ¿Quieres que les eche un vistazo?

—Ahora, no. No quiero distraerte de tu búsqueda de trabajo. Eso es lo más importante.

Gibson se encogió de hombros.

—Dentro de un par de horas me vendrá bien un descanso. ¿Podrás sobrevivir hasta el almuerzo?

—Te estaría muy agradecido. —Toby extendió una mano por encima de la barra y se la estrechó a Gibson—. ¿Cómo está Nicole? ¿Y Ellie? ¿Se encuentran bien las dos?

Nicole era la exmujer de Gibson y Ellie era su hija, que tenía seis años: una criatura de un metro veinte de estatura en perpetuo movimiento, una máquina que generaba sin descanso amor, suciedad y gritos. Al oír su nombre, se le iluminó la cara. En la actualidad, Ellie era prácticamente lo único que surtía dicho efecto en él.

—Las dos están bien. Muy bien.

—¿Vas a ver a Ellie dentro de poco?

—Eso espero. Puede que el fin de semana próximo. Si Nicole puede quedarse en casa de su hermana, iré a pasar esos días allí.

El alojamiento del que disfrutaba Gibson tras el divorcio no resultaba muy cómodo para un niño pequeño y a Nicole no le hacía gracia la idea de que Ellie fuera a dormir allí. Y a él tampoco. Así que, periódicamente, Nicole iba a ver a su familia y él pasaba el fin de semana en la casa con la niña. Uno de los muchos gestos de amabilidad que había tenido su exmujer con él desde que pusieron fin a su matrimonio.

—Procura que así sea. Las niñas pequeñas necesitan al padre, de lo contrario terminan saliendo en la televisión en un *reality*.

—Los *realities* no están preparados para mi hija, créeme.

—Necesitarían un cámara que fuera acróbata.

—Exacto.

Gibson se puso de pie y se echó la mochila sobre el hombro. La mujer del final de la barra no se había movido del sitio. Al pasar por su lado, ella lo vio reflejado en el espejo que había detrás del mostrador y lo siguió con la mirada. Resultaba inquietante que no le importase un comino que él se estuviera dando cuenta.

El fondo de la cafetería se hallaba vacío de gente, a excepción de un individuo que ocupaba el reservado habitual de Gibson. Estaba sentado de espaldas a él, escribiendo en un cuaderno. Aquel tipo tenía algo que le resultaba familiar, incluso visto de espaldas.

Percibió que tenía alguien detrás y se levantó. No era un tipo muy corpulento, pero sus movimientos eran atléticos. Podía tener entre treinta y cinco años y cincuenta: canas en las sienes y un rostro fuerte con apenas un leve descolgamiento en la línea de la mandíbula. Por lo demás, había pocos datos para calcularle la edad. E iba vestido de lo más elegante: vaqueros azules y una camisa inmaculada, tan blanca que parecía una de esas que salen en los anuncios de lejía. Incluso llevaba los vaqueros planchados, y las botas de *cowboy* de cuero negro que calzaba se veían relucientes.

Gibson tuvo la sensación de que una mano le clavaba las garras en el corazón. Ya conocía a aquel hijo de puta. Lo conocía muy bien. Era George Abe, en carne y hueso. Sonriente. Se estremeció como si alguien le hubiera lanzado un puñetazo sin llegar a alcanzarle la cara. ¿Por qué sonreía Abe? Debería quitarse aquella sonrisa de la cara: parecía sincera, pero también una tomadura de pelo. Dio un paso hacia él sin saber muy bien lo que iba a hacer, pero queriendo estar preparado para el instante en que lo hubiera decidido.

Se contuvo al ver que la mujer de la barra entraba en su campo visual. La vio girarse con rapidez y elegancia, manteniendo la distancia pero haciendo notar su presencia. ¿Qué era lo que contaban de Ginger Rogers...? ¿Que hacía lo mismo que Fred Astaire, solo que hacia atrás y con tacones? La mujer llevaba desabrochados los botones de la chaqueta y se había girado para situarse de perfil a él, por si acaso tenía que apuntarle con el arma. Su semblante seguía siendo tranquilo e inexpresivo, pero a Gibson no le cupo la menor duda de que su expresión cambiaría en cuanto él diera otro paso más.

George Abe no había movido un solo músculo.

—Lo cierto es que esperaba tener una charla amistosa, Gibson.

—¿Te acompaña esa mujer a todas tus charlas amistosas?

—Esperaba que fuera amistosa, pero no contaba con ello. No me lo puedes reprochar.

—Tampoco me lo puedes reprochar tú a mí.

—No —concedió Abe—, no puedo.

Ambos se escrutaron el uno al otro mientras Gibson ponderaba la reacción de Abe. Su hostilidad inicial había sido reemplazada por una curiosidad cada vez más intensa.

—Bueno, ¿y qué te trae por aquí esta mañana? Ni siquiera he tenido tiempo de limpiarme el polvo desde que el mes pasado tu jefe consiguió que me echaran de mi trabajo.

—Ya lo sé. Pero llevo un tiempo sin trabajar para Benjamin Lombard. Digamos que me... dejaron libre. Una semana después de que tú iniciaras el entrenamiento básico.

—¿Así está la cosa? —dijo Gibson—. ¿Uno les hace el trabajo sucio y a continuación le enseñan la puerta?

—Más o menos.

—En fin, si no has venido por Lombard, ¿qué es lo que quieres?

—Ya te lo he dicho: tener una charla amistosa.

George Abe le entregó una tarjeta de visita. En ella figuraban una dirección del centro de Washington y un teléfono. Debajo del nombre decía: «Director de Abe Consulting Group».

Gibson, de pequeño, pronunciaba mal el nombre de George Abe, hasta que su padre lo corrigió: «Pronuncia todas las sílabas, al estilo japonés.» George, que era el jefe de seguridad de Benjamin Lombard, había sido una figura omnipresente en su infancia, el hombre que siempre estaba contra el telón de fondo. Educado y cortés, pero profesionalmente invisible. Gibson nunca le prestó atención hasta que le tocó comparecer ante la justicia, pero para entonces Abe ya no era ni educado ni cortés.

—Estupendo —replicó Gibson.

—Tengo una oferta de trabajo para ti.

Gibson buscó los recursos necesarios para contestar; la curiosidad dio paso a la incredulidad.

—Tengo que reconocértelo, George, tienes los cojones bien puestos.

—Oye lo que tengo que decirte.

—No me interesa. —Gibson le devolvió la tarjeta de visita.

—¿Qué tal vas con tu búsqueda de trabajo?

Gibson se quedó inmóvil y taladró a Abe con una mirada glacial.

—Ve con cuidado con ese tema.

—Entendido. Pero que sepas que no pretendo nada más que resumir la situación —dijo Abe—. Lo cierto es que estás en paro y que con tu historial te va a resultar difícil encontrar un empleo acorde con tus capacidades. Necesitas trabajar. Y yo tengo un trabajo. Un trabajo mejor pagado que cualquier empleo que puedas encontrar tú. Si es que encuentras alguno.

—Aun así, no me interesa.

Gibson se volvió y dio cuatro pasos en dirección a la puerta, pero Abe lo hizo frenar en seco.

—Él jamás va a dejar este tema. Eso lo sabes, ¿verdad?

La brutalidad de aquellas palabras hizo que Gibson se estremeciera. Resumía los miedos que habitaban y horadaban el interior de su cerebro.

—¿Por qué no? —No logró evitar que su voz se oyera teñida de un tono de súplica.

Abe lo miró con lástima.

—Porque eres Gibson Vaughn. Porque te trató como a un hijo.

—¿Acaso no me despidió?

—No lo sé. Quizá. Probablemente. Pero no importa. Si fuera tú, estaría preocupado por lo que pudiera hacer si resulta elegido presidente. Tendrás suerte si encuentras un empleo en Siberia.

—¿Es que no he pagado ya bastante?

—Nunca será bastante. Aquí no vale eso de «lo pasado, pasado está». Sus enemigos lo son de por vida, y pagan de por vida. Ésa es la manera de jugar de Benjamin Lombard.

—Así que estoy jodido.

—A no ser que le des una razón para que lo olvide todo.

—¿Y qué razón puede haber?

Abe volvió a sentarse en el reservado y le hizo una seña a Gibson para que se sentara con él.

—¿Esta es la parte amistosa de la charla?

—Yo diría que te conviene escucharme.

Gibson sopesó sus alternativas: decirle a George Abe que se fuera a la mierda, lo cual sería realmente una gozada, o escuchar lo que tuviera que contarle y luego decirle que se fuera a la mierda.

—Si quieres que charlemos amistosamente, dile a tu amiga que deje de apuntarme.

Abe le hizo una seña a la mujer, la cual volvió a abotonarse la chaqueta y se replegó hacia el otro extremo de la barra.

—¿Ya? —preguntó Abe.

Capítulo 4

Gibson se acomodó en el reservado, enfrente de Abe. George Abe. El puñetero George Abe. Dejó escapar un suspiro, maravillado. Sentarse cara a cara con él después de todo aquel tiempo. Abe era una conexión con su pasado, con su padre. ¿Cuántos años habían sido? ¿Diez... no, once? No se veían desde el día del juicio, cuando el juez dejó caer la bomba.

Abe no estaba sentado a la mesa del fiscal, aunque bien podría haber sido el caso. A lo largo de todo el proceso, él y su cuaderno de notas formaban una imagen fija de la galería, justo detrás del fiscal del distrito. Abe proporcionó los documentos acusatorios, conferenció en privado y pasó notas en los momentos clave. Daba toda la impresión de que el fiscal recibía las órdenes de George Abe, o al menos eso fue lo que le pareció a Gibson.

Fue varios meses después de su detención cuando Gibson se dio cuenta de que Benjamin Lombard no iba a dejar aquel juicio al azar. Al hackear los ordenadores del senador, Gibson había infringido leyes tanto estatales como federales, pero se suponía que las federales se impondrían a las estatales, por lo menos así ocurrió hasta que el caso, de forma inesperada, fue derivado a los tribunales de Virginia. El motivo, aunque nunca se dijo, era simple: las judicaturas federales eran nombramientos vitalicios, mientras que los jueces de circuito de Virginia servían ocho años y eran elegidos por la Asamblea de Virginia. Lombard se había cobrado el favor y había trasladado el juicio de Gibson a un emplazamiento en el que él pudiera ejercer toda su influencia, que no era poca. La decisión del fiscal del distrito de juzgarlo como persona adulta por un delito no violento, cuando no tenía antecedentes penales, no hizo más que confirmar sus sospechas. De modo que, cuando se inició la vista, Gibson dio por supuesto que el juez también debía jugar en el equipo de Lombard.

El juicio finalizó a los nueve días, y el veredicto ya estaba determinado de antemano. Los discos duros de Gibson fueron las únicas pruebas que necesitó el ministerio fiscal. Declarado culpable, fue devuelto a su celda a esperar la condena. Pero unos días más tarde su abogado lo sacó de allí y lo llevó ante el juez. La entrevista no tuvo lugar en la sala del tribunal propiamente dicha, sino en las dependencias del juez. En la puerta, el juez y el abogado de Gibson intercambiaron una extraña mirada de complicidad.

—A partir de aquí ya me encargo yo, señor Jennings —dijo el juez.

Su abogado asintió con un gesto, miró de soslayo a su confundido cliente y, sin decir palabra, los dejó a ambos de pie en el umbral. Gibson no sabía nada de leyes, pero hasta él se percató de que aquello era una irregularidad. Una vez que se quedaron los dos solos, el juez le indicó con una seña que entrara.

—Creo que usted y yo debemos conversar un momento.

A continuación, sacó dos botellas de RC Cola de una nevera pequeña y les quitó los tapones con un abridor que había en la pared. Le ofreció uno a Gibson y se sentó detrás de su escritorio de caoba.

El honorable Hammond D. Birk era una mezcla de caballero sureño cascarrabias y trabajador de clase obrera de Virginia. Se había mostrado duro e implacable a lo largo de todo el juicio: cáustico y mordaz cuando el tribunal no daba la talla requerida, pero educado y encantador en la manera de expresar su profundo desagrado. Los abogados de ambas partes pusieron sumo cuidado en no provocar su cólera. Y ahora Gibson, sentado en el sillón de cuero de aquel magistrado, tenía miedo hasta de beber un sorbo del refresco.

—Hijo —empezó Birk—, voy a hacerte una oferta que no se repetirá. No habrá preguntas, ni debates, ni negociaciones. Cuando haya terminado de hablar, tan solo quiero oírte decir una de estas dos palabras: sí o no. Solo una de ellas, y a continuación saldremos ahí fuera hoy mismo y daremos por terminado todo este maldito circo, que, la verdad, me resulta ofensivo. ¿Me has entendido?

Gibson afirmó en silencio, por si acaso el hecho de responder en voz alta a aquella pregunta fuera una trampa para descalificarlo.

—Bien —prosiguió el juez—. Mi oferta es bastante clara: diez años en prisión o alistarte en el Cuerpo de Marines de los Estados Unidos. No lo has preguntado, pero alistarse son cinco años. La mitad, por si acaso estás haciendo cálculos. Además, estarás haciendo algo útil con ese cerebro tuyo, en vez de emplearlo para contar las semanas, los meses y los años que te quedan para recuperar la libertad. Así que... diez años en la cárcel o cinco con los marines. Al finalizar, yo mismo dejaré limpio tu historial, así podrás seguir abriéndote camino en este mundo.

El juez vació su botella de cola y observó a Gibson desde el otro lado del escritorio.

—Yo ya he terminado de hablar, hijo, ahora te toca a ti. No tengas prisa, piénsalo bien. Sí a los marines, no a la cárcel. Cuando tengas la respuesta, házmela saber. Y no dejes que se te caliente el refresco, era el favorito de tu padre en la universidad.

Gibson levantó la vista para mirar al juez, y este le sonrió.

Ambos dejaron transcurrir unos minutos en silencio, aunque lo cierto era que Gibson no había tardado nada en tomar la decisión. Veinte años sirviendo en los marines habrían supuesto un precio pequeño que pagar, con tal de evitar una sola noche más encerrado en una celda. Y aquello era tan solo un calabozo; la cárcel auténtica era algo completamente distinto, y a Gibson le causaba un pánico mortal. Sin embargo, disfrutó de estar allí sentado con el juez, bebiendo RC Cola y abrigando la esperanza de que Birk le hablase un poco más de su padre. Pero Birk no dijo nada más, ni en aquella ocasión ni en las decenas de cartas que intercambió con él mientras estuvo con los marines. La primera llegó, de forma inesperada, un día antes de que se graduara en Parris Island. Era solo la tercera desde que ingresó en el Cuerpo, y contenía una profunda meditación sobre la edad adulta explicada a lo largo de veinte páginas escritas a mano. Gibson se sentó en el borde de su litera y la releyó una y otra vez. Aquel era el Día de la Familia, debido a lo cual la mayoría de sus compañeros estaban paseando por la base con sus familiares. Aquella carta le hizo sentirse menos solo en el mundo. Escribió una sentida respuesta de agradecimiento. Después de aquello, ambos intercambiaron correspondencia durante unos cuantos meses: las cartas de Gibson eran concisas y rebosantes de noticias; las de Birk, amplias y filosóficas. Gibson se preguntó qué le aconsejaría el juez en la situación actual.

—Me acuerdo de la última vez que te vi —le dijo Gibson a Abe—. Fue justo después de que el juez anunciara que iba a alistarme en los marines. Todo el mundo se volvió loco, excepto tú. Quise ver tu reacción, pero simplemente te levantaste y te marchaste. Incluso te entretuviste en abrocharte el botón de la chaqueta, y luego saliste de allí como si no hubiera pasado nada. De lo más tranquilo. ¿Ibas a darle la mala noticia a Lombard?

—Así es.

—Siempre me he preguntado cómo se lo tomó Lombard, después de haberse esforzado tanto en enchironarme. Imagino que no debió de sentarle muy bien.

—No. No le sentó bien en absoluto. Pero me alegro de que el asunto se resolviera como se resolvió. Terminé dándome cuenta de que fue un error. Y lamento la parte que me correspondió a mí en lo sucedido.

Aquellas disculpas pillaron desprevenido a Gibson. Experimentó un extraño sentimiento de gratitud, simplemente por ver que por fin alguien le pedía perdón. Y casi inmediatamente experimentó otro sentimiento de rencor. Sí, fue inesperado y agradable, pero ¿de qué servía pedir perdón al cabo de diez años?

—Así que tú solo eras otro peón inocente, ¿es eso lo que estás queriendo hacerme creer?

—No. —Abe negó con la cabeza—. En mi opinión, la ignorancia no es suficiente. Yo ignoraba lo que estaba ocurriendo, pero solo porque me permití el lujo de hacerlo. Porque no hice las preguntas que debería haber hecho. Me confundió mi lealtad. Sabía que estaba mal, pero no le hice caso a mi instinto. Disto mucho de ser inocente.

—Entonces, ¿qué? —repuso Gibson—. ¿Te traes a tu empleada de confianza, la que está sentada ahí al fondo, y me sigues hasta esta cafetería para poder desahogarte? ¿Para hacer la confesión del domingo por la mañana? ¿Ya te sientes mejor?

—En efecto, me siento mejor. Es sorprendente. Pero no he venido por eso.

En aquel momento llegó Toby con la carta del restaurante y una jarra de café. Puso una taza delante de Gibson y la llenó. Se le veía nervioso y dirigió una mirada a Gibson como preguntándole si debía hacer algo. Gibson le respondió negando de forma imperceptible con la cabeza. Fuera lo que fuese lo que estaba ocurriendo allí, Gibson no deseaba involucrar en ello a Toby.

—Enseguida vuelvo, caballeros —dijo Toby.

Cuando el dueño se hubo ido, Gibson, rascándose bajo el labio con la uña del pulgar, le preguntó a Abe con gesto acusatorio:

—Entonces, ¿a qué has venido?

—Estoy aquí por Suzanne.

Gibson sintió un intenso escalofrío que le subía por la nuca y notó que se le erizaba incómodamente el vello de los brazos. Era la primera vez en muchos años que alguien le decía aquel nombre; hasta su exmujer sabía que no debía pronunciarlo.

—Suzanne Lombard.

Abe hizo un gesto afirmativo.

—Quiero que me ayudes a averiguar qué le sucedió.

—Suzanne está muerta, George. Eso es lo que sucedió.

—Probablemente. Probablemente sea cierto.

—¡Han pasado diez años!

Gibson sintió que el tono de voz se le iba de la mano. ¿Cómo que probablemente? Aquella palabra se le había clavado como un punzón en el estómago, y la furia dio paso a una desesperación impensable. Suzanne estaba muerta. Necesariamente. Habían transcurrido diez años. La alternativa era mucho peor: que continuara viva no supondría ningún consuelo, dadas las circunstancias. No; si estaba viva, ello quería decir que estaba oculta. Y si aún permanecía oculta después de tanto tiempo, ello quería decir que alguien se había tomado muchas molestias para que así fuera. Preguntarse el porqué no conducía a ninguna respuesta halagüeña; lo único que le venía a la mente eran imágenes de pesadilla.

—¿Por qué? ¿Qué ganas tú con ello? ¿Acaso esperas volver a caerle en gracia a Lombard?

—No. Hemos terminado.

—Entonces, ¿qué? ¿Es por los viejos tiempos?

—Mis motivos no son de tu incumbencia.

—Pues vas a tener que esforzarte un poco más. Si no quieres nada de Lombard, ¿a qué se debe todo este esfuerzo para encontrar a su hija? Si tienes algo, ¿por qué simplemente no se lo entregas a los federales y acabas de una vez?

Esta vez fue George el que se lo quedó mirando. Gibson no se fiaba de él, pero el otro le sostuvo la mirada, inflexible, como el parachoques de una camioneta de las antiguas.

—Lo hago por Suzanne. Me sorprendes, Gibson.

—¿A qué te refieres?

—Suzanne te quería a ti más que a nadie.

De repente Gibson se sintió a punto de echarse a llorar. Abe se percató de ello y le ofreció una sonrisa amable.

—Aquella niña te adoraba, te seguía a todas partes. Y yo veía cómo cuidabas tú de ella. Como si fuera tu propia hermana. Lo veíamos todos. —Abe se limpió algo que tenía debajo del ojo—. Esta mala sangre que hay entre Benjamin y tú... ¿de verdad llega hasta Suzanne?

Gibson negó con la cabeza y se tapó la boca con la mano, firmemente, para evitar decir nada más. Había perdido la batalla por mantener la compostura.

—Pues entonces ayúdame. No sé tú, pero yo necesito saberlo. Vi crecer a esa niña y necesito saber qué fue lo que le sucedió. Quiero sentarme frente al individuo que incitó a aquella preciosidad de niña a fugarse de su casa. Quiero tener una conversación muy seria con él. De lo demás, que se encargue el FBI. —Calló unos instantes para saborear la violencia que aquellas palabras llevaban implícita—. Y si al mismo tiempo puedo empezar a arreglar las cosas contigo, mejor que mejor.

—Te culpas.

—Sí, así es.

—¿Por eso te despidió Lombard? ¿Por lo de Suzanne?

—Sí.

—¿Fue culpa tuya?

Abe dejó escapar un suspiro y volvió la vista hacia el ventanal. Gibson tuvo la impresión de que se encogía ligeramente. Cuando volvió a hablar, lo hizo con voz serena, teñida de dolor.

—Esa es una buena pregunta. Nunca la he contestado a mi entera satisfacción. La seguridad es una profesión orientada hacia los resultados. Mi misión consistía en proteger a Benjamin Lombard, pero en dicha responsabilidad estaba incluida su familia. Haciendo un análisis de lo más simple, Suzanne desapareció durante mi turno de guardia.

Si no lo conociera mejor, a Gibson podría haberle empezado a caerle bien aquel tipo.

—Bueno, ¿y por qué ahora? ¿A qué viene este deseo repentino de desenterrarlo todo? ¿Es porque se ha cumplido el aniversario?

—Vuelve conmigo a la oficina y lo verás tú mismo.

—¿Qué es lo que tengo que ver? ¿Qué tienes?

Gibson intentó deducirlo mirando a Abe a la cara, pero la única pista era la confianza de este. ¿Sería posible? ¿Podía ser que Abe tuviera alguna información nueva acerca de un caso que llevaba una década esquivando la fuerza de la ley? ¿A qué remota posibilidad se estaba aferrando Abe? Pero daba igual; con que existiera tan solo un uno por ciento de posibilidades de encontrar a Suzanne, se lanzaría a por ello. Ni siquiera era una pregunta.

Abe deslizó un grueso sobre por la mesa. Gibson lo abrió y pasó el dedo pulgar por el fajo de billetes que había dentro. No los contó, pero eran todos de cien.

—¿Qué es esto?

—Una disculpa por haberte interrumpido en tu desayuno, o una gratificación inicial. Tú eliges.

—¿Una gratificación inicial?

—Si aceptas ayudarme, te ofrezco el doble del sueldo que ganabas antes más una gratificación de otros diez mil dólares si consigues una pista sustancial. ¿Te parece justo?

—Más que justo.

—Bien. —Abe se levantó del asiento, hizo una seña a la mujer de la barra y salió de la cafetería.

Gibson no vio que tuviera más remedio que seguirlo.

Capítulo 5

La caravana de vehículos atravesaba el centro de la ciudad de Phoenix como una nave de guerra cruzando un océano de hormigón y metal. Con una longitud que abarcaba más de media manzana de edificios, su proa la formaba una cuña de policías motorizados que hacían ulular las sirenas para abrirse paso por entre el congestionado tráfico de primera hora de la tarde del viernes. Tras ellos aguardaban coches que rápidamente se habían arrimado al bordillo y peatones que se habían parado a contemplar el espectáculo.

Benjamin Lombard no oía ni veía nada de todo aquello. Iba arrellanado en el asiento de atrás de una de las limusinas, siempre en una limusina distinta, repasando el programa de la semana siguiente. Era consciente de que su gabinete ardía en deseos de saber su contenido, pero no se dio ninguna prisa; estaba acostumbrado a que la gente esperase a ver su decisión. Por fin, hizo varias correcciones de poca importancia y devolvió el itinerario a uno de sus ayudantes.

Se sentía cansado y más que frustrado. A lo largo de los últimos veinticinco días había visto cómo la gobernadora Anne Fleming le iba ganando terreno en las encuestas. Lo que había comenzado como una divertida atracción secundaria estaba transformándose en una amenaza real. Recientemente había salido una caricatura política en la que aparecía él representado como una liebre durmiendo bajo un árbol mientras Fleming, la tortuga, lo adelantaba. En los programas de televisión de la noche había dejado de ser el elegido para convertirse en el objeto de todos los chistes. Un año antes, la gobernadora de California, en su primer mandato, ni siquiera salía nombrada en las conversaciones sobre la presidencia. Lombard era un favorito tan potente que hasta los nombres importantes del partido habían decidido no presentarse a las elecciones, y ahora se encontraba enfrascado en una reñida competición con una novata. Sus asesores restaban importancia a Fleming y aseguraban que iría perdiendo fuerza, pero él no estaba tan seguro. Hasta el momento, Fleming le había devuelto todos los golpes que él le había lanzado como si fuera una veterana profesional, y al mismo tiempo lo había hecho parecer tonto. Si no se la neutralizaba inmediatamente, la convención de Atlanta iba a ser una auténtica pelea de gallos.

—Dile a Douglas que anule lo de Santa Fe —ordenó Lombard—. Esta noche, después de la recaudación de fondos, quiero ir directamente al aeropuerto.

Leland Reed se removió en el asiento.

—Esto… señor, Douglas opina que es importante hacer una aparición mañana, si queremos contar con el apoyo del gobernador Macklin. Ya no vamos a regresar aquí antes de la convención.

Leland Reed era el jefe de gabinete del vicepresidente. Ya cincuentón, Reed tenía fama de ser un operativo imperturbable, un solucionador de problemas. Se había ganado dichas credenciales, repetidamente, a lo largo de sus treinta y tres años de carrera en el Capitolio y en innumerables campañas.

Lombard tenía en muy alta estima a su jefe de gabinete. Después de que Duke Vaughn se suicidara, había tenido que largar a dos sustitutos antes de quedarse con Reed. Reed hablaba su mismo idioma y compartía su fría determinación, pero no era Duke Vaughn. No era nada de lo que avergonzarse, porque Duke Vaughn era único. Duke habría sabido de forma instintiva, cosa que no le ocurría a Reed, por qué lo de Santa Fe era una mala idea. Duke veía las mismas piezas sobre el tablero que todo el mundo, pero era capaz de prever muchas jugadas por adelantado. Una gran parte de lo que Lombard sabía de política se lo había enseñado él.

Leland Reed era implacable, pero necesitaba que lo orientasen en la dirección correcta. En cierto sentido era preferible así; Lombard se había ido acostumbrando cada vez más a ser la persona más inteligente de cualquier reunión; sin embargo, había ocasiones en las que echaba de menos saber que, si surgía algún problema, estaría allí Duke para resolverlo.

Perforó a Reed con una mirada glacial.

—No vamos a obtener el respaldo de Macklin. Va a aliarse con Fleming.

—Pero, señor, Douglas opina que Macklin está haciendo proposiciones.

—Macklin estaba haciendo proposiciones cuando yo iba en cabeza con diez puntos de diferencia. Ahora, en cambio, voy en cabeza solo por lo que te mide a ti la polla y Macklin va a apoyar a Fleming, a la que conoce desde hace veinte años y la cual le prometerá cosas que no le prometeré yo. Desde luego, me va a hacer suplicar su apoyo, pero al final no me lo va a dar.

—¿Y no merece la pena, aprovechando que estamos aquí?

—Megan, ¿dónde tiene programado estar la gobernadora Fleming el viernes que viene? —preguntó Lombard.

Su ayudante hizo aparecer un calendario en la pantalla de su portátil.

—En Arizona, señor.

—Esto es una pérdida de tiempo, Leland. Nos están vacilando, así que, que se joda el gobernador Macklin y, de paso, que se joda también Douglas.

—¿Señor? —Pese al súbito arrebato de mal genio y lenguaje soez del vicepresidente, Reed mantuvo el tono de voz sereno y optimista.

—Me preocupa Douglas y la manera en que está interpretando la situación —explicó Lombard con paciencia—. Está tomando decisiones basándose en las encuestas de la semana pasada. Necesito que se plante ante Fleming. Esa mujer no va a ir a ninguna parte, y ya estoy cansado de oírle a él decir lo contrario.

—Sí, señor —contestó Reed—. ¿Qué razón le doy para que cancele?

—Una que sea un tanto vaga, como por ejemplo que me necesitan en Washington. Sigo siendo el vicepresidente, de modo que lo comprenderá.

—Sí, señor —repuso Reed.

—Mañana a primera hora quiero reunirme con Douglas, Bennet y Guzmán. Vamos a dejar claras unas cuantas cosas. Ellos no son los únicos estrategas de campaña que hay en Washington.

Lombard contempló a través de la luna tintada de la ventanilla la imagen borrosa que era Phoenix. Vivir en aquella burbuja constituía uno de los aspectos surrealistas de su trabajo. En los ocho últimos años no había habido un momento en el que hubiera estado realmente a solas, en el que no hubiera treinta personas enteradas de su paradero exacto. Para hacer aquel trabajo, y para hacerlo bien, había que estar en constante movimiento, rodeado de gente, ideas, acción. Y por supuesto que eso le encantaba. Y aún le iba a gustar más ser presidente.

Cuando los periodistas le preguntaban por qué quería ser presidente, él repetía los mismos clichés elegantes que sus antecesores: tópicos acerca del afán de servir, del país, de tener una visión del futuro de la nación. Eran bobadas, naturalmente, y dudaba que sus predecesores se las creyeran más que él. Y ¿cuál era la verdad? ¿En qué otra época de la historia de la humanidad había podido alguien ascender, sin derramamiento de sangre, hasta convertirse en el hombre más poderoso del mundo? Era la oportunidad de ser un dios civilizado, y él no se fiaba de nadie que aspirase a menos. Pero la diferencia que había entre él y la mayoría de las personas era que él había nacido para ocupar aquel puesto. Estaba hecho a su medida.

La caravana de vehículos se detuvo frente al hotel y Lombard observó cómo entraba en acción el Servicio Secreto. Se abrieron de forma simultánea dos docenas de portezuelas por las que se apearon una multitud de agentes que se desplegaron como si fueran marines para establecer una barrera. Una vez que estuvieron preparados, se abrió la puerta de la limusina y Lombard salió a la luz del sol sonriendo de oreja a oreja. De mayor estatura que todos los agentes salvo uno, hizo una pausa para examinar el hotel, abotonarse la chaqueta del traje y saludar con la mano a los seguidores que lo observaban desde el otro bordillo, los cuales respondieron con una salva de aplausos. Acto seguido, permitió que lo condujeran al interior del hotel.

Tomó nota mentalmente de ordenar que retirasen de su séquito a aquel agente que lo superaba en estatura.

Ya dentro del vestíbulo, lo rodeó su nube de ayudantes y lo instaron a que se dirigiera rápidamente a su habitación. Mientras lo ponían al corriente de todo, examinó dos memorandos y los acribilló a preguntas. Era ducho en el arte de seguir múltiples conversaciones a la vez.

—¿A qué hora es la recaudación de fondos? —preguntó.

—A las ocho, señor.

—¿Dónde está mi discurso?

Alguien le entregó una copia recién hecha. Cogió también dos informes que contenían los últimos datos de inteligencia acerca de un incidente que estaba teniendo lugar en Egipto y una última hora sobre una ley de inmigración que estaba dirimiendo el Senado.

—Leland, quiero verte dentro de dos horas. Hablaremos durante la comida. Por lo demás, no me molestes a no ser que estalle una crisis constitucional y me convierta en presidente.

Esto último provocó una serie de risitas educadas entre el grupo. El Servicio Secreto esperó a que entrase y acto seguido cerró la puerta.

Ya a solas, Benjamin Lombard se quitó el traje y lo tendió encima de la cama para que no le salieran arrugas. El aire acondicionado resultaba agradable después del implacable calor de Arizona. No sabía muy bien por qué, pero un hotel de cinco estrellas tenía mejor aire acondicionado que ningún otro lugar del planeta. Lo consideraba la cumbre de la civilización, pues permitía vivir en lugares tan dejados de la mano de Dios como Phoenix, en Arizona.

De pie, en camisa, calzoncillos y calcetines negros, pasó unos momentos refrescándose en la oscuridad de su suite, transcurridos los cuales encendió la televisión para ver los informativos y se topó con un reportaje sobre la campaña de Anne Fleming, que había hecho un alto en California. Entonces lo comprendió; la escasa concurrencia que había tenido su discurso electoral de aquella mañana había dejado bien nítida la imagen de conjunto. Cuanto más pensaba en ella, más convencido estaba de que la reunión que iba a tener con Douglas al día siguiente iba a ser necesariamente una sangría. Transmitiría un mensaje e insuflaría nuevos bríos en las tropas. Se preguntó qué haría falta para convencer a Abigail Saldana de que saliera de su semijubilación como comentarista; ella no aguantaría aquellas bobadas de Fleming.

De pronto se oyeron unos golpes en la puerta que lo sacaron de sus pensamientos e hicieron que se evaporase su buen humor. Más valía que se hubiera abierto un cráter en el Senado, porque de no ser así, juró por Dios que, como al otro lado de la puerta estuviera un impaciente miembro de su equipo, iba a tener que mudarse a Turquía para encontrar trabajo en la política.

—¿Qué? —rugió Lombard al tiempo que abría la puerta dando un tirón que a punto estuvo de arrancarla de sus bisagras.

Era Leland Reed, y venía con cara de preocupación.

—¿Qué ocurre? —preguntó Lombard de nuevo, pero ya no tan colérico.

—¿Me permite pasar, señor?

Benjamin se hizo a un lado y lo dejó entrar en la suite. Reed no se sentó, sino que se puso a pasear nervioso por la estancia, como si fuera un robot aspiradora patrullando en busca de suciedad. Finalmente, hizo un descanso junto a la ventana.

—Y bien, ¿qué es lo que sucede? Por Dios, me estás poniendo nervioso.

—Señor, ¿recuerda la lista que me encargó que vigilase?

Lombard sabía exactamente a qué lista se refería Reed. Uno no llegaba tan alto en política sin granjearse unos cuantos enemigos. Más de unos cuantos. Aquella lista comprendía a personas que podrían intentar perjudicar su campaña. Había de todo: desde enemigos políticos hasta antiguos empleados, pasando por una novia del instituto disgustada por el modo en que habían roto. No era que esperase problemas, pero todas las campañas sacaban a la luz algún aspecto de la vida del candidato que llevaba mucho tiempo olvidado. Y no había motivo para pensar que esta iba a ser distinta.

—¿Quién? —preguntó Lombard.

—George Abe.

—¿George? Vaya. —Aquello lo dejó sorprendido. Siempre había considerado que la relación con George era amistosa, incluso teniendo en cuenta el modo en que se habían separado—. ¿Qué ha hecho George?

—Se ha reunido con el hijo de Duke Vaughn en una cafetería de Virginia. En este mismo instante se dirigen hacia Washington.

Lombard sintió que se le erizaba el vello de la nuca. Gibson Vaughn y George Abe eran dos nombres que no esperaba oír juntos en una misma frase, y lo único que tenían ambos en común era a él. Que estuvieran juntos no podía ser obra de la casualidad.

—¿De qué han estado hablando?

—Eso no lo sé, señor.

—Bien, pues averígualo. ¿Tenemos a alguien en el entorno de George?

—No, señor —contestó Reed.

—Pues mete a alguien. Y ponme con Eskridge por teléfono. Por lo visto, después de todo, es posible que tenga que intervenir.

Capítulo 6

Condujeron en silencio hasta Washington. Gibson iba sentado en la parte de atrás, al lado de George Abe, el cual estaba absorto en su teléfono, contestando correos electrónicos. Cuando Abe introdujo la contraseña de su móvil, Gibson la captó con el rabillo del ojo. La fuerza de la costumbre. Había tardado meses en perfeccionar aquella habilidad, pero era capaz de robar la contraseña de acceso a un teléfono desde el otro extremo de una sala solo con observar cómo movía su dueño el dedo pulgar. La archivó mentalmente, por si acaso.

Los números siempre se le habían dado bien. Para él, las matemáticas, la ciencia y los ordenadores no tenían secretos, una cualidad que le resultó tremendamente útil cuando se pasó al lado oscuro. Se había entrenado para recordar secuencias numéricas y era capaz de repetir hasta dieciséis cifras seguidas de números de teléfono, tarjetas de crédito, códigos de la Seguridad Social... Era curioso observar con qué frecuencia la gente recitaba en público información vital. Aquel era uno de sus talentos menos aceptados socialmente.

En la parte delantera del coche, en el asiento del pasajero, iba la ayudante de Abe, escrutando la carretera como si fuera un soldado de avanzadilla en Faluya. Había visto aquella misma expresión en el rostro de veteranos de combate. En recuerdos que no perduraban como meros recuerdos. Imágenes que se repetían una y otra vez entremezcladas unas con otras, como las notas de una sinfonía discordante. Así iba ella, tensa y vigilante, como si en el norte de Virginia las emboscadas fueran algo común.

En el Nighthawk, Abe se la había presentado como Jenn Charles. Ella le saludó con un apretón de manos profesional, pero su sonrisa falsa, impostada, fue una advertencia para que a él no se le ocurriese cabrearla. Aun así, Jenn era toda dulzura en comparación con el individuo menudo y de gesto hosco que iba al volante. Había dicho que se apellidaba Hendricks, sin nombre de pila. Tampoco a él parecía caerle bien, pero, a diferencia de Jenn Charles, en su caso no pensaba que el motivo fuera personal: daba la impresión de que no le gustaban ni nada ni nadie.

Pese a que era domingo, el tráfico que entraba en Washington era tan denso como en hora punta. Estaban a primeros de abril y los cerezos se veían en flor, de modo que las carreteras que se dirigían a Georgetown se hallaban abarrotadas de vehículos cuyos conductores contemplaban el panorama. Sin saber cómo, Hendricks logró maniobrar con mano experta para salir del embotellamiento, saltando de un carril que se frenaba a otro que aceleraba la marcha. Era un superpoder de lo más práctico, se dijo Gibson. Al llegar al Key Bridge, Hendricks tomó la salida de la autopista elevada Whitehurst, que discurría a lo largo del Potomac y desembocaba en la calle K. La franja del río centelleaba hasta el Centro Kennedy.

Gibson observó a Abe. Todavía se acordaba de lo que le había dicho en la cafetería: «Suzanne te quería a ti más que a nadie». Volvió la vista hacia el río.

«Más que a nadie.»

Gibson conocía a Suzanne desde que ambos eran unos críos; estaban unidos por la amistad que existía entre sus padres, que era mucho más profunda que la de un senador y un jefe de gabinete. Lombard había sido el padrino en la boda de Duke, y Gibson, tras fallecer su madre, cuando tenía tres años, pasaba la mayoría de las vacaciones con los Lombard en vez de con su propia familia. Era frecuente que el senador Lombard y Duke trabajasen hasta muy tarde y todo el fin de semana, de resultas de lo cual tenía un dormitorio propio en el mismo pasillo que el de Suzanne. Cuando Gibson cumplió siete años, Duke tuvo que hablar con él y explicarle que Suzanne, que tenía tres años, en realidad no era hermana suya. Gibson no se tomó bien la noticia.

Varios de los recuerdos más entrañables de su infancia tenían que ver con la casa de verano que poseían los Lombard en Pamsrest, en la costa de Virginia. El verano empezaba todos los años con la fiesta anual del Memorial Day, que organizaban los Lombard para sus amigos íntimos, sus aliados políticos y las familias de estos. Siempre había montones de niños con los que jugar, y les dejaban correr por donde quisieran mientras los grupos charlaban y establecían contactos en el césped y en el amplio porche que rodeaba la vivienda. Gibson pasaba el día entretenido en épicos juegos de capturar la bandera que recorrían toda la parte trasera de la propiedad. Para alegría de todos los pequeños, que ya se habían atiborrado de hamburguesas, perritos calientes y ensalada de patatas, también aparecía un carrito de helados. Era el paraíso de un niño y él siempre esperaba una de aquellas citas con gran ilusión.

Suzanne pasaba la fiesta en el interior de la casa, leyendo junto a los amplios ventanales que dominaban la fachada de atrás. Desde lo alto de una banqueta acolchada y apoyada en varios cojines, podía contemplar la propiedad hasta la línea de los árboles. Gibson opinaba que era una pena desperdiciar así un día tan estupendo. A su edad, él prefería subirse a los árboles que contemplarlos. Pero aquel era para Suzanne el lugar favorito de la casa y el primero al que acudían todos a buscarla. Desde allí podía observar la fiesta y leer sus libros, siempre omnipresentes. Si lograba engatusar a su madre para que le llevase allí el almuerzo, no tendría ningún inconveniente en pasar el día leyendo y dormitando al sol.

Pese a que Gibson la consideraba su hermana, no la acaparaba durante todo el tiempo y la trataba como tratan los hermanos mayores a sus hermanas pequeñas: como si fueran criaturas alienígenas. Suzanne no jugaba al fútbol ni al béisbol; no le gustaba jugar a los soldados en el bosque; no le gustaba ninguno de los juegos que le gustaban a él. De modo que hacía lo único que le parecía sensato en aquellas circunstancias: ignorarla. No por despecho, sino porque era lo más práctico. No hablaban el mismo idioma.

Suzanne, en cambio, lo trataba a él como las hermanas pequeñas suelen tratar a sus hermanos mayores: con cariño, paciencia y constante asombro. A su desdén respondía con adoración, su falta de interés la retribuía con amplias sonrisas. Jamás se sentía dolida ni rechazada cuando él no le devolvía aquellos gestos de afecto y siempre se mostraba dispuesta a concederle otra oportunidad. Al final, simplemente lo acabó desbordando de cariño, con la generosidad propia de los niños pequeños, esa que desaparece en cuanto uno entra en la edad adulta, pero de la cual ella poseía en abundancia. Gibson nunca tuvo la menor posibilidad, y con el tiempo, gracias a la constancia, ella terminó por vencer su resistencia y él aprendió a quererla también. Y en algún momento Suzanne dejó de ser una criatura alienígena y se convirtió en su hermana.

Su Osita.

Su Osita, no contenta con que simplemente la quisiera, lo fastidiaba constantemente, durante un tiempo que se le antojaron años, para que le leyera libros. Ya le había leído en voz alta en una ocasión, cuando era muy pequeña; ya no recordaba qué libro había sido, lo único que sabía era que él había perdido rápidamente todo interés. A partir de entonces, Suzanne no había dejado de rogarle que volviera a leerle cosas; normalmente se lo pedía estando en su refugio de lectura, justo en el momento en que él salía por la puerta de atrás para ir a jugar al bosque. En aquella época él no leía nada, de modo que siempre le respondía que no.

—Gib-son. ¡Gib-son! —exclamaba ella—. ¡Ven aquí a leerme un libro!

—Luego voy, Osita. ¿Vale? —contestaba él siempre.

—Vale, Son. ¡Hasta luego! —lo despedía Suzanne—. ¡Hasta luego! —agregaba, como si se tratase de una cita oficial.

Osita siempre pronunciaba su nombre como si estuviera formado por dos palabras, o a veces, si estaba contenta, lo acortaba y decía «Son»[1]. Parecía un antiguo caballero del sur: «¿Qué estás haciendo, hijo?». Aquello hacía reír a todos los adultos, con lo cual Suzanne se envalentonaba todavía más. Ella no entendía por qué resultaba tan gracioso, solo le importaba que, cuando lo decía, todo el mundo le prestaba atención.

Una Navidad, Osita terminó venciendo su resistencia. El senador y Duke estaban en modo crisis, trabajando en una determinada ley, así que Gibson pasó casi todas aquellas fiestas en la casa que poseían los Lombard en Great Falls. Suzanne tenía siete años, y él once. En un momento de debilidad, accedió, de modo que Suzanne se fue a buscar un libro antes de que él pudiera empezar a ver otra película. Regresó trayendo *La Comunidad del Anillo,* de un tal J. R. R. Tolkien. En aquella época todavía no existían las películas basadas en dicha

---

[1] «Son» significa hijo. *(N. de la T.)*

serie, de modo que él no sabía nada del libro salvo que era grueso y de tapas duras.

—Osita. Ni hablar —le dijo al sopesarlo en las manos—. Es demasiado grande.

—¡Es el primero de una trilogía! —exclamó ella dando botes de alegría.

—Venga...

—Que no, que está muy bien, te lo prometo —insistió Suzanne—. Es una aventura. Lo he estado guardando para ti.

Grace Lombard estaba contemplando la escena con una sonrisa de diversión y de lástima que le confirmó lo que él ya había sospechado: no tienes escapatoria, jovencito. Gibson exhaló un suspiro. En fin, no podía ser tan horrible. Fue al capítulo uno. ¿Qué demonios era un *hobbit?* Daba igual; leería veinte minutos, Osita se aburriría o se quedaría dormida, y se acabó.

—De acuerdo. ¿Dónde quieres que te lo lea?

—¡Bien! —exclamó Suzanne con gesto triunfal, y acto seguido se puso a pensar, porque no había previsto llegar tan lejos—. ¿Junto a la chimenea?

Lo condujo hasta un sillón de la sala. El fuego estaba apagándose y ella lo reavivó hasta que Grace le advirtió que no quemara la casa. Después esperó otros diez minutos mientras Osita hacía todos los preparativos, lo cual consistió en traer una gran profusión de cojines, una manta y un chocolate caliente para ella, y un vaso de zumo para él. Acto seguido, Osita recorrió la habitación ajustando las luces para que la iluminación no fuera excesiva pero tampoco fueran a quedarse a oscuras. Gibson permanecía de pie en el centro de la sala, preguntándose en qué lío se había metido.

—Siéntate, siéntate —le indicó Osita.

Se sentó.

—¿Así?

—¡Perfecto!

Osita, encantada, se acomodó sentada en sus rodillas y apoyó la cabeza en su hombro. Él calculó diez minutos para que se quedara dormida.

—¿Ya estás preparada? —le dijo, procurando parecer gruñón, pero sin conseguirlo.

—Preparada. Ah, espera… —dijo Osita, pero al instante se lo pensó mejor—. No, no importa.

—¿Qué?

—No importa —repitió ella negando con la cabeza—. La próxima vez.

No iba a haber una próxima vez. Gibson abrió el libro y se puso cómodo. A mitad de la primera frase, Osita lo interrumpió.

—¿Son?

Hizo un alto.

—¿Qué?

—Gracias.

—Ya sabes que de ninguna manera voy a leerte este libro entero.

—Da igual. Lee hasta donde te apetezca.

Gibson leyó las treinta primeras páginas sin hacer una sola pausa. Osita no se quedó dormida y el argumento ni siquiera era malo. Había un mago que hacía magia, de modo que estaba bastante bien. Aún estaban leyendo cuando el senador y Duke se tomaron un respiro en su labor de trazar estrategias. La señora Lombard los condujo hasta la puerta de la sala a hurtadillas, como si aquello fuera un safari y pudieran perturbar a los animales de la selva. Gibson no se fijó en ellos hasta que vio el *flash* de la cámara.

En el pasillo, entre ambos dormitorios, colgaba una copia enmarcada de aquella foto, y Duke tenía otra en su despacho de casa.

Tras aquella fotografía tomada por sorpresa, Gibson intentó dejar de leer. Pero Osita, temiéndose problemas, le aferró el brazo con las dos manos.

—¿Qué ocurre a continuación?

Gibson descubrió que él también sentía curiosidad.

Terminaron *El retorno del rey* dos años más tarde, y entretanto a Gibson le entró el gusto por la lectura. Otra cosa más que le debía a Osita. Los libros lo habían ayudado a conservar la cordura mientras estuvo primero en la cárcel y después en el Cuerpo de Marines. Leía todo lo que caía entre sus manos: desconocidas historias de Philip K. Dick, novelitas de misterio de Jim Thompson, *El extranjero* de Albert Camus, que le resultó de lo más revelador a sus diecinueve años. Un viejísimo ejemplar de *La calle Great Jones*, de Don DeLillo, cuyo monólogo inicial era capaz de recitar de memoria, había sido su constante compañero desde el campo de entrenamiento.

Para ser sincero, jamás se había permitido relacionar a la Suzanne Lombard de aquel vídeo de la cámara de seguridad con su Osita. En su mente, Osita era una graduada universitaria que vivía en Londres o en Viena, tal como siempre había soñado. Osita estaba saliendo con algún muchacho inteligente y tímido que la adoraba y que los domingos por la mañana le leía libros. Osita no tenía nada que ver con la Suzanne Lombard que llevaba tanto tiempo desaparecida. Era más fácil creer dicha ficción.

¿Le caería bien su hija? En ocasiones se sorprendía a sí mismo comparándolas a ambas, dos niñas pequeñas que ocupaban un lugar tan grande en su vida. No se parecían en absoluto: Ellie no era ni callada ni introspectiva; en ese sentido se parecía a su padre, que prefería subirse a los árboles antes que sentarse a leer debajo de uno de ellos. Sin embargo, Ellie y Osita eran exactamente iguales en lo de querer a las personas. Las dos abrazaban de la misma manera, con fuerza y sin reservarse nada. Sí, a Osita le habría caído muy bien Ellie, y Ellie le habría tomado un afecto instantáneo.

«¿Adónde te fuiste, Osita?»

Gibson observó a George Abe y al equipo que este había formado. ¿Contestaría Osita por fin?

Capítulo 7

Cuando hubieron dejado atrás la plaza McPherson, Jenn se giró en su asiento e informó a George de que ya habían llegado. El Range Rover se introdujo en el aparcamiento subterráneo del edificio.

Nada más apearse del coche, Jenn se situó en la retaguardia para poder vigilar a Vaughn. Este la miró, pero no dijo nada. Era más alto de lo que ella esperaba, pero su mirada no era menos intensa. La había descubierto en la cafetería, lo cual ya era bastante embarazoso, pero el modo en que se miraron en el momento de estrecharse la mano en la calle hizo que ella se sintiera como un plato de los que se calientan en el microondas. Aquello no le gustó.

Las oficinas de Abe Consulting Group estaban oscuras y en silencio. Las luces se encendieron de forma automática con un leve zumbido. No es que fuera un espacio gigantesco, pero el atrio, inmaculado, era moderno y de techos altos, y estaba amueblado con estilosos sofás de cuero. Vaughn quedó impresionado.

Hendricks los condujo por un pasillo al fondo del cual se oía música machacona y agresiva. Abrió unas puertas de cristal que daban a una sala de reuniones y el ruido se intensificó de golpe, de manera desagradable. Era igual que estar de pie en una pista de despegue mientras te pasaba un 747 por encima de la cabeza. Jenn reconoció la canción, pero no sabía cómo se llamaba el grupo que la interpretaba; nunca lo sabía. La música no le importaba lo suficiente como para perder el tiempo en aprendérsela de memoria.

Por detrás de un ordenador portátil se asomó una cabeza calva que recordaba a un topo saliendo de su madriguera.

—¡Mike, por Dios, la música! —chilló Hendricks.

En la sala de reuniones se hizo el silencio y la cabeza calva se puso de pie. Pertenecía a Mike Rilling, el director de informática de Abe Consulting. De treinta y pocos años, tenía unos ojos nerviosos e inyectados en sangre y la piel amarillenta de alguien que sobrevive a base de un potente cóctel de cafeína y comida basura. En el ambiente flotaba el olor a rancio del estrés.

—Perdone, señor Abe. Pensaba que no iba a venir usted por aquí hasta esta tarde.

—Es que ya es por la tarde —apuntó Jenn.

—Oh —dijo Mike—. Lo siento, señor Abe.

—No pasa nada. ¿Cómo va la cosa? —preguntó Abe.

Mike abrió la boca, pero volvió a cerrarla sin haber contestado a la pregunta. Jenn reconoció aquel gesto: era la señal internacional para decir «La cosa no va en absoluto, y desearía que la gente dejara de preguntarme eso». Ella ya había pasado por lo mismo y sintió una cierta solidaridad hacia Mike. El director de informática trabajaba tanto como cualquiera del equipo, pero aquella no era su especialidad. No era culpa suya, aunque sí lo había sido sobreestimar sus propias capacidades. Por eso estaba allí Vaughn, si es que no era ya demasiado tarde.

De ordinario, aquella era la sala de reuniones principal, pero la habían convertido en una improvisada sala de guerra. Una de las paredes estaba ocupada por toda clase de fotografías, diagramas, mapas y notas clavadas con chinchetas en una serie de tableros de notificaciones provistos de ruedas. En el del centro, en la parte superior, había una foto de Suzanne Lombard, y debajo de ella estaban sus familiares más allegados, colocados como si formasen un árbol genealógico puesto del revés. A Vaughn se le fue la vista directamente hacia aquel sitio y por su semblante cruzó una expresión que Jenn no supo interpretar.

Por debajo de los familiares había otra fila aparte, en la que figuraban varios miembros del gabinete de la época en que Lombard era senador, entre ellos Duke Vaughn. También estaba la foto de George. Y, completando la galería, dos marcadores de posición vacíos, el uno junto al otro. En uno ponía «WR8TH», el anónimo apodo para el chat de la persona o las personas con las que se había comunicado Suzanne en la red antes de desaparecer. En el segundo ponía «Tom B.». Había una raya que unía a ambos y un signo de interrogación en el medio.

Abe tomó asiento a la cabecera de la mesa. Hendricks y Vaughn hicieron lo mismo, a la vez que Rilling correteaba de un lado para otro como una frenética gallina clueca.

—Michael, por favor. Ya recogerás en otro momento —le dijo Abe.

—Sí, señor Abe. Disculpe.

Abe se obligó a sí mismo a reír entre dientes.

—Y deja de pedir perdón por trabajar tanto.

Jenn apreció el esfuerzo de su jefe, pero Mike Rilling no iba a calmarse por muchos elogios que recibiera. Ni aunque le administraran un kilo de sedantes y le pusieran una camisa de fuerza. Rilling estaba desbordado de trabajo, estresado y convencido hasta la médula de que en aquel lugar estaba profunda y trágicamente infravalorado.

—Michael, te presento a Gibson Vaughn —le dijo George—. Va a ayudarnos en el caso de Lombard. Gibson, este es Michael Rilling, nuestro director de informática.

Rilling le estrechó la mano a Vaughn sin energía y le dirigió una mirada canina con afán territorial. Gibson no se percató de ella, o bien prefirió hacer caso omiso.

—Voy a decirle a Jenn que te ponga al día —le dijo Abe a Vaughn—, que resuelva tus dudas. A veces conviene recorrer de nuevo un terreno que ya se conoce. Lo encontrarás todo recogido en el expediente.

Jenn deslizó sobre la mesa un grueso archivador.

En el lomo y en la tapa estaba escrito a máquina «Suzanne Lombard» con letras claras; dentro había un resumen de la desaparición de Suzanne Lombard y de la posterior investigación del caso. Una gran parte de ella consistía en documentos internos del FBI, fotografías y memorandos, todos impresionantemente exhaustivos. Tal vez Abe hubiera caído en desgracia con Benjamin Lombard, pero desde luego él también poseía una influencia de peso.

Vaughn lo observó con cautela y luego se rascó con energía detrás de la oreja. Por lo visto, toda mención a Suzanne Lombard lo hacía encogerse y replegarse un poco más en sí mismo. ¿A qué se debía? ¿A un sentimiento de culpa? ¿Arrepentimiento? ¿Miedo? ¿Sería miedo? Advirtió que Jenn lo estaba mirando y sonrió como alguien que intenta mostrarse amistoso con el dentista que está preparándolo para practicarle una endodoncia.

De repente cobró vida un proyector colocado encima de ellos, y de una carcasa montada en la pared descendió una pantalla que, un instante después, se llenó con una imagen de Suzanne. No faltaban fotografías entre las que escoger; los Lombard eran una familia sumamente atractiva y en todas las reuniones se hacían fotos con el círculo íntimo de rigor. La que apareció proyectada en la pantalla la habían sacado en una de las fiestas que daban todos los años por Navidad, y en ella se veía a Suzanne sentada en el suelo, a los pies de los mayores, sonriendo feliz a la cámara. También se veía el brazo de Gibson Vaughn, colgando en el aire junto a Suzanne. Jenn había encontrado unas cuantas fotos en las que no salía él —aunque no había muchas—, pero había elegido aquella para estudiar su reacción.

Ahora se arrepintió de ello; Vaughn parecía estar a punto de vomitar.

—Jenn, es todo tuyo —le dijo Abe.

Jenn hizo ademán de ponerse de pie, luego se lo pensó mejor, y se pasó la lengua por los dientes.

—¿Hasta dónde sabe usted de la desaparición de Suzanne Lombard? —dijo.

—¿Aparte de lo que llevan diez años mostrando en los informativos? —replicó Vaughn—. No mucho.

—¿Alguna vez lo interrogaron? —interrumpió Hendricks—. Tras el secuestro, quiero decir. No hemos logrado encontrar ningún dato al respecto.

—No —contestó Vaughn—. En aquel momento yo estaba en la cárcel.

—Lo que dice Dan tiene su importancia —dijo Jenn—. Si algo de lo que sabemos nosotros de Suzanne le resulta a usted inexacto o erróneo, dígalo. Usted tenía con ella una relación especial.

Vaughn arrugó el entrecejo.

—Sí, pero acuérdese de que no había vuelto a verla desde que falleció mi padre.

—Entendido —dijo Abe—. Pero nunca se sabe.

Jenn carraspeó.

—Si nadie tiene inconveniente, he pensado que podíamos empezar por el principio. —Calló unos instantes para ver si alguien se oponía—. Muy bien, pues, como todos saben, este mes de julio se cumple el décimo aniversario de la desaparición. En la mañana del martes 22 de julio, Suzanne Lombard, hija del senador de Virginia Benjamin Lombard, se fugó de casa. Se fugó de lo que, según todos los observadores, era una familia perfecta y feliz. ¿Coincide eso con lo que recuerda usted?

—Y hasta más.

—En las primeras fases de la investigación, la policía y el FBI trabajaron partiendo de la teoría de que a Suzanne la habían raptado en la carretera que rodeaba la casa que poseía la familia en la playa, junto al pueblo de Pamsrest, en Virginia. Era frecuente que Grace Lombard y su hija pasaran allí el verano entero y que el senador estuviera yendo y viniendo entre dicho pueblo y Washington.

Pamsrest era una pequeña comunidad de esas en las que «todo el mundo se conoce». Tiendecitas familiares, dos heladerías, un paseo marítimo entablado y un sencillo merendero que había ganado algún que otro premio. Un salto atrás a otra época más sencilla de la que se tenía una imagen borrosa pero nunca se lograba situar en el tiempo, uno de esos lugares en los que las familias se sentían lo bastante a salvo como para bajar la guardia.

—Efectivamente —convino Vaughn—. El último verano que pasé yo allí, Osita debía de tener... no sé... unos doce años. Y ya le daban rienda suelta para que entrara y saliera a su antojo.

—¿Osita? —preguntó Hendricks.

—Lo siento. Quería decir Suzanne. Yo la llamaba Osita.

Hendricks lo anotó.

—Suzanne iba a todas partes en bicicleta —prosiguió Jenn—. Ese verano estaba trabajando en la piscina local, y por lo general salía de casa por la mañana y ya no regresaba en todo el día. Esto era antes de que todos los niños tuvieran teléfono móvil, no era raro que Grace Lombard no hablara con su hija durante el día, así que no empezó a preocuparse de verdad hasta que ya fueron casi las seis de la tarde. Necesitó hacer dos llamadas para llegar a la conclusión de que Suzanne no se había presentado a trabajar. La tercera llamada la hizo a su esposo, que se encontraba en Washington. El senador Lombard llamó a su vez al FBI, y fue entonces cuando la cosa se puso seria. A la mañana siguiente el pueblo estaba ya inundado de agentes de la ley, tanto locales como estatales y federales. Para el mediodía, el caso saltó a los informativos del país entero y Suzanne Lombard pasó a ser un tema obsesivo en las emisoras de televisión por cable.

—Ser blanco vale mucho —comentó Hendricks.

Jenn hizo un gesto afirmativo con la cabeza. Aquello era indiscutible. Los sociólogos lo denominaban Síndrome de la Mujer Blanca Desaparecida. Suzanne seguía los pasos de Elizabeth Smart y Natalee Holloway; en Estados Unidos, si uno desaparecía, ayudaba mucho ser mujer, guapa y de raza blanca. Y si además la desaparecida era hija de un senador, ya se tenían todos los ingredientes para la siguiente obsesión del pueblo americano. La prensa descendió sobre Pamsrest igual que una de las plagas de Egipto. Las furgonetas de la televisión formaron un campamento de emergencia en un descampado que había en las afueras. Todo residente que se tomara la molestia de permanecer allí más de unos segundos tenía garantizado acabar saliendo en la televisión. Durante varios meses el tema se repitió incesantemente las veinticuatro horas del día, en todos los medios, en todo el país.

—En la tarde del segundo día, se encontró la bicicleta de Suzanne dos pueblos más allá, en una zona de densa vegetación que había detrás de una tienda de ultramarinos. Se peinó varias veces el área, pero nadie recordaba haber visto a Suzanne Lombard. La policía local empezó a trabajar con los delincuentes sexuales de los que se tenía ficha, mientras que el FBI exploraba la posibilidad de que se hubiera tratado de un secuestro motivado por fines políticos. Naturalmente, jamás se recibió ninguna llamada en la que se pidiera un rescate.

Tanto Abe como Hendricks se removieron en su asiento. Jenn continuó antes de que pudieran interrumpirla; quería terminar con el material antiguo antes de pasar al nuevo.

—La primera novedad en el caso se produjo al sexto día. Una estudiante universitaria llamada Beatrice Arnold llamó al teléfono de urgencias del FBI para informar de que había vendido varias chucherías a Suzanne Lombard en la gasolinera en la que trabajaba ella, situada en Breezewood, en Pensilvania.

»El vídeo de seguridad de la gasolinera provocó un verdadero seísmo en la investigación y desbarató por completo todas las suposiciones de la policía. Suzanne Lombard no había sido secuestrada, sino que se había fugado. De alguna manera había recorrido los 560 kilómetros que hay desde la costa de Virginia hasta Pensilvania sin llamar la atención. Tras la visualización de aquella cinta emergieron tres hechos irrefutables. El primero: Suzanne estaba intentando activamente ocultar su identidad. El segundo: estaba esperando a alguien. Y el tercero: ese alguien, al menos así lo creía ella, era un amigo.

»Cuando se suponía que había sido un secuestro, nadie prestó mucha atención a la propia Suzanne Lombard. Era simplemente una joven inocente que se encontraba en el lugar equivocado en el momento equivocado. Pero cuando se conoció el vídeo de Breezewood, el FBI iluminó profusamente los rincones privados de la vida de Suzanne Lombard. Su entorno, sus pertenencias, su círculo social; todo fue inventariado y diseccionado. —Jenn hizo una pausa—. Supongo que me sigue, ¿verdad?

Vaughn asintió.

—Bien, ¿quién era ese «amigo» con el que se encontró Suzanne en Breezewood, y cómo llego a conocerlo? Las entrevistas iniciales que se hicieron a amigas de Suzanne apuntaron a un novio, un tal «Tom B.». —Jenn señaló el espacio en blanco que habían reservado para su foto en el tablero.

—¿Tenía novio?

—¿Eso lo sorprende?

—Sí, supongo que un poco. ¿Qué sabemos de él?

—No mucho. Las amigas de Suzanne admitieron que en más de una ocasión le cubrieron el turno, a fin de que ella pudiera salir temprano del trabajo para verse con él. Sus padres insistieron en que no había ningún novio, pero cuando se registró el dormitorio de Suzanne apareció un fajo de cartas de amor ocultas en una estantería.

—¿Y?

—Y nada. La policía registró a fondo, pero no logró dar con ningún Tom B. en un radio de ochenta kilómetros. Ampliaron la búsqueda para incluir variantes del nombre: Tom A., Tom C., Tom D., etcétera, pero se toparon con un callejón sin salida.

—¿Y nunca llegó a aparecer?

Jenn respondió negando con la cabeza.

—Sin embargo, apareció una pista nueva cuando se registró el ordenador portátil de Suzanne. Habían borrado el disco duro utilizando Heavy Scrub, un programa diseñado para eliminar datos de forma permanente.

—Gibson, ¿puedes explicarnos cómo funciona? —pidió George.

Jenn dirigió una mirada interrogante a su jefe. George sabía exactamente cómo funcionaba Heavy Scrub, era él quien se lo había explicado a ella. Sin duda, tenía alguna razón para pedir aquello. Trabajar con George era como jugar al ajedrez con un gran maestro: la convertía en paranoica de su propia paranoia.

—Sí, cómo no —contestó Vaughn—. Bien, en contra de lo que popularmente se cree, la operación de vaciar la «papelera» de un ordenador sirve solamente para cambiar la información de sitio. Continúa existiendo en el disco duro, solo que ahora el ordenador tiene permiso para escribir encima de ese archivo si necesita espacio. Sin embargo, un archivo «borrado» podría seguir existiendo durante varios años, dependiendo de las costumbres del usuario. Recuperar los datos supuestamente borrados de un disco duro es sencillo, ha supuesto la caída de muchos aspirantes a delincuentes maestros. De ahí la necesidad de que haya programas como Heavy Scrub, que sistemáticamente sobreescriben un disco duro múltiples veces, hasta que los datos existentes resultan irrecuperables. Pero no es algo que sepa hacer una adolescente de catorce años.

—Y desde luego, tampoco una adolescente descrita por sus padres como «una inepta tecnológica» —señaló Jenn.

—Lo cual está claro que era —terció Hendricks—. Porque, aunque instaló ese programa y lo ejecutó para borrar sus huellas, cerró la tapa del portátil antes de acabar...

Vaughn volvió la cabeza bruscamente hacia él.

—Con lo cual el ordenador pasó a modo de hibernación y dejó el borrado de Heavy Scrub a medias —dijo, terminando la frase de Hendricks—. ¿Así que Osita la cagó?

—Correcto —dijo Jenn—. Llevaron el portátil a Fort Meade, donde reconstruyeron todos los datos que pudieron, que resultaron no ser muchos. La mayor parte de ellos eran material típico de adolescentes: fragmentos de deberes del colegio, trabajos escolares, correos electrónicos, etcétera. Sin embargo se encontró también un IRC, un canal de chat, del que sus padres no tenían noticia. Y que no era utilizado por ninguna de sus amigas.

—Recuerdo que el FBI anduvo buscando a WR8TH hasta debajo de las piedras. ¿Así fue como se enteró? —Vaughn se había inclinado hacia delante en su sillón.

—Sí. Alguien que utilizaba el nombre de usuario de WR8TH se hizo amigo de Suzanne en un canal de chat. WR8TH se presentó como un chico de dieciséis años y se convirtió en su confidente. Lo que se supo fue que esa persona la animó a que se fugase y la ayudó a borrar sus huellas.

—¿Llegaron a alguna conclusión? Los federales, quiero decir.

—No, lo de WR8TH resultó ser un callejón sin salida. El FBI lo hizo público, como usted ya sabe, pero no se descubrió nada.

—No me sorprende —repuso Vaughn—. Los canales de IRC son anónimos adrede. No son archivos de chats. Uno puede elegir un nombre de usuario nuevo cada vez que se conecta. Cuando yo me metí en la informática, el IRC era lo que utilizaba para comerciar con trucos, estrategias y códigos fuente. Todo el mundo estaba con la paranoia de que el FBI tenía espías metidos en el chat.

—Y así era —confirmó Abe.

—De modo que yo tenía veinte nombres de usuario distintos que iba rotando. Si WR8TH tuvo cuidado, resultaría prácticamente imposible rastrearlo hasta descubrir su ubicación.

—Y eso fue exactamente lo que ocurrió —dijo Jenn—. A pesar de los miles de soplos, ninguno de ellos condujo a la persona o las personas que estaban detrás de WR8TH. Por irónico que parezca, no fue que el FBI no lograra encontrar ninguna mención de WR8TH en internet, sino todo lo contrario: resultó ser un nombre de usuario de lo más corriente. Solo en juegos *online* ya hay cientos de variantes.

A continuación, Jenn pasó a explicar el perfil, especulativo y relativamente genérico, que poseía el FBI del secuestrador de Suzanne. Especulativo porque, aparte de los fragmentos de chat recuperados del ordenador de Suzanne, no tenían nada con que continuar salvo por las circunstancias del delito cometido.

—Lo que se suponía, y lo que aún se supone, es que el autor del crimen estaba muy bien organizado y tenía probablemente entre treinta y cincuenta años. Era demasiado hábil y concienzudo, y estaba muy seguro de sí mismo para ser un novato. Los delincuentes jóvenes son impulsivos y tontos. Este, en cambio, era paciente y astuto. Lo más probable es que fuera un depredador con experiencia y con un largo historial, y que Suzanne no fuera su primera víctima.

—¿Cómo llegaron a esa conclusión?

—El autor logró hacerse pasar por un adolescente de forma muy convincente, lo cual sugería que era muy empático y habilidoso en situaciones sociales. No resulta fácil engañar a un adolescente. El FBI dudaba que hubiera sido detenido en alguna ocasión, porque es raro que los pedófilos varíen sus métodos una vez que han descubierto uno que funciona. Solo para estar seguros, examinaron el modus operandi de otros casos antiguos y no hallaron nada.

»WR8TH también sabía manejarse con los ordenadores y cómo hacer para no dejar un rastro a la policía. El sitio en que vivía, probablemente una vivienda unifamiliar, le permitía disfrutar de cierta intimidad, lo cual sugería también que tenía un trabajo y que podía actuar en público normalmente sin despertar sospechas.

»Cuando se interrumpió la investigación dos años más tarde, la teoría predominante era que el autor desconocía quién era en realidad Suzanne Lombard. No había nada que indicase que ella le había revelado su identidad en la red, y el FBI tenía el convencimiento de que al autor le entró el pánico cuando se dio cuenta de a quién había secuestrado. Existen muchas posibilidades de que la matara, se deshiciera del cadáver y después se fuera a cazar a otro territorio menos peligroso.

Vaughn la estaba mirando fijamente. Aquellos ojos verdes la perforaban como un taladro.

—¿Dónde está el cuarto de baño? —preguntó al tiempo que se levantaba y salía antes de que nadie pudiera responderle. La puerta de la sala de reuniones se cerró tras él.

—Has estado muy fina, Charles —dijo Hendricks y, para lograr más efecto, dejó caer su bolígrafo en la mesa.

—Que te jodan, Dan. No sabía que iba a comportarse como una nenaza.

Rilling se puso a teclear algo en su ordenador, George carraspeó y los dos guardaron silencio. Hendricks soltó una carcajada. Jenn lo miró, esperándose una reprimenda, pero su jefe estaba sonriendo.

—Suzanne le importa mucho, incluso más de lo que yo esperaba. Y eso es bueno.

—Sí, señor.

—Pero qué tal si procedemos con más tacto a partir de ahora.

Vaughn regresó, pero no entró en la sala. Se quedó en la puerta, con un pie dentro y otro fuera. Se había echado agua en la cara sin mucho cuidado y se había mojado la pechera de la camisa.

—Oye, George —dijo—, te agradezco la oferta de trabajo, pero si esperabais que yo viera algo y os dijera quién es WR8TH, lo siento. Llevaba una temporada sin ver a Suzanne. Ojalá pudiera ayudaros, créeme, pero no voy a ver nada que se le haya pasado por alto al FBI. Lo siento —repitió, y sonaba sincero—. Puedes recuperar el dinero que me has dado, lamento haberte hecho perder el tiempo.

Abe dibujó una sonrisa.

—No, Gibson. No esperamos nada parecido.

—Entonces, ¿qué?

—¿Jenn? —pidió Abe.

Vaughn volvió la vista hacia ella.

—WR8TH ha establecido contacto —anunció.

Capítulo 8

Fred Tinsley hacía girar lentamente su vaso de whisky en la barra del bar al tiempo que lanzaba una mirada malévola a su teléfono móvil. Estaba esperando una llamada. No sabía cuándo iba a llegar ni de parte de quién, pero nada de eso lo preocupaba. Daba igual que aquella llamada se produjera en aquel instante o dentro de cuatro horas; ya no estaba seguro de que hubiera alguna diferencia.

Su reloj de pulsera afirmaba que llevaba tres horas y veintisiete minutos esperando sentado a la barra. Se lo creyó haciendo un acto de fe. Era un reloj carísimo, adquirido justamente por su fama mundial de ser una máquina de gran precisión. Y dependía de él, porque ya hacía mucho tiempo que había perdido la capacidad de percibir el paso del tiempo. El tiempo, según dijo aquel gran hombre, es relativo. Y él estaba plenamente de acuerdo. Medir la vida en días era un sinsentido. Todavía sentía el corazón latiendo en el pecho, todavía saboreaba el aire que le salía de los pulmones. Aún estaba vivo, y ésa era la única forma de medir el tiempo que importaba de verdad.

Aquel bar era uno de esos locales de alto nivel en los que ofrecen más clases de whisky que de cerveza. Los taburetes de la barra ni siquiera se bamboleaban. Tenía clase. A él le daba igual qué tipo de clientes atraía —personas ocupadas, parlanchinas, que se congregaban como moscas sobre el rígido cadáver de cada día—; no obstante, apreciaba el amplio surtido de whisky del bueno.

Últimamente se había enamorado del Oban de 14 años, un whisky escocés denso y con sabor a turba. Aunque aún no lo había probado, le agradaba cómo se le pegaba aquel gusto ahumado a las fosas nasales. Olía a tierra. No bebía, pero, si se requería de él que esperase en un bar, prefería pedir algo respetable. La destilería original se había construido en 1794 y, en su opinión, se notaba. Para perfeccionar una habilidad se necesitaban paciencia y una máxima atención a los detalles, pero, más que nada, se necesitaba tiempo.

Tinsley admiraba semejante dedicación a un oficio. El suyo requería poseer un dominio de muchas habilidades, pero, por encima de todo, exigía saber apreciar el tiempo. Llevaba toda la vida estudiando la manera en que el tiempo afectaba a las personas, la manera en que jugaba con su criterio y su perspectiva, las volvía impacientes o precipitadas, las incitaba a correr riesgos irracionales. El tiempo lo ponía todo en su sitio, y ni el dinero ni el poder tenían influencia para detener su implacable avance. La mayoría de las personas no entendían eso: lo que de verdad significaba ser un francotirador. Lo difícil no era efectuar el disparo; el disparo eran diez mil horas de práctica, decenas de miles de descargas y conocimientos enciclopédicos del efecto del entorno sobre la balística. No, el disparo era la parte fácil. Simplemente requería tiempo y voluntad para dedicarse a ello. Lo difícil era la espera.

A Fred Tinsley el tiempo no lo afectaba como a la mayoría de las personas. A la mayoría de las personas, el tiempo las atemorizaba. Permitían que las intimidase, temiendo que estuviera pasando muy deprisa o muy despacio, en ocasiones ambas cosas a la vez. Pero a Tinsley, no. Él era indiferente al paso del tiempo, y este fluía a su alrededor sin esfuerzo alguno.

En el interior de su cerebro árido y primitivo —Tinsley se consideraba a sí mismo casi prehistórico, un ser que no se había echado a perder por la influencia reblandecedora del progreso— era capaz de contemplar el mundo, parpadear y, en el tiempo que tardaban sus ojos en abrirse de nuevo, podían transcurrir semanas. Aquello lo volvía inmune al aburrimiento, la necesidad o la duda; las privaciones que volvían loco al hombre corriente no lo afectaban a él. Pero, sobre todo, aquello lo convertía en un depredador paciente y astuto.

Cuando era joven y todavía ejercía su oficio con un rifle, en cierta ocasión pasó veintiséis días en una alcantarilla de Sarajevo. Fue durante la fase culminante del asedio. En dicha ciudad y en todo aquel país reinaba el caos, pese a los denodados esfuerzos de las Naciones Unidas. Su objetivo, un lugarteniente especialmente nihilista de Slobodan Milošević, se había ganado una reputación que destacaba entre las peores reputaciones de aquella despreciable guerra. La cadena de atrocidades de las que se acusaba a su objetivo bastó para que la orden fuera de «matarlo, no capturarlo» y se ofreciera una recompensa que atrajo el interés de profesionales de toda Europa.

Por desgracia para ellos, el objetivo demostró ser duro de pelar y difícil de matar. Las decenas de intentos que se hicieron para quitarle la vida tan solo sirvieron para que se volviera extraordinariamente precavido y paranoico, pues iba cambiando de un piso franco a otro y revisaba constantemente sus planes. De aquella forma resultaba imposible predecir sus movimientos o descubrir una pauta, y nadie había logrado acercarse a él lo suficiente para reclamar la recompensa.

Desde su punto de vista, Tinsley opinaba que sus rivales habían empleado un método erróneo para dar caza a aquel individuo. ¿Por qué tratar de prever lo que iba a hacer un hombre que estaba intentando, precisamente, ser imprevisible? Era una necedad. En vez de eso, él se introdujo en el asqueroso alcantarillado de Sarajevo y lo recorrió hasta que se apostó en un desagüe de aguas residuales que le permitía una panorámica libre de obstáculos de una casa franca que llevaba dieciocho meses vacía. La situación estaba muy candente para el objetivo, puesto que cada vez eran más los refugios que peligraban. La operación de vigilancia de Tinsley no se basaba en datos que le permitieran pasar a la acción, sino en el supuesto de que al final, si se le daba el tiempo suficiente, el objetivo acabaría convenciéndose de que sus perseguidores se habían olvidado de aquella casa franca y se arriesgaría a utilizarla de nuevo. Conforme las Naciones Unidas fueran estrechando el cerco y la presión se hiciera insoportable, el objetivo terminaría confundiendo el paso del tiempo con la pérdida de memoria.

Tinsley yacía en medio de una corriente burbujeante de desechos humanos, esperando un disparo que podía no llegar nunca. El olor que lo rodeaba era el olor de la muerte y de una ciudad destrozada por la guerra. Había llevado consigo provisiones y agua para dos meses, pero le costaba trabajo retener la comida en el estómago, de modo que durante la vigilancia adelgazó más de doce kilos. Renuente a correr el riesgo de desvelar su posición, no se movió del sitio y dormía con la barbilla apoyada en las manos cerradas en dos puños, para no ahogarse en el cieno.

Permanecer en aquella alcantarilla era inhumano, o eso supuso el equipo de avanzadilla que había barrido la zona antes de que llegase el objetivo. En ningún momento se les ocurrió buscar allí donde ningún ser humano podía existir. Pero Tinsley había aguantado. Aguantó en aquel infierno bajo tierra desconectando mentalmente a cada poco y entrando en algo parecido a un estado de fuga disociativa. Consciente tan solo del edificio que se alzaba a cien metros de allí, dejó que el tiempo transcurriera en un instante y aguardó con paciencia a que pasara su presa por delante de su nido.

El disparo en sí, por comparación, fue mera rutina. Hacía una noche clara y despejada y solo soplaba una ligera brisa procedente del sur-suroeste; un aficionado podría haberse encargado de hacerlo. Antes de que las esquirlas de cráneo y los fragmentos de vísceras se pegaran como un granizo mortal en la cara del sorprendido guardaespaldas, Tinsley ya estaba replegándose hacia la oscuridad.

Ya hacía mucho tiempo que Tinsley había dejado el rifle. Y no porque no se sintiera agradecido. El rifle le había enseñado su identidad. Le había enseñado que si poseía aquellas habilidades especiales era por algo. Pero era una herramienta tosca y llamaba demasiado la atención. El verdadero propósito del rifle era llamar la atención. El rifle había sido diseñado para transmitir un mensaje, una advertencia, y su objetivo no era más que un sobre que había que abrir. En los últimos tiempos, simplemente apenas había necesidad de volarle los sesos a un hombre a mil metros de distancia, ya no estaban de moda los asesinatos por encargo, como no fuera dentro del crimen organizado y en algunas partes del mundo que no se podían permitir pagar las tarifas que él cobraba. Y, en cualquier caso, ser francotirador era cosa de jóvenes. Tinsley había evolucionado hasta convertirse en un asesino sumamente especializado, uno que rara vez dejaba indicios de que siquiera se hubiera cometido un crimen. Ello requería mucha destreza. La policía había declarado casos cerrados la mayoría de sus operaciones, tras considerarlas muertes accidentales o suicidios; el resto se clasificaron como crímenes violentos sin resolver, tales como allanamientos y atracos a mano armada.

Solo en aquella área, ya tendría unos veinte. Siempre había trabajo que hacer en la capital de la nación.

De improviso, le vibró el teléfono con la entrada de un mensaje de texto: una serie de seis letras y números. Pagó la copa y salió al exterior. El fuerte sol le hizo pestañear. Se enfundó unos guantes de látex mientras buscaba una matrícula que coincidiera con el mensaje. Vio un sedán de color negro que se detenía junto al bordillo y se subió a él. El panel divisorio estaba levantado, de modo que se encontraba solo en el asiento. A continuación, el automóvil se incorporó de nuevo al tráfico.

A su lado había una gruesa carpeta de papel manila y otra mucho más delgada. Tomó la gruesa y examinó el expediente que contenía. Lo leyó despacio, a fondo, catalogando mentalmente cada detalle. Tardó varias horas, durante las cuales el sedán recorrió pacientemente la ciudad. Cuando hubo terminado, regresó al principio y observó detenidamente las cinco fotografías. Cuatro hombres y una mujer. Jennifer Auden Charles. Gibson Peyton Vaughn. Michael Rilling. Daniel Patrick Hendricks. George Ieyasu Abe. Únicamente Abe y Charles le plantearían alguna dificultad, y solo si lo estuvieran esperando. Pero no lo esperaban.

Sus órdenes no eran que entrase en acción de inmediato. El equipo de Abe estaba dando caza a alguien, y él debía actuar solo si lograban localizar a su objetivo. Hasta aquel momento, sus instrucciones consistían en observar y esperar.

Dejó aquel expediente a un lado y tomó la carpeta delgada. Se encontró con una cara conocida. Una que hacía muchos años que no veía, pero parecía que hubiera transcurrido apenas una hora. Sería agradable verla otra vez.

«Vaya, vaya...» Aquello no se lo esperaba.

Se puso a trabajar con el segundo dosier. En comparación, no le llevó mucho tiempo. Una mujer de sesenta y pico años no le supondría ninguna dificultad y las órdenes no daban motivos para que tuviera que esperar para ocuparse de ella. Cogió el sobre del monograma tal como se le indicaba, pero, aunque no estaba cerrado, no pensó en leer lo que contenía. Y no porque no le interesara, sino porque en ningún momento se le ocurrió que pudiera interesarle.

A continuación, dio unos golpecitos en el panel divisorio para indicar que había terminado y volvió a dejar la carpeta en el asiento. El sedán se detuvo junto al bordillo y él se apeó. Acto seguido, tiró los guantes en una papelera que había allí cerca y se perdió de vista entre los transeúntes de la tarde.

Capítulo 9

—¿Qué quiere decir con que ha establecido contacto? —preguntó Gibson.

—Pensamos que la persona o las personas a las que se conoce como WR8TH se ha puesto en contacto con nosotros —respondió Jenn.

—¿De qué modo? —preguntó Gibson mientras se sentaba de nuevo a la mesa—. ¿Cuándo?

—¿Señor? —dijo Jenn volviéndose hacia su jefe.

—Ya me encargo yo a partir de aquí, gracias —dijo Abe—. Hace unos meses, una antigua amiga, productora de la CNN, me pidió una entrevista para un especial que estaba preparando acerca de la desaparición de Suzanne. Una retrospectiva con motivo del décimo aniversario. La gente lleva años esperando una entrevista mía.

—¿Nunca hablaste con la prensa? ¿Ni siquiera cuando te despidieron?

—No, y lo cierto es que no tenía intención de romper ahora mi silencio. Ya he rechazado cinco o seis solicitudes de otros programas. Simplemente, no veía beneficio alguno en reabrir viejas heridas. Por respeto a la familia.

—Yo creía que habías acabado con Lombard.

—Y así es. Pero, pese a lo mucho que se pavonea, Benjamin no es el único progenitor de Suzanne.

Gibson reconoció la verdad que contenía aquella afirmación. Grace Lombard había sido una incansable defensora de la causa de las jóvenes desaparecidas en los años que siguieron a la desaparición de su hija. Pero prefería trabajar en silencio, entre bambalinas, y dejar el resplandor de los focos a su marido. Un arreglo que le venía mejor que bien a Benjamin Lombard. Al final, todo tenía que ver con Benjamin Lombard.

—Pero de repente la línea directa empezó a experimentar un aumento de tráfico.

—¿Todavía tenéis una línea directa? ¿Después de todo este tiempo?

—Calista insistió de manera indiscutible —contestó Abe.

—¿Calista?

—Ah, sí, perdona. Calista Dauplaise.

Esta vez, Gibson sí que reconoció el nombre. Calista había sido una figura habitual de reparto en el teatro político de Lombard, pero en los recuerdos que tenía él de la infancia era simplemente una de las muchas personas adultas que mencionaba su padre de vez en cuando. Dudaba que hubiera hablado alguna vez con ella, aparte de decirle algún hola y algún adiós.

—Calista era... —Abe hizo una pausa para corregirse— es la madrina de Suzanne. Una antigua amistad familiar de los Lombard. Y también es una inversora de mi empresa. Entre otras cosas, Abe Consulting administra y se ocupa del mantenimiento de la línea directa en su nombre. Conocía bien a tu padre.

—¿Y ahora está involucrada en esto?

—Lo de la recompensa fue cosa suya. Cuando Suzanne desapareció, Calista quedó profundamente consternada y ofreció los diez millones de dólares. Abrigó la esperanza de que dicha cantidad provocara una sensación lo bastante fuerte en el público como para tentar al culpable a que diese la cara.

—Pero nadie lo hizo.

—No seas ridículo. Se presentó medio mundo. A la línea directa llegaron pistas, teorías y avistamientos que tardamos varios años en seleccionar. Al cabo de los años, ha sido un agujero increíble por el que se han ido muchísimas horas de trabajo.

—Obviamente, a estas alturas ya es muy difícil sacar nada de ella —terció Jenn—. La página web dejó de tener tráfico intenso a los cuatro años, pero en los casos como este nunca se sabe. Puede que el autor esté arrepentido y no se vea ya capaz de soportar el sentimiento de culpa. O es posible que haya acabado entre rejas por otro delito cualquiera y se lo haya contado todo a un compañero de celda. Las posibilidades son remotas, pero existen.

—Y ¿de cuánto tráfico estamos hablando? —quiso saber Gibson.

Mike Rilling se inclinó hacia delante, deseoso de aportar algo.

—En los cinco primeros años, la línea ochocientos recibió un promedio de ocho llamadas al mes. Descontando el *spam*, cada mes veíamos 4,6 correos electrónicos. Y la página web recibía cuatrocientas sesenta y siete visitas mensuales. Hacemos un seguimiento del tráfico que entra y sale de la página web e investigamos las direcciones IP, por si acaso el autor siente curiosidad de pronto o se ha vuelto idiota.

—Muy inteligente. ¿Y en estos últimos años?

—Treinta y ocho llamadas al mes. Doscientos cuarenta y ocho correos. Treinta mil visitas a la página web.

—Todo basura, naturalmente —dijo Hendricks.

—Solo necesitamos uno —le recordó Abe.

—¿Habéis pensado en rediseñar la página web?

Mike respondió negando con la cabeza.

—Pues si fuera yo, pensaría en actualizarla. Las páginas web antiguas parecen… en fin, parecen antiguas. Se las ve abandonadas. Si esperáis atraer a ese tipo, es necesario que deis la impresión de que la investigación continúa en la actualidad.

—No está mal pensado —aceptó Abe—. Michael, ponte con eso el lunes.

—Y, ya que estáis, subid también unos cuantos de los documentos del FBI que contiene esta carpeta.

—Espere. ¿Por qué vamos a enseñar nuestras cartas? —preguntó Jenn.

—Para echar el anzuelo. Para dar a ese tipo un motivo para que visite la página web. ¿No es verdad que a los asesinos en serie les encanta leer lo que escriben de ellos? ¿No es cierto que esas cosas les ponen? ¿O es algo que ocurre solo en las películas?

Jenn asintió con gesto pensativo.

—No, no ocurre solo en las películas. —Luego se volvió hacia Abe—. Tendríamos que obtener el permiso del FBI, pero es una posibilidad.

—Estoy de acuerdo. —Abe tomó nota en un cuaderno con su pluma—. Mañana por la mañana llamaré a Phillip.

—No tengo inconveniente en pasar el día hablando del diseño de páginas web, pero ¿me dices ya cómo ha establecido contacto WR8TH con vosotros?

—Sí, vamos a eso —contestó Abe—. El aumento de tráfico de la página web fue lo que me hizo decidirme a conceder la entrevista a la CNN. La condición que puse fue que en la entrevista debían mencionarse la página web y la línea directa, y que nuestra información debía aparecer tanto en la «araña» web como enlazada a la página web de la CNN. Al final, fue un contenido de carácter bastante superficial. Yo esperaba poder profundizar un poco, pero la CNN solo utilizó tres minutos. Aun así, logré confirmar que la recompensa seguía en pie para quien aportase una pista creíble que nos llevara hasta Suzanne. Y nada más. Me despedí amablemente y volví a la oficina. Ni siquiera me tomé la molestia de ver la entrevista cuando la emitieron. Pero al día siguiente recibimos un correo. ¿Mike?

En la pantalla había aparecido una fotografía nueva: una mochila color rosa de Hello Kitty que descansaba sobre una mesa de madera. Más allá del borde de la mesa Gibson distinguió un suelo de linóleo y la base de un armario de cocina. La mochila mostraba el desgaste típico de un objeto personal muy querido. La fotografía en sí era antigua o la habían envejecido, porque la resolución no era tan nítida como la de las modernas cámaras digitales, pero eso era bastante sencillo de fingir. Estaba claro que aquella mochila pretendía ser la que salía en el infame vídeo de la gasolinera de Breezewood. Si era auténtica, constituía una pista asombrosa.

—¿Había algún mensaje? —preguntó Gibson.

Abe afirmó con la cabeza, y en la pantalla apareció reproducido el texto de un correo electrónico.

```
Una entrevista magnífica, George. Muy conmovedora.
Deberías haber cuidado mejor de la chica. ¿Cuánto
quieres por la mochila?
```

Gibson hizo una mueca de dolor y lanzó una mirada fugaz a Abe, que continuaba en su sitio con gesto estoico. Era una burla cruel, pero Abe, sintiera lo que sintiera, lo disimuló muy bien.

—¿Qué me dices de la dirección del correo electrónico? —preguntó Gibson.

—Es «S.lombard@WR8TH.com». Hemos descubierto que pertenece a un servidor de alojamiento privado de Ucrania —contestó Mike—. El dominio, para mayor pitorreo, se llama «V.Airy Nycetri»[2].

Gibson puso los ojos en blanco. Sin embargo, aquello no le causó mucha sorpresa. Los marginales de internet a menudo se alojaban en lugares como la Europa del Este, donde los gobiernos tenían preocupaciones más acuciantes que el oscuro alojamiento de una página web. Los creadores de spam, los sitios de apuestas ilegales, los traficantes de pornografía infantil y los háckers utilizaban granjas de servidores ubicadas en lugares remotos que les proporcionasen un cierto anonimato. Existían muchas probabilidades de que quien había enviado aquel correo no hubiera estado en ningún momento a menos de mil kilómetros del servidor que lo generó.

—¿Qué opinas? —preguntó Abe.

—¿De la mochila? No gran cosa. En eBay seguro que podría encontrar tres docenas de mochilas iguales antes de la hora de comer. Lo más probable es que este tipo te esté provocando un poco porque te ha visto en la televisión.

Abe hizo un gesto afirmativo.

—Eso mismo hemos pensado nosotros.

—Supongo que le habrás contestado.

Abe hizo una seña a Rilling y en la pantalla apareció otro correo:

```
¿Por la foto de una mochila? Nada. No obstante,
nuestros investigadores tienen mucho interés por
hablar con cualquier persona que aporte pruebas a
este caso.
```

—¿Y?

—Un día después recibimos esto.

---

[2] Se trata de un juego de palabras: *Very nice try*, es decir: «buen intento». *(N. de la T.)*

En la pantalla apareció otra foto más. Esta vez, Gibson se levantó de su asiento aturdido, como si su cerebro estuviera luchando por reconocer lo que veía: era la misma fotografía, solo que más grande. La primera imagen había sido tomada de esta otra, y esta otra podría valer diez millones de dólares.

Suzanne Lombard.

Seguía siendo la adolescente que era cuando se fugó de casa, sentada a una vieja mesa de cocina. La mochila estaba junto a su codo izquierdo. En la mano tenía un vaso lleno de un líquido que parecía leche y miraba a la cámara con una media sonrisa. Llevaba una gorra de béisbol de los Phillies echada hacia atrás.

Gibson contempló a Osita con gesto mudo.

—Todos tuvimos la misma reacción —dijo Abe.

—¿Y creéis que…? —Gibson dejó la frase a medias, no sabía cómo terminarla.

—Sí.

Gibson miraba alternativamente a George y a la foto. Resultaba increíble.

—Estamos convencidos de que la foto es auténtica —dijo Abe—. Lo más probable es que se la tomasen la noche en que desapareció en Breezewood. Y me gustaría mucho hablar con la persona que se la hizo.

Gibson hizo un gesto afirmativo con la cabeza. Sintió que se reavivaba la furia en su interior. Aquella era una conversación en la que él desearía estar presente. Fuera quien fuera aquel individuo, estaba jugando. Jugando y utilizando como peón a Osita. De repente comprendió por qué estaba él allí.

—Pero no puedes, ¿no es cierto?

Abe afirmó con mirada pensativa.

—Déjame adivinar. Has intentado hackear el servidor de este correo.

—Sí.

—Pero la has cagado. Lo asustaste y él se escondió otra vez.

Mike hizo ademán de protestar, pero Abe lo interrumpió.

—Sí.

—Y ahora piensas que yo voy a encontrarlo para ti.

—¿Puedes?

—No, no puedo. Esto no funciona así, George. Con esa maniobra, has quemado la única pista que tenías. Si ese tipo es lo bastante listo para haber borrado sus huellas durante todo este tiempo, ¿cómo vamos nosotros a...? —Gibson dejó la frase sin terminar y no dijo nada más, absorto en sus pensamientos. Allí había algo que no encajaba.

—¿Qué ocurre?

Gibson levantó una mano para imponer silencio. ¿Qué era lo que se le estaba escapando? Cerró los ojos para no ver nada ni a nadie y se quedó donde estaba, inmóvil, hasta que encontró la respuesta. Era exactamente lo que habría hecho él. Exactamente lo que le había aconsejado a Abe que hiciera.

Echar el anzuelo.

—¿Alguna vez te has preguntado por qué envió esa primera foto? —le dijo.

—¿Qué es lo que quieres decir?

Gibson fue mirándolos a todos de uno en uno, con una sonrisa de oreja a oreja.

—Ese tipo es muy listo, desde luego. Señores, estoy convencido de que los ha engañado a todos a base de bien.

Capítulo 10

Gibson se frotó la cara con la palma de la mano para eliminar el entumecimiento. Se quitó los auriculares y se estiró hacia atrás en su asiento hasta que, satisfecho, oyó un crujido que le recorría toda la columna vertebral.

Mejor.

Su teléfono decía que eran las dos y media de la madrugada.

Del viernes.

Parecía viernes. Los viernes siempre eran días un poco mugrientos y desgastados, el último coletazo de la semana. O quizá era solamente que desde el domingo, cuando llegó a Abe Consulting, aún no había pasado por casa.

Llevaba casi cinco días seguidos trabajando. ¿Era posible? A menudo perdía la noción del tiempo cuando se sumergía de cabeza en un problema, y no se había enfrentado a un rompecabezas tan interesante como el de ahora desde que dejó los marines. Se sentía eufórico, las soluciones le hacían señas desde un lugar que quedaba justo fuera de su alcance. Pero ya estaba cerca. Dentro de unas pocas horas más, sabría si estaba en lo cierto en cuanto a sus sospechas.

«¿Dónde estás, WR8TH? ¿Qué es lo que sabes y no quieres que yo descubra?»

Podría haberse ido a casa a dormir, pero ni siquiera se le ocurrió. Cuando le llegaba la inspiración, necesitaba estar cerca del trabajo. Además, en casa no había nada esperándolo aparte de una cama inquieta. Lo de dormir era impensable; tenía todo el tiempo a Osita detrás de los párpados, paciente y esperanzada. Su sonrisa lo despertaba de golpe y lo hacía salir corriendo de nuevo hacia el ordenador.

Los únicos descansos de verdad que se había tomado fueron las videollamadas que había hecho a Ellie por la noche. Una vez que la tenía acostada y arropada, le leía en voz alta hasta que le entraba sueño. Estaban a mitad de *La telaraña de Charlotte,* y Ellie sufría por el destino del cerdito *Wilbur.* Le gustaban los relatos tanto como a Suzanne. Era una relación obvia, pero no sabía por qué no se había dado cuenta hasta ahora. De que les leía libros a ambas niñas. Bueno, podía perdonarse a sí mismo por no pensar tal cosa, así había menos peligro; pero ahora, por mucho que se esforzase en separar a las dos niñas en su cerebro, no podía no ver dicha relación.

Aquel primer domingo había trabajado hasta muy entrada la noche. Mike Rilling se ofreció a ayudarlo y le preparó un terminal de ordenador, pero él, de manera educada pero firme, lo echó de la sala de reuniones. Necesitaba estar solo para pensar. A Charles y Hendricks no les hizo ninguna gracia que los echaran también, pero Abe tenía el mando y lo ejerció.

Alrededor de las tres de la madrugada de aquella primera noche, se tropezó con un problema imprevisto y decidió tomarse un respiro y darse un garbeo por los pasillos vacíos de Abe Consulting. Cuando caminaba pensaba con más claridad y, al cabo de unas cuantas vueltas, empezó a vislumbrar la solución. Regresaba ya a la sala de reuniones cuando de pronto se fijó en que había una luz encendida asomando por debajo de una puerta que antes estaba a oscuras. Hizo un alto para escuchar y, de improviso, la puerta se abrió de golpe. Se encontró cara a cara con Jenn Charles, que con tacones debía de medir un par de centímetros más que él. Se había quitado la chaqueta del traje, pero no el arma; era la nueva moda informal de oficina.

—¿Qué está haciendo?

—Disculpe —se excusó él dando un paso atrás—. Creía que no había nadie. Pensé que era usted un intruso.

—¿Necesita algo?

—No, solo estaba dando una vuelta. —Hizo girar un dedo en el aire—. Me ayuda a pensar.

Jenn asintió con gesto evasivo.

Gibson titubeó un momento y dijo:

—La verdad es que quisiera hacerle una pregunta. ¿Por qué hay en el tablero un signo de interrogación entre WR8TH y Tom B.?

—Circuló la teoría de que ambos eran la misma persona.

—Si fuera alguien de por aquí, ¿por qué iba Suzanne a ir hasta Pensilvania para reunirse con él?

—No sabemos a ciencia cierta si se reunió con él en Pensilvania, no es más que otra suposición. A lo mejor ese tipo la recogió en Pamsrest y Pensilvania le quedaba de camino a su casa.

—¿Y qué opina usted?

—Que es plausible. Quizá tenga la oportunidad de preguntárselo a la cara.

—¿Y qué está haciendo aquí, tan tarde?

—Trabajar.

—¿A las tres de la madrugada? No necesito una canguro.

—Tengo papeleo atrasado.

—Está bien —dijo Gibson, admitiendo la derrota—. En fin, ya sabe dónde encontrarme.

—Sí, ya lo sé.

Retrocedió con la intención de cerrar la puerta del despacho.

—¿Dónde sirvió? —le preguntó Gibson.

Ella se detuvo y entrecerró los ojos.

—No haga eso.

—¿El qué?

Charles le cerró la puerta en las narices y él se la quedó mirando fijamente, riendo para sus adentros de pura incredulidad. Vale, de acuerdo, aquello había sido... La verdad es que no supo cómo calificarlo. Jenn Charles tenía un punto de agresividad que él no entendía. Que aquel asunto le llevara solo unos días iba a ser, seguramente, para mejor. Regresó al trabajo.

El lunes por la mañana, cuando empezaron a llegar los empleados, Gibson estaba ya en la sala de reuniones, contemplando la fotografía de Suzanne clavada en el tablero. Abe había ordenado que se instalara un catre en dicha sala, pero Gibson lo había utilizado para apilar documentos impresos. Habían enviado a una persona a comprarle una muda de ropa, pero la bolsa que había traído permanecía intacta junto al catre. También le llevaron algo de comer, y Gibson lo devoró a toda prisa mientras trabajaba. Estaba a la caza de nuevo y cada día que pasaba lo acercaba un poco más a su presa.

Al principio, Gibson se convirtió en el objeto de muchas especulaciones entre los empleados. Evidentemente, nadie que no perteneciera al círculo íntimo de Abe sabía qué estaba haciendo él allí, y eso picaba la curiosidad de todos. Pero para la tarde del jueves la curiosidad ya había desaparecido: observar a un tipo trabajando ante un ordenador se encontraba entre las cinco actividades más aburridas que existían en el mundo. Periódicamente, Mike Rilling asomaba la cabeza por la puerta para preguntarle si necesitaba algo. Y Hendricks, cada vez que entraba para coger un expediente, le dirigía una mirada de pocos amigos. Su visita más habitual pasó a ser Jenn Charles, que se dejaba caer cada hora, igual que un soldado haciendo guardia frente a un puesto militar.

El jueves, cuando abrieron las oficinas, Gibson solicitó una copia impresa del historial de búsquedas que había hecho la empresa a lo largo del mes anterior. Abarcaba casi mil páginas. Las dividió en cuatro partes y empezó a repasarlas armado con un rotulador fosforescente. Una tarea tediosa, pero transcurridas veintipico horas ya había reducido la búsqueda a un puñado de posibilidades.

Ahora estaba seguro.

Consultó el reloj: las seis de la madrugada del viernes. George llegaría sobre las siete, de modo que cerró los ojos durante una hora. Por una vez, Osita lo dejó en paz. Cuando se despertó, George estaba trabajando en su despacho y parecía estar esperándolo. Gibson le contó lo que había descubierto. Abe se tomó la mala noticia con filosofía y preguntó qué opciones había.

Gibson le dio tres.

—¿Cuál recomendarías tú?

—La primera. Si quieres tener alguna posibilidad de atrapar a WR8TH.

—¿Por qué?

Gibson se lo explicó.

Abe lo interrumpió varias veces para hacerle preguntas y, una vez que Gibson hubo terminado, permaneció varios minutos sin decir nada.

—Muy bien, quiero que se lo expongas a los miembros del equipo. Finge que yo no estoy al tanto de ello, quiero que me den su opinión sin filtros.

—De acuerdo, lo haré si eso es lo que quieres, pero primero me voy a casa. Necesito darme una ducha y afeitarme. Yo diría que estoy a punto de convertirme en un producto tóxico.

—Conforme. Tendrás un coche esperando abajo. —Abe consultó su reloj—. Vuelve aquí a las cuatro.

Ya en casa, Gibson se metió en la ducha y se quedó allí hasta que volvió a sentirse humano. Se sentía bien, fenomenal. Sabía que había echado de menos trabajar, pero no cuánto. Que sus habilidades ayudaran a encontrar a Osita... «No te adelantes», se previno. Era mejor no hacerse ilusiones.

«Pero ¿y si la encuentro?»

Ya eran más de las cinco cuando volvieron a congregarse todos en la sala de reuniones. Hendricks y Charles estaban deseosos de saber qué había descubierto, pero Gibson no se dio ninguna prisa con el ordenador. Al fin Abe no pudo aguantarse más.

—Bueno, Gibson, ilumínanos. ¿Qué has descubierto?

—Vale. A ver, al principio me molestaba el hecho de que WR8TH hubiera enviado dos fotografías.

—Eso fue lo que nos dijiste el domingo —apuntó Hendricks.

—Sí, pero lo que quiero decir es que me extrañó que se hubiera tomado esa molestia. ¿Por qué envió el correo de la mochila si tenía la fotografía entera? Era una pérdida de tiempo.

—¿Tal vez porque le gusta jugar? —sugirió Jenn.

—Exacto. Pero ¿en qué consistía el juego? Es muy probable que quien envió esa foto sea la misma persona que la tomó. ¿Estamos de acuerdo?

Todos los presentes estaban de acuerdo.

—Bien, ¿qué posibilidades hay de que WR8TH, si es el WR8TH original, cobrase una recompensa de diez millones de dólares? Más probable es que me inviten a mí a la fiesta de cumpleaños de Benjamin Lombard.

—¿Entonces? —preguntó Jenn.

—Si no es por la recompensa, ¿qué otro motivo tiene este individuo para salir de su agujero? Ya escapó limpiamente en su día, la policía no está ahora más cerca de capturarlo que hace diez años. Y, sin embargo, aquí esta, asumiendo un riesgo enorme para enviaros a vosotros una fotografía que lo incrimina sin escapatoria posible. ¿Qué gana con eso?

—Es un narcisista —intervino Hendricks—. Toda esta publicidad con motivo del décimo aniversario lo ha puesto cachondo y no le gusta que no se le preste atención a su persona. La foto es una provocación, para que volvamos a concentrarnos en él.

—Eso tiene sentido, pero esto no le ha servido para atraer mucho la atención, ¿no? Dos correos electrónicos y ha tenido que cerrar la boca. Si quisiera llamar la atención, habría publicado la fotografía en internet. O podría haberla mandado a los medios. Para hacer como... ¿quién era aquel asesino en serie de San Francisco que enviaba tantas cartas a los periódicos?

—El asesino del Zodíaco —respondió Hendricks.

—Exacto. Todos hablaban del Zodíaco. Imagina la atención que podría obtener si publicase la foto junto con un puñado de pasajes de la Biblia y amenazas ambiguas.

—Internet enloquecería —admitió Hendricks.

—Exacto, de modo que si lo que quiere es atención, hay formas mejores de conseguirla. ¿Estamos todos de acuerdo?

—Sí, pero no nos olvidemos de que ese tipo está loco.

—Cierto, pero, en mi opinión, lo que ha hecho no ha tenido nada que ver con llamar la atención. Volvamos entonces a la pregunta de por qué ha enviado dos correos con dos fotos. A no ser que el primero fuera de prueba.

—¿Prueba de qué? —preguntó Rilling.

—Para ver si vosotros lo abríais. Y, como lo hicisteis, y él contestó, supo que no corría peligro al enviar el segundo. Hizo justo lo que yo os dije que hicierais.

—¿El qué?

—Echar el anzuelo, y consiguió que vosotros picarais de lleno.

—¿Está sugiriendo que dentro había un virus? —preguntó Rilling.

—Incrustado en la segunda fotografía.

—No, ni hablar —replicó Rilling—. No es posible. Tenemos un antivirus de primera, y escaneamos los dos elementos adjuntos antes de abrirlos.

Rilling miró en derredor buscando una confirmación a lo que acababa de decir, pero nadie le hizo mucho caso. Abe estaba reclinado en su silla, observando a su gente. Charles tenía la vista fija en el techo, como si acabaran de comunicarle que le quedaban seis meses de vida. Y Hendricks lo estaba taladrando con la mirada, igual que una hiena que hubiese descubierto una res demasiado estúpida para permanecer con el rebaño.

—¡Los escaneamos! —protestó Rilling al ver que nadie decía nada.

—Déjale que se explique —dijo Abe—. Gibson, cuéntanos qué es lo que has descubierto.

—A ver. Lo único que hacen los antivirus es examinar los archivos entrantes y compararlos con una base de datos de virus y software malicioso conocidos. Y tienes razón, Mike, el 99,999 por ciento de las veces para el 99,999 por ciento de la gente basta con eso. Pero si el virus es nuevo, si ha sido escrito teniendo en mente un objetivo concreto, los antivirus resultan tan inútiles como una tapia de un metro de alto para protegerse de un águila.

—¿Y estás diciendo que eso es lo que ha hecho él? —preguntó Abe.

—Eso parece. No actúa igual que ninguno de los grupos que rastrean software malicioso. Solo he dispuesto de un par de días para diseccionarlo, pero parece ser una variante de Sasser. También tiene algo del ADN de Nimda flotando por ahí.

—En cristiano, Vaughn —protestó Hendricks.

—Se trata de un virus muy bien escrito por alguien que conoce su oficio. Y que además es habilidoso. Quienquiera que sea, ha aprendido las lecciones de varios de los grandes virus de los diez últimos años y los ha mejorado. No es destructivo, que yo haya podido ver de momento. De modo que esa es la buena noticia.

—¿Y la mala? —preguntó Jenn.

—Que está descargando archivos de vuestros servidores.

—¡¿Qué?! —exclamó—. ¿Qué archivos?

—Los que le apetecen. Supongo que estará buscando los que tengan que ver con Suzanne Lombard, pero para saberlo con seguridad haría falta un equipo forense cibernético, y ese no es mi campo.

—Dios. —Hendricks arrojó su bolígrafo contra la pared.

—De nuevo, no es posible —dijo Rilling—. Controlamos el tráfico saliente y todo ha sido normal. No hemos detectado ningún aumento del volumen ni ninguna visita de una dirección IP anormal.

—Porque, por desgracia, él también estaba preparado para eso. Está descargando a una velocidad de doce kilobytes por segundo. Sin prisa, pero sin pausa. Ese volumen pasaría inadvertido dentro de las operaciones de una empresa de este tamaño. ¿Estoy en lo cierto, Mike?

Rilling afirmó de mal humor.

—Si esto lleva ocurriendo las veinticuatro horas del día, desde que abrimos ese correo —dijo Abe—, ¿cuánto material puede tener ya ese tipo en su poder?

Rilling garabateó unos números en un cuaderno y luego se lo pasó a Abe, el cual asintió con gesto grave.

—De hecho, eso es lo bueno: que no está funcionando las veinticuatro horas del día —dijo Gibson—. Todos los días se detiene a las cinco.

—Oh, ¿y también descansa los fines de semana? —preguntó Hendricks.

—Lo cierto es que sí —repuso Gibson—. Este virus funciona estrictamente de nueve a cinco. Hay que comprender que resultaría extraño que alguien estuviera leyendo el *Washington Post* a las dos de la madrugada.

—¿El *Post*? —preguntó Rilling.

—Sí, WR8TH está utilizando un anuncio de la primera plana del *Washington Post* como punto de relevo.

—¿Eso se puede hacer? —preguntó Jenn.

—Desde luego, es cada vez más común entre háckers. Corrompen un anuncio de una página web dirigida a las masas que no va a parecer inusual en el historial del buscador de la empresa y lo utilizan como punto de relevo para enviar datos hackeados al destinatario.

—Bien, pues tenemos que desenchufarlo de inmediato —dijo Hendricks—, desconectar hasta que podamos eliminar esa cosa de nuestro sistema.

—Coincido plenamente —dijo Jenn—. Esto es un desastre.

—Podríais hacerlo, pero yo no os lo aconsejaría, si lo que pretendéis es atrapar a ese tipo.

Abe levantó una mano para hacer callar a los demás.

—¿Por qué no?

—Porque no veo lo que hay más allá del punto de relevo. Una vez que ha pasado por el anuncio de la página web del *Post*, no sé adónde está enviando vuestros datos el virus de WR8TH. Si desconectáis en este momento, sabrá que lo estamos siguiendo y entonces sí que estaremos jodidos.

—¿Qué sugieres, entonces?

—Que continuéis normalmente.

—¿Y permitirle que nos robe los datos de nuestros clientes? —protestó Jenn—. ¿Tiene idea del daño que puede ocasionar eso?

—No es lo ideal, ya lo sé. Tenéis que decidir hasta qué punto deseáis cazar a ese tipo. La decisión os corresponde a vosotros.

La sala explotó en un acalorado debate. Abe permitió que durase unos segundos antes de alzar de nuevo la mano. Su gente se sumió en un silencio incómodo y miró al jefe, que estaba reflexionando.

—¿Qué crees tú que busca WR8TH? —preguntó por fin—. ¿Cuál es su objetivo final?

Gibson se encogió de hombros.

—Esa es una excelente pregunta.

—De modo que si permito que esto continúe, arriesgándome a perder a todos mis clientes, ¿cuál sería el siguiente paso que deberíamos dar?

—WR8TH busca algo. Yo recomendaría atraerlo precisamente con eso, con algo nuevo relacionado con Suzanne.

—Y escribir nosotros mismos un virus —dijo Abe.

—Exacto. Ese tipo se considera muy hábil y ya se ha salido con la suya. No se esperará que vosotros le devolváis la pelota de este modo. Pero si queremos que pique el anzuelo, tenemos que incluir nuestro virus en algo que le resulte tentador.

—¿Qué tal los documentos internos del FBI que íbamos a enviar a la página web renovada? —propuso Jenn—. Es algo que todavía no se ha hecho público.

—Eso podría servir —aceptó Gibson.

—Voy a tener que hacer una llamada —dijo Abe—. ¿Cuánto tiempo te llevaría escribir un virus?

—Ya lo tengo escrito —replicó Gibson.

Todas las cabezas se volvieron hacia él. Abe estaba sonriendo.

—¿Qué es lo que hace?

—Bueno, si ese tipo pica el anzuelo, nuestro virus viajará corriente arriba hasta el anuncio corrupto y, cuando él abra los archivos, mi virus «llamará por teléfono a casa» informando de las coordenadas GPS y de la dirección IP.

—Si es que él abre el archivo —señaló Hendricks.

—Exacto —convino Gibson.

George dirigió una mirada a Jenn Charles y ambos se intercambiaron un mensaje elocuente que Gibson no pudo descifrar.

—Adelante, pues —dijo Abe.

Capítulo 11

Durante las dos semanas siguientes, el virus de WR8TH se atuvo a su rutina de despertarse a las nueve y ponerse a devorar lentamente la base de datos de Abe Consulting. Era un empleado modelo: no paraba para comer y nunca se cogía una baja por enfermedad.

Gibson sabía, por haber estudiado el código, que aquel virus podía ser dirigido por WR8TH mediante control remoto y recibir de él lotes de instrucciones nuevas. De no ser así, continuaría haciendo lo mismo eternamente. Pero hasta el momento no había ocurrido nada; o WR8TH no estaba siguiendo de cerca los cambios habidos en el registro de Abe Consulting como para fijarse en los nuevos documentos del FBI o era demasiado listo para picar el anzuelo.

Para tranquilizarse, Gibson se dijo a sí mismo que se trataba de una trampa muy bien tendida. En las dos últimas semanas había subido unos pocos documentos más todas las mañanas. La idea era que pareciera que Abe Consulting tenía un proyecto en curso: convertir archivos de papel en archivos digitales.

—Vamos —susurró Gibson a su monitor—. Ya te has salido con la tuya. Eres más listo que nosotros, que somos una pandilla de idiotas. Sírvete a tu gusto. No vamos a enterarnos.

Cuando aquello de quedarse mirando fijamente el monitor deseando que ocurriera algo perdió su encanto, Gibson empezó a escarbar entre las cajas donde se guardaban las pruebas. La curiosidad lo llevó hasta una gruesa carpeta que llevaba el nombre de «Tom B.». El misterioso novio que jamás había llegado a ser identificado. La carpeta contenía una enorme cantidad de datos para una pista que no había llevado a ninguna parte. Cosa nada sorprendente, dado lo poco de que disponía en realidad el FBI para continuar. Aparte de un nombre, lo único que tenían era una vaga descripción física recopilada de las otras adolescentes que trabajaban en la misma piscina que ella: piel oscura, constitución fuerte, cabello castaño y tupido, ojos azul claro. Ni siquiera figuraba su edad exacta, tan solo se mencionaba que todas habían coincidido en que Tom era «mayor», lo cual dejaba abierto un inquietante abanico de posibilidades.

¿Serían Tom y WR8TH la misma persona? Si no lo eran, ¿por qué había aparecido Tom B.? Y si lo eran, ¿era posible que Osita estuviera llamando novio a un pedófilo de internet, que hubiera ido guardando sus cartas de amor, que se hubiera fugado con él? Nada de aquello tenía mucha lógica.

Ojeó por encima el resto de la carpeta y volvió a dejarla en su sitio. No se podía apreciar de verdad cuán tediosas eran las investigaciones criminales hasta que se echaba un vistazo a la montaña de papeleo que generaban. Estudiar aquello resultaba casi más embotante para el cerebro que mirar fijamente la pantalla de su ordenador, que parecía empeñada en no cambiar nunca.

Estaba a punto de abandonar cuando tropezó con una caja que llevaba la etiqueta de «Material familiar». Dentro había varios CD de fotografías del instituto de Suzanne y de reuniones familiares, todas pulcramente catalogadas por lugar y fecha. Pasó varias horas buscando en vano la foto en la que se lo veía leyéndole un libro a Suzanne en el sillón, pero no la encontró por ninguna parte. De pronto le llamó la atención un CD con la etiqueta de «Memorial Day, 1998». No se acordaba del de 1998 en particular, pero, movido por la curiosidad, introdujo el disco en su ordenador portátil. No tenía ninguna foto de Duke y esperaba encontrar algunas para poder enseñárselas a Ellie; llegaría un día en el que tendría que hablarle de su abuelo.

Aquel disco resultó ser una mina. Al parecer, Duke salía en todas las fotos. Por desgracia, también estaba Lombard en la mayoría de ellas, justo al lado, con su empalagosa sonrisa de depredador. Gibson encontró un par de instantáneas que podía copiar y pegar en su disco duro. Sin embargo, solo para asegurarse, volvió a examinar los CD una vez más. Su perseverancia dio fruto y encontró una foto en la que se veía a Duke tal como a él le gustaba recordarlo: en el porche trasero de Pamsrest, cerveza en mano, con una ancha sonrisa en la cara, siendo el centro de atención y desgranando lo que se notaba que era algún cuento chino relacionado con la política.

Gibson pasó largo rato contemplando la foto. Echaba de menos aquella versión de su padre. Echaba de menos poder acordarse de Duke sin resentimiento, sin que su mente regresara al sótano, aquel sótano lóbrego y horroroso en el que Duke se aislaba de la vida y se aislaba de su hijo. Era más fácil cuando tenía a Lombard para echarle la culpa, cuando pensaba que era Lombard quien había traicionado a Duke y no al revés. Pero aquello era una mera ilusión. Duke Vaughn no era más que un delincuente y, en lugar de afrontar las consecuencias, bajó al sótano. Era su vida, la decisión le correspondía a él, y la tomó pensando solo en sí mismo. Esa era la verdad, y no había nada más que decir. Y, aunque lo hubiera habido, ya no quedaba nadie a quien mereciera la pena decírselo.

La triste realidad era que Gibson había creído ciegamente en Duke y que, a partir de aquel momento, su vida entró en caída libre. Era una sensación terrible y quería que se acabase. Cómo decía aquel viejo chiste... Lo que te mata no es la caída, sino la parada en seco. Bueno, pues unos cuantos afortunados habían sobrevivido al impacto, ¿no? Él tuvo que arriesgarse al encontronazo con el duro suelo. Cualquier cosa era mejor que la serie de decisiones precipitadas e inconscientes que tomó a merced de aquella caída en picado a la velocidad de la luz. Desde que se acabó su matrimonio, había habido días en los que le pareció entender la actitud de Duke. La entendía, pero no la perdonaba. No se imaginaba haciéndole aquello mismo a su hija. Al hijo de cualquiera.

Se obligó a cerrar el archivo de las fotos, pero antes hizo una copia. Para cuando llegaran tiempos mejores... si es que llegaban. Estaba a punto de expulsar el disco cuando de pronto vio la miniatura de una imagen que reavivó un recuerdo. La abrió y se encontró con una fotografía de sí mismo. En ella no podía tener más de diez años y estaba de pie frente a una fuente pequeña, enseñando a la cámara, con los brazos estirados, una gigantesca rana toro. Como si fuera radiactiva. La rana permanecía inmóvil, con las patas colgando con gesto de indignación, como un famoso al que hubieran llevado a rastras para que posara y se hiciera fotos con un insistente admirador.

Al su lado, prácticamente pegada a su cadera, estaba Osita. Con un traje de baño que le sobraba por todas partes y el cabello hecho una maraña de rizos, miraba la rana como si fuera un león con el que Gibson hubiera luchado hasta someterlo a su voluntad. Gibson ya se había olvidado de cómo había capturado aquella maldita rana. Le había llevado la tarde entera. Finalmente la acorralaron junto al antiguo pozo que había en la parte de atrás de la finca, y allí estuvo persiguiéndola de un lado para otro mientras Osita señalaba, sin serle de mucha utilidad, desde una distancia segura.

Una vez que la hubieron capturado, los dos se dieron cuenta de que perseguirla había resultado mucho más divertido que atraparla en sí. La rana coincidió con ellos y, para dejarlo bien claro, se meó en las manos de Gibson. Pero el fotógrafo de los Lombard los vio e insistió en hacerles una fotografía con el trofeo. Sostuvieron la rana en alto el tiempo suficiente para hacerse la foto junto a la fuente y después soltaron a la bestia salvaje para que regresara a la naturaleza. Osita se subió al borde del pozo y se despidió de la rana con la mano hasta que la vio desaparecer entre la vegetación.

Aquel recuerdo lo hizo sonreír. Había sido una de las pocas veces que Osita abandonó la seguridad de sus libros para vivir una aventura real. Qué lejos estaba aquella imagen de la de una adolescente que tenía un novio misterioso. Qué lejos estaba de aquella niña cansada que se cubría con una gorra de los Phillips, tan lejos de su casa. Pero si ni siquiera le gustaba el béisbol…

De repente Gibson se quedó petrificado. Aquella gorra… Aquella gorra de los Phillips tenía algo que lo había dejado intrigado, ahora que pensaba en ello, pero no conseguía dar con la razón.

Hizo una copia de la foto de la rana y luego expulsó el disco. Dios, cómo echaba de menos a aquella niña. Su feroz Osita. Ella era todo cuanto le quedaba de su infancia que amase sin reservas; todos los demás recuerdos estaban contaminados. Y alguien se la había robado.

Gibson encontró a George en su despacho. Llamó con los nudillos en la puerta, que estaba abierta; George levantó la vista y le indicó con una seña que entrara.

—¿Qué te trae por aquí, Gibson?

—¿Vas a ir a por él?

—¿A por quién?

—A por WR8TH. Si sube mi virus. No vas a entregárselo al FBI, vas a ir a por él tú mismo.

Los ojos de Abe se desviaron hacia la puerta del despacho, que seguía estando abierta. Gibson se lo tomó como un sí.

—Quiero que cuentes conmigo.

—Gibson...

—Necesito ir.

—¿Te importa cerrar la puerta? —dijo George, y esperó a que tuvieran intimidad—. Créeme, siento un gran respeto por el trabajo que has hecho, y jamás cuestionaré tu lealtad hacia Suzanne. Pero te contraté para que nos ayudaras a localizar a WR8TH. Nada más. Sobre el terreno serías una carga.

—¿Una carga?

—Jenn y Dan suman entre los dos más de treinta años de experiencia.

—Y yo he estado en los marines. No soy ninguna maldita carga.

—Conozco bien tu experiencia militar. Pero si llegamos a ese punto, se encargarán de ello Jenn y Dan.

—No.

—¿No? —George estaba sorprendido de veras.

—Me necesitas a mí.

—¿Te necesito?

—Sí.

Abe lo miró largamente y dejó la pluma sobre la mesa.

—Muy bien, convénceme.

—¿Lo dices en serio? —No esperaba haber llegado tan lejos.

Abe emitió una risita.

—Sí, lo digo en serio. Suponiendo que tengamos suerte y que tu virus nos proporcione una pista acerca de WR8TH.

Convénceme de por qué debería enviar allí a alguien sin experiencia.

—Simple. Porque necesitas un experto en ordenadores. ¿A quién vas a enviar? ¿A Mike Rilling? Es posible que yo no tenga experiencia sobre el terreno, pero comparado con ese tío soy Jason Bourne.

—¿No se supone que tu virus va a proporcionarnos la ubicación de WR8TH?

—Nos proporcionará *una* ubicación. Y sí, es posible que sea lo bastante gallito para arriesgar la dirección IP de su casa, pero lo dudo. Basándome en lo que hemos visto hasta el momento, yo apostaría a que es un tipo de lo más precavido. Lo más probable es que esté robando la conexión inalámbrica de alguien. ¿Qué pasa si el virus conduce a Jenn y a Hendricks hasta una cafetería que tiene wi-fi gratis? ¿Sabrían qué hacer en un caso así? Mira, WR8TH no es una persona, es un invento de internet. Si quieres dar con el tipo que está detrás de WR8TH, necesitas un invento que piense como él. Este es mi mundo, George. Déjame ir con ellos.

Abe se reclinó en su sillón. Dejó pasar unos minutos, cavilando, hasta que por fin dijo algo.

—Necesito estudiar esa idea durante unos días y hablar con mi gente. ¿Te parece aceptable?

—Me parece aceptable.

—Y si la respuesta es no, ¿respetarás mi decisión?

—Se hará lo que se pueda.

Capítulo 12

—Aterrizaremos en San Francisco dentro de cuarenta y cinco minutos, señor vicepresidente.

—Gracias, Megan —dijo Lombard, y volvió a centrar la atención en Abigail Saldana, que estaba repasando los datos de las últimas encuestas.

Desde que se sumó al equipo el mes anterior, Saldana, una mujer adusta y brillante, había estabilizado los números de Lombard y había devuelto la confianza a una campaña que estaba flaqueando. De ninguna manera se encontraban fuera de peligro, pero tampoco estaban perdiendo apoyos con tanta rapidez como un mes antes.

Faltaban cuatro días para las primarias de California, que tenían el poder de inclinar la nominación hacia un lado o hacia el otro. Aquel era el territorio de Fleming, de modo que no había expectativas de ganar, pero si pudiera obtener el treinta por ciento en el estado de residencia de Fleming, ello sería como una declaración y les proporcionaría impulso de cara a las primarias definitivas. Constituía una estrategia agresiva que no estaba exenta de riesgos. Pero Saldana tenía el convencimiento de que Fleming era vulnerable en su estado, así que llevaba un mes invirtiendo tiempo y dinero en California. Todo se decidiría el martes.

La vicepresidencia no llevaba aparejado un avión exclusivo; el *Air Force 2* simplemente era cualquier aeronave en la que estuviera viajando el vicepresidente. Podía ser cualquiera de las que compartían los miembros del gabinete. Dichos aviones, aunque contaban con menos comodidades que el *Air Force One,* solían ser acogedores, una ventaja que Lombard deseaba vivamente. En la parte delantera del avión había un pequeño despacho, pero en él no cabían cómodamente más de tres o cuatro personas. Lombard prefería que los miembros de su equipo estuvieran apiñados, así que pasaba el vuelo en el centro de la cabina, donde podían trabajar ocho personas en un par de mesas abiertas con relativa comodidad.

En la mesa situada al otro lado del pasillo se encontraba su esposa, a la que estaban tomando la lección de los datos biográficos de las personas clave de la escala que tocaba aquella tarde en la campaña. La gente era receptiva al contacto personal: si se les preguntaba por los hijos por su nombre, no lo olvidaban jamás. Era un viejo truco de salones de política, pero requería estudio y práctica. Grace Lombard levantó la vista y le sonrió con gesto de cansancio. Aunque su mujer nunca había sido una entusiasta de los viajes de campaña, todavía no la había oído quejarse ni una sola vez en veinticinco años. En su opinión, era precisamente su falta de interés por los entresijos del poder lo que la hacía tan atractiva para los votantes. Eran muchos los que, ante la mirada del público, cultivaban una imagen de persona normal y con los pies en la tierra, pero, en el caso de su mujer, era cierto. Sabía que ella lo equilibraba. De aquel modo habían formado un equipo perfecto.

—Leland —llamó a su jefe de gabinete—, ¿qué planes tengo para cenar?

—Con el senador Russell. Después del discurso —informó Reed sin levantar la vista de su portátil.

—Aplázalo. Mira a ver si, en vez de cenar, me deja que lo invite a tomar un whisky en el hotel alrededor de las once.

Reed se puso de pie teléfono en mano y se alejó por el pasillo para hacer la llamada. Lombard se volvió de nuevo hacia el otro lado, para dirigirse a la ayudante de su esposa, Denise Greenspan.

—¿Cómo se llama ese restaurante que le gusta tanto a mi mujer, el que da al Puente de la Bahía?

—Boulevard, señor. Está en el Embarcadero.

—Eso es. Resérvanos una mesa. Para las siete y media.

—¿Cuántas personas, señor?

—Solo dos. —Le sonrió a su esposa, la cual le envió un beso desde el otro lado del pasillo.

Abigail Saldana asentía para dar su aprobación a aquella idea. El sacrificio personal y la intimidad forzada que exigían las campañas políticas eran abrumadores. A Lombard, eso se lo había enseñado Duke Vaughn. Se hacía muy duro trabajar en ellas sin involucrarse emocionalmente con el matrimonio que había en el centro. En particular, para los miembros del gabinete jóvenes e idealistas que llevaban a cabo las ingratas tareas rutinarias, aquello no era meramente un trabajo: aquello era su familia, y necesitaban creer en su candidato. Una cena tranquila con su esposa serviría para subir la moral de todo el mundo. De igual modo que los hijos se sienten más seguros cuando ven gestos de afecto entre sus padres.

—Ben —le dijo Grace en un susurro fingido—, todo el mundo está dejándose la piel. ¿Por qué no, mientras tú y yo cenamos, damos permiso al equipo durante unas horas?

A Lombard aquella idea no le hizo ni pizca de gracia, pero así era su mujer. Demasiado bondadosa para su propio bien. O para el de su marido. Aun así, lanzó una carcajada magnánima, como si fuera la mejor idea que había oído en años. Lo cierto era que, pensándolo bien, le gustaba cómo iba a acabar saliendo la cita. Reed y Saldana declinarían la invitación, lo cual significaba que los suyos tendrían que rechazarla también. Con lo cual quedarían tan solo unos pocos miembros de menor rango que se irían a cenar con su dinero. Iba a quedar bien sin que le costara demasiado en lo que a trabajo se refería: saldría ganando, mientras iba y venía.

—Por eso me casé con esta mujer —dijo—. Pero después de cenar, ¡todo el mundo de vuelta a la jaula!

Aquello hizo estallar un coro de risas, pero el mensaje estaba claro: había trabajo que hacer. Le estaban dando la vuelta a la tortilla y a la gente le gustaba trabajar para un ganador. Ya cuidaría de ellos cuando llegase a la Casa Blanca, pero, por el momento, bastaría un pequeño aperitivo de su generosidad para que siguieran esforzándose.

Estaba sonando uno de los teléfonos de Reed, pero este todavía no había vuelto de aplazar la cita con el senador Russell. Su ayudante miró el número, pero lo dejó sonar.

—¿Te importa cogerlo? —le dijo Lombard.

El ayudante atendió el teléfono, hizo unas cuantas preguntas y tapó el micrófono con la mano. Lombard supo inmediatamente que había cometido un error.

—Señor, tengo al teléfono a un tal Titus Eskridge. Quiere ponerlo al día sobre el «incidente del ACG».

Lombard mantuvo el gesto impasible e indiferente, pero notó que su mujer lo perforaba con la mirada. El coronel Titus Stonewall Eskridge Jr. era el fundador y presidente ejecutivo de Cold Harbor Inc., una empresa militar privada situada cerca de Virginia. Cold Harbor había sido un importante colaborador de sus campañas al Senado, y a Eskridge lo conocía desde hacía mucho. Grace era capaz de encontrar alguna cualidad positiva en la mayoría de las personas, pero con Eskridge ni siquiera lograba fingir que lo toleraba. Años atrás, por insistencia de ella, Lombard había cortado los vínculos políticos con Cold Harbor, por lo tanto debía de tener una razón muy poderosa para atender la llamada de Eskridge, una razón que en la actualidad no tenía.

Tal vez su carrera en la política le hubiera enseñado el arte de tirarse faroles —sabía encajar una puñalada por la espalda sin dejar de silbar una alegre melodía—, pero, por alguna razón, Grace siempre había sido inmune a aquellos engaños.

—¿Titus Eskridge? En fin, esta gente siempre aparece de no se sabe dónde en esta época del año. —Hizo un gesto con la mano para alejar el teléfono—. Pásaselo a Leland, o dile que deje un mensaje.

—Sí, señor —respondió el ayudante.

Lanzó una mirada a su mujer, pero ella ya había vuelto el rostro. Esperaría a que sacara el tema más tarde. Una cosa era segura: su cena tranquila y romántica acababa de irse al garete.

Capítulo 13

Jenn Charles estaba sentada a su mesa, repasando el informe sobre Vaughn. Una cosa era haberlo traído como consultor, pero ahora resultaba que George estaba contemplando la posibilidad de incluirlo en el equipo para la fase dos. Era una equivocación. Se lo decían las tripas, pero no podía expresarlo en voz alta; necesitaba algo más para corroborar su corazonada.

Gibson Vaughn, hijo de Sally y Duke Vaughn. Nacido y criado en Charlottesville, en Virginia. Su madre había fallecido cuando él tenía tres años. De un cáncer de ovarios. Una manera muy dura de morirse, en su opinión. Gibson Vaughn había sido criado, si se lo podía llamar así, por su padre, un adicto al trabajo.

Duke Vaughn había sido una leyenda en el mundo de la política de Virginia. Sus dos grados universitarios en Ciencias Políticas los había obtenido en la Universidad de Virginia. Poseía una personalidad desbordante. Contaba con un encanto innato que hacía que tanto sus amigos como sus enemigos se sintieran cómodos en su presencia. Vivía para la pelea de gallos que era la política y halló su vocación en el puesto de jefe de gabinete de Benjamin Lombard. Juntos formaban una pareja magnífica: Lombard era el bravucón terco y con principios, y Vaughn era un maestro en el arte de negociar en la trastienda. A Vaughn le correspondía el mérito de haber guiado a Benjamin Lombard, aún verde y mayormente una figura desconocida, hasta el Senado de los Estados Unidos, y de haberlo ayudado a obtener un segundo mandato con un triunfo aplastante.

Por lo que Jenn pudo deducir, la devoción que sentía Duke por Lombard obró en detrimento de su hijo. Lo exigente del trabajo hacía que Duke pasara largos períodos de tiempo con el senador en Washington o en la carretera. Era un trabajo que le ocupaba las veinticuatro horas del día, lo cual quería decir que Duke pasaba la mayoría de los fines de semana con los Lombard.

A todas luces, los Lombard trataban a Gibson como si fuera de la familia; Duke y él tenían un dormitorio propio tanto en la vivienda que poseía el senador en Great Falls como en la casa de la playa que tenía en Pamsrest, cerca de la frontera de Carolina del Norte. No obstante, Duke estaba decidido a no desarraigar a su hijo del colegio, así que durante la semana era frecuente que Gibson no estuviera en su casa de Charlottesville. Su tía paterna, Miranda Davis, vivía cerca y cuidaba de él, pero también tenía familia propia y, a medida que Gibson fue haciéndose mayor, no siempre estaba disponible para atenderlo. De modo que para cuando cumplió los catorce años, Gibson Vaughn, a todos los efectos, vivía solo de lunes a viernes.

Muchos niños sentirían rencor al verse abandonados así; Gibson, en cambio, no dio muestras de estar ni resentido ni enfadado. Al contrario, era bastante evidente que el joven Gibson Vaughn adoraba a su padre y que estaba empeñado en apañárselas solo. Se ocupaba de la casa mientras su padre estaba ausente: organizaba los recibos, hacía la limpieza, se ocupaba del jardín y realizaba algunas tareas menores de mantenimiento. En muchos sentidos, Gibson Vaughn se había criado solo.

Aparentemente, se las había arreglado muy bien. Buenas notas en los estudios, ningún expediente disciplinario. Eso era si no se tomaba en cuenta la vez que le pusieron una multa de tráfico por ir a 75 kilómetros por hora en una vía limitada a 40. Naturalmente, era comprensible que un chico de trece años no tuviera del todo claros los límites de velocidad. Según informes no oficiales, porque no hubo ningún atestado oficial, en aquel momento Duke y el senador se encontraban en un viaje por Oriente Próximo destinado a recabar información. Gibson se quedó sin leche; en lugar de llamar a su tía y arriesgarse a despertarla, hizo lo único que era razonable y cogió él mismo el coche para ir al supermercado.

El informe del agente afirmaba que, cuando lo detuvieron, el muchacho preguntó educadamente: «¿Hay algún problema, agente?». Iba sentado encima de un ejemplar de *Las obras completas de Thomas Jefferson* para poder ver por encima del volante. Cuando el agente le preguntó dónde estaban sus padres, Gibson apeló a la Quinta Enmienda. Temiendo avergonzar a su padre, se negó a hablar hasta que la policía consiguió dar con su tía.

No se presentaron cargos y el incidente pasó a formar parte de la tradición popular de Virginia. En parte debido a que la policía no quiso presentar cargos contra un chico de trece años, pero también porque Duke Vaughn era amigo personal del jefe de policía de Charlottesville. Al parecer, en la gran comunidad de Virginia no había muchas personas que no fueran amigos personales de Duke Vaughn.

Aquella anécdota arrancó una sonrisa a Jenn. A ella la había criado su abuela y sabía lo que era tener que ser autosuficiente a una edad temprana; uno podía hacerse fuerte o aislarse, endurecerse. Le habría caído bien aquel chico: con amor propio, con recursos y un poquito temerario. Era muy parecido a ella, y todavía se le notaba en algunos rasgos. El problema era que no encontraba la manera de tranquilizarse. De ello se había encargado el suicidio de Duke Vaughn.

Un miércoles, de forma inesperada, Duke Vaughn regresó de Washington y se ahorcó en el sótano. Jenn hojeó las fotografías de la autopsia que había entresacado de la sala de reuniones antes de que entrase Vaughn. ¿Qué clase de cerdo egoísta se ahorca en un sitio en que lo va a encontrar su hijo de quince años? Sin una nota, sin nada. Era imperdonable.

Tras la muerte de su padre, Gibson Vaughn se convirtió en una persona completamente distinta: desafiante, hostil y antisocial. El *shock* que había sufrido se veía más claro que el agua. Se borró de las clases de informática a las que estaba asistiendo como oyente en la Universidad de Virginia. Su rendimiento académico se desplomó. Se metió en tres peleas en dos meses. Lo expulsaron de las clases por insultar a un profesor. Se había ido a vivir con su tía a tiempo completo, y el informe que estaba leyendo Jenn contenía copias de las cartas, cada vez más desesperadas, que escribía Miranda Davis a su cuñada y en las que hablaba de la conducta de su sobrino, que iba deteriorándose poco a poco: que ya rara vez hablaba, que no comía, que no salía de casa salvo para ir a clase, que pasaba el día y la noche en su habitación o delante del ordenador.

Lo que hizo delante de aquel ordenador acabó figurando en un registro público.

Llamó con suavidad a la puerta del despacho de su jefe. George siempre la había animado a que se fiara de su instinto y dijera lo que pensaba. Era un rasgo que en la CIA nunca la había beneficiado, de modo que había tardado un tiempo en tomarle la palabra. No era de las que daban fácilmente su confianza, pero George se la había ganado: por él, era capaz de caminar sobre cristales rotos.

George le había lanzado un salvavidas cuando implosionó su carrera en la CIA. Aun cuando ella estaba empeñada en no querer un empleo, él la reclutó; cuando ella hizo caso omiso de sus numerosas llamadas, la fue a buscar a casa y la convenció de que fuera a trabajar para él. Hoy por hoy, Jenn no tenía ni idea de cómo averiguó George quién era. Pero la acompañó hasta que estuvo de nuevo en forma para el trabajo y le dejó espacio para que recuperase la seguridad en sí misma sin sentirse mimada. Y menos mal, porque ella habría abandonado al instante. En retrospectiva, sabía que jamás podría pagarle aquella deuda.

—Adelante.

Abrió la puerta. George estaba sentado a su mesa, repasando las cuentas del primer trimestre. De fondo se oía música de los Rolling Stones: una versión en directo de *Dead Flowers*. Ella nunca prestaba mucha atención a la música y rara vez sabía quién era el grupo que estaba sonando; aquel tema, en cambio, sí que lo conocía, porque en cierta ocasión, durante un viaje a Nueva York, George le estuvo ensalzando las virtudes de la versión acústica de Townes Van Zandt. Los Stones eran el grupo favorito de George y ella ya se había acostumbrado a los lascivos aullidos de Jagger. En una pared colgaba un cartel con un autógrafo suyo, en el que se veían unos labios enormes con la lengua fuera. Pertenecía a una de las giras del grupo por Estados Unidos y constituía una de las posesiones más preciadas de George. Junto al cartel había una foto suya al lado de Keith Richards.

La pared del fondo era una estantería de libros dividida en dos partes, lo cual, en cierto modo, resumía la personalidad de su jefe. George descendía de una de las familias japonesas más antiguas de los Estados Unidos. Sus antepasados habían huido de Japón tras la Restauración Meiji y llegaron a San Francisco en 1871. Consiguieron, con esfuerzo, dinero y éxito, soportaron una temporada de reclusión en la cárcel y rehicieron su fortuna en la década de 1950. Los Abe se sentían orgullosos tanto de lo que habían heredado como del país que los había acogido en adopción. Era una tradición familiar mostrar el reconocimiento a aquellas dos mitades a la hora de poner nombre a los hijos.

George Ieyasu Abe.

Una mitad de la estantería estaba dedicada a libros de historia de Japón. A George lo fascinaba en particular la cultura de los samuráis, un tema que ocupaba una balda entera. Su segundo nombre, Ieyasu, lo habían tomado de la persona que en el año 1600 había fundado el shogunato Tokugawa, el cual fue disuelto por la Restauración Meiji de 1868. La otra mitad de la estantería estaba destinada a libros sobre historia de las colonias americanas. Especialmente bien representado se hallaba George Washington, su tocayo, así como Madison y Franklin. Pero, y Jenn lo sabía de buena tinta, no había ni un solo ejemplar que hablara de Thomas Jefferson. George lo consideraba un hombre desleal y un traidor. Era un tema sobre el que era capaz de disertar durante horas. Jenn no siempre entendía a su jefe, ni tampoco coincidía con él en condenar a Jefferson, pero la lealtad era un tema en el que ambos estaban totalmente de acuerdo. Por eso no lograba entender su decisión de incluir a Gibson Vaughn en la segunda parte de aquella misión.

George interrumpió lo que estaba haciendo y le señaló una silla. Jenn tomó asiento, y de inmediato cayó en la cuenta de que no sabía cómo sacar el tema. George, como ocurría con mucha frecuencia, le leyó el pensamiento.

—Has venido a hablar de Gibson Vaughn.

Jenn esbozó una sonrisa contrita al ver lo transparente que era. El póquer nunca había sido lo suyo.

—Es que no acabo de entenderlo —dijo—. Mike no es la persona adecuada, conforme, pero tampoco es que Gibson

Vaughn haya inventado el ordenador. ¿Qué tiene de especial para esta misión? Que hackeó a un senador cuando era un crío. ¿De verdad constituye eso el currículum que hay que tener para que queramos trabajar con él? Todo esto de tenernos en suspense... Gibson se cree una estrella y está claro que prefiere hacer las cosas a su modo.

George sonrió.

—Así que no te cae bien.

—La verdad es que no, pero eso no viene al caso. Lo que sí viene al caso es que no me fío de él. Representa un riesgo. Y me temo que... —Dejó la frase sin terminar.

George se recostó en su sillón.

—Di lo que has venido a decir.

—Me temo que esa historia que hay entre ustedes dos... no le está dejando ver con claridad. Usted piensa que Vaughn va a quedarle agradecido por la oportunidad que le está dando. Ya sé que usted está convencido de que va a hacer borrón y cuenta nueva, y lo respeto, pero Vaughn no es la persona adecuada. Nunca va a perdonarle nada a nadie, porque siempre echa la culpa de todo a los demás.

—Hasta ahora lo ha hecho bien.

—Sí, así es. Pero meterlo en un trabajo sobre el terreno es otra cosa completamente distinta. Me preocupa que, si logramos acercarnos a WR8TH, nos delate. Aunque con ello se delate a sí mismo.

—El proverbio del escorpión que iba a lomos de la tortuga.

—No podemos fiarnos de él —insistió Jenn—. Dicho con todo el respeto, señor.

—¿Eso es todo?

—No me gusta que ande husmeando en nuestros ordenadores.

—¿Algo más? ¿Su corte de pelo, tal vez?

George se levantó y cogió una botella de agua mineral de un frigorífico empotrado. Luego se sentó al lado de Jenn y se quedó unos instantes con la mirada perdida en la nada. Era frecuente que no se diera ninguna prisa en ordenar sus ideas, y nunca se precipitaba a la hora de hablar. Jenn sabía que, ahora que ya había dicho lo que pensaba, era mejor no interrumpirlo. Antes, dicha conducta la ponía nerviosa, pero había terminado por admirar el carácter introspectivo de su jefe.

—Puede que tengas razón —dijo George por fin.

Aquella respuesta la sorprendió, pero permaneció en silencio.

—En todo. Puede que estés en lo cierto. Yo también tengo mis dudas.

—¿De verdad merece Vaughn que nos arriesguemos, entonces?

—¿Sabes mucho de lo que hizo Vaughn cuando estuvo en los marines?

—Sé que su función consistía en realizar pruebas de penetración en los sistemas informáticos buscando puntos vulnerables. Era un hácker con pretensiones.

—No era eso exactamente.

—Es lo que pone en su expediente —replicó Jenn, y al momento se dio cuenta de que allí había algo más—. Pero eso era una tapadera, ¿no es cierto?

—En efecto, lo era.

—¿Y qué es lo que hacía en realidad?

—Deja que te haga una pregunta. ¿Cómo se hace para entrar con dos helicópteros Blackhawk en una nación soberana, violando descaradamente su espacio aéreo, y posarlos en el centro de una de sus ciudades más importante sin llamar la atención?

—Está hablando de Bin Laden. Pakistán.

—En teoría —dijo Abe—. Supongamos que sí. Pregúntate qué hicimos para lograr algo así. Pregúntate por qué no se enteraron de que estábamos allí hasta que lo vieron en los informativos.

—Porque los helicópteros llevaban un equipamiento especial, alguna tecnología de camuflaje.

—Eso es verdad en parte, pero solo en parte. Es posible esconder un helicóptero, hasta cierto punto, para que, ya que no puede ser silencioso, al menos no haga tanto ruido. Pero ¿qué pasa con el radar? No se puede volver a un Blackhawk totalmente invisible al radar, y desde luego tampoco al de la defensa aérea pakistaní. En 2004, el Pentágono canceló el programa de construcción de un helicóptero invisible. Y la invisibilidad no es una característica de diseño que se pueda incorporar fácilmente más tarde.

—¿Por qué no?

—Un radar es una máquina. El software traduce los impulsos eléctricos para que los usuarios puedan ver lo que está viendo el radar. Así que, en vez de gastar miles de millones de dólares en helicópteros invisibles, ¿no sería más sencillo asumir el control del software? Se inserta una clave en el sistema para que el software muestre tan solo lo que uno quiere que se vea. Y *voilà,* los Blackhawks están, pero no están. No sé si me sigues.

—¿Eso fue lo que hicimos?

—Eso fue lo que hizo Vaughn —replicó Abe—. Bueno, tomó parte en la operación. Fue un trabajo de lo más complejo, había muchas piezas móviles. Puede que quienes apretaran el gatillo fueran los SEAL, pero para acabar con Bin Laden fue necesario que entrasen en acción las cuatro unidades. La CIA. La ASN. Vaughn dejó impresionada a mucha gente, si mi fuente no está equivocada.

—¿Vaughn escribió la clave? —preguntó Jenn.

—Él colaboró en elaborar la clave, pero no, esa no fue su única aportación.

—¿Cuál fue?

—Consiguió que los pakistaníes la instalasen.

—¿Qué?

—Eso es lo que me han dicho.

—¿El propio Pakistán instaló un virus en su sistema?

—Al parecer. Vaughn es sumamente persuasivo, y esa gente no es que sea precisamente fácil de persuadir.

—¿Me está diciendo que la Actividad reclutó a Gibson Vaughn?

—Nada más terminar los estudios básicos.

—Hay que joderse.

La Actividad de Apoyo de Inteligencia era la unidad del Mando Conjunto de Operaciones Especiales encargada de recopilar inteligencia. La CIA militar. Después de que en 1980 la operación «Garra de Águila» terminara en desastre en un desierto de Irán, las Fuerzas Armadas le reprocharon a la CIA que no hubiera compartido información y efectivos que eran críticos para la misión. Así nació la Actividad, para que los militares no volvieran a tener que depender de la CIA. Jenn se lo conocía bien, como todos los que trabajaban en la CIA.

La Actividad era la competencia.

Seleccionaban su personal en las cuatro unidades militares, y Jenn entendió muy bien que un marine como Gibson Vaughn les hubiera llamado la atención. Valoraban mucho a las personas capaces que tenían una manera de pensar poco convencional y, en ocasiones, se necesitaba a un ladrón para atrapar a otro ladrón. Aquello hizo que se tambaleara la imagen que se había hecho de Gibson Vaughn, y también estaba razonablemente segura de que su jefe así lo quería.

—Dios —exclamó—, ese tipo ayudó a capturar a Bin Laden y ahora ni siquiera encuentra trabajo en un Burger King.

—Bueno, como tú misma has dicho, él no inventó el ordenador, y es más seguro contratar a otra persona que cabrear al vicepresidente. Mejor dicho: al próximo presidente.

—¿Está diciendo que debería concederle una oportunidad?

—No, no digo eso. Lo que estoy diciendo es que las personas rara vez son blanco y negro como las ves tú a veces. Sobre el terreno, hay ocasiones en las que es necesario tomar decisiones con gran rapidez, algo en lo que tú destacas sobremanera. Por eso te contraté. Tu instinto muy rara vez se equivoca, pero todavía no estamos sobre el terreno y, en lo que se refiere a las personas, tú tienes tendencia a cortar demasiado por lo sano.

—Lo siento, señor.

—No lo sientas. Vaughn tiene algo que te da mala espina. Te entran ganas de apretar el gatillo. Pero yo lo conocí de pequeño y vi la relación que tenía con Suzanne. Había que verlo para creerlo, cómo la cuidaba. Ella era una niña muy especial y él también era un chico estupendo.

—Pero eso fue hace mucho... —empezó Jenn, pero Abe levantó una mano para imponer silencio.

—No creo que Gibson Vaughn saboteara a sabiendas cualquier esfuerzo que hagamos por encontrarla. Y también pienso que su historia con Suzanne Lombard es muy singular y que no tiene precio. Quizás él vea algo que no alcance a ver nadie más. Eso, ya por sí solo, hace que a mí me merezca la pena correr el riesgo. Pero es posible que tú tengas razón. Tal vez yo tenga el criterio nublado por lo sucedido en el pasado. Por eso quiero tenerte a ti exactamente donde estás. Si Vaughn se vuelve contra nosotros, confío en que tú lo veas, y ya obraremos debidamente al respecto. Entretanto, estoy convencido de que con él tenemos más posibilidades de concluir este asunto de forma positiva. ¿Me he explicado?

—Sí, señor. —Jenn se levantó con la intención de marcharse.

—Jenn —la detuvo George—. Gibson Vaughn ha soportado mucho en su vida y ha servido bien a su país. Subestimarlo representaría una actitud muy miope.

—Sí, señor.

—Además, WR8TH no parece estar muy dispuesto a dejarse ver, de modo que es posible que todo esto resulte ser irrelevante.

—Sí, señor.

—Otra cosa, Jenn. Esto no es la CIA. Puedes tutearme.

—Sí, señor.

Capítulo 14

Gibson atravesó el prado bajo el sol matinal del domingo. Daba gusto volver a estar al aire libre. El jueves por la tarde, George Abe lo había echado de la oficina y, en un tono que no admitía réplica, le había advertido que no asomara la cara hasta el lunes. Le costó trabajo dejar el asunto, Gibson se sentía culpable. Pero tenía otra niña que lo necesitaba y que aquel día jugaba un partido de fútbol.

En las últimas semanas había visto muy poco a Ellie. Lo reconocía, y odiaba que así fuera. Pero había sido un mal necesario. El dinero de Abe había pagado la cuota de la hipoteca de la casa en que vivía la pequeña con su madre. En la que habían vivido los tres juntos antes del divorcio.

En retrospectiva, quizá Nicole y él no deberían haber comprado aquella casa. La adquirieron cuando el mercado estaba en alza, antes de la crisis. Supuso un esfuerzo económico, pero en aquella época él estaba convencido de que cuando terminara con los marines iba a tener ofertas de empleo para dar y tomar. Y no era una suposición irrazonable. Había visto que el sector privado iba captando a compañeros suyos de su misma unidad en cuanto ponían el pie en suelo americano. Compañeros que poseían la mitad de experiencia o de menciones que él provocaban verdaderas guerras de ofertas entre las grandes empresas del sector de defensa. De modo que él, con el currículum que tenía, seguro que no hallaría el menor problema.

Pero con lo que no contaba, ni tampoco entendía, era lo que significaba estar en la lista negra de Benjamin Lombard. Lo que significaba de verdad. Había pasado meses buscando trabajo sin recibir una sola llamada de contestación. Al principio se limitó a los peces gordos, los grandes cachalotes del sector de defensa, que siempre andaban necesitados de tipos que tuvieran las capacidades que tenía él. Cuando por fin aceptó que no iban a contratarlo, pasó a solicitar empleos en empresas de segunda fila. Pero en todas partes oyó la misma cantinela.

Empezó a trabajar vendiendo ordenadores en una tienda de electrodomésticos, solo para seguir teniendo ingresos. Cada vez estaba más resentido y más a la defensiva. Fue una mala época. Permanecía encerrado en sí mismo, y tan solo asomaba a la superficie para tomarla con su mujer y su hija. Para descrédito suyo, discutía con Nicole por todo. Por cualquier cosa. Y no digamos ya si a ella se le ocurría sacar el tema de vender la casa; eso daba lugar a broncas que duraban varios días y lo dejaban sumido en un silencio malhumorado y tenso. Sabía que estaba cagándola. Temía que Nicole se hubiera equivocado al casarse con él. Y temía que ella también lo supiera, porque en todo cuanto hacía veía resentimiento.

Aquello duró varios meses, y las cosas se estaban desarrollando con rapidez cuando su antiguo comandante le avisó de que Potestas, una empresa de biotecnología de la zona, estaba buscando un director de informática, y le habló bien de él. Potestas era lo bastante pequeña para pasar inadvertida incluso para Benjamin Lombard. O eso creyó hasta hacía un mes. El trabajo consistía en informática de nivel inicial, aburrida y mecánica. Atravesó como una exhalación el proceso de entrevistas y aceptó, agradecido, un salario que solo un año antes le habría hecho partirse de risa. Pero teniendo una esposa y una hija, más una hipoteca agobiante, no se arriesgó a hacer una contraoferta. De pronto, tener un seguro médico y una nómina fija le pareció un regalo del cielo. La satisfacción en el trabajo y sus sueños de mimar a su mujer iban a tener que esperar.

Exmujer, se recordó a sí mismo. Llevaban casi un año divorciados, y todavía no se había acostumbrado a llamarla así.

Exmujer.

No era que su intención fuera crear problemas, pero cuando los problemas llegaron, él no opuso resistencia. Simplemente permitió que sucedieran. En todas las ocasiones en las que tuvo que ausentarse de casa con los marines, jamás se le pasó por la cabeza engañar a su mujer. Por irónico que pareciese, la cosa empezó después de empezar a trabajar en Potestas. Aquel empleo no había servido para sellar mágicamente las grietas que se habían abierto en su matrimonio, y él había sido demasiado terco y orgulloso para ponerse a sellarlas. En vez de eso, se fue de copas con una representante de ventas llamada Leigh.

Ahora lo veía tal como había sido en realidad: un refugio provisional. Cobardía, dicho lisa y llanamente. Leigh le mostró aprecio y fue simpática con él. No le pidió nada, excepto una copa y unas cuantas risas. El hombre que se había acostado con ella constituía un misterio; incluso ahora, costaba trabajo relacionarlo con el hombre que creía ser.

Nicole, para gran mérito suyo y con infinito agradecimiento por parte de Vaughn, no reaccionó de manera cruel ni vengativa. Su abogado fue justo y, si bien el matrimonio estaba acabado, la ruptura en ningún momento se extendió también a la relación con su hija. En comparación con las historias que le habían contado, él había tenido mucha suerte. Pero, claro, es que todo el que conociera a Nicole tenía suerte.

Lo más difícil fue ver cómo Nicole cortaba toda comunicación con él. Hizo el duelo de puertas para adentro. Siempre había sido así. De manera que no hubo peleas, ni llantos, sino únicamente un sordo distanciamiento. Nicole había tomado una decisión acerca de aquel matrimonio incluso antes de hablarlo con él. Todo lo demás fue una mera formalidad.

Le suplicó una segunda oportunidad, pero Nicole no era de las que perdonan. Se conocían desde el instituto, y nunca jamás había visto a Nicole dar su brazo a torcer. En lo que tenía que ver con la lealtad, no concedía segundas oportunidades. O se era leal o no se era; aquello no se aprendía. Si él no era un hombre del que ella pudiera fiarse, tampoco era un hombre con el que pudiera seguir casada. A Gibson siempre le había encantado la seguridad que mostraba Nicole cuando guardaba silencio, pero ser el destinatario del mismo ya era harina de otro costal.

Y así, sin más, pasó a ser un padre soltero y divorciado que vivía en un insulso bloque de pisos de hormigón. Atrás quedaron seis años de matrimonio. Lo que tenía ahora era una pensión que pasar, una hora de trayecto para ver a su hija y la sospecha cada vez más honda de que era el hijo de puta más imbécil que había parido madre.

Por eso tenía importancia la casa.

Era una buena casa, una robusta construcción de dos plantas en Cabo Cod. Bien lejos de Washington, es decir, tranquila y segura. Buenos colegios. Un mes de julio, durante un permiso, plantó la hilera de azaleas que recorría el camino de entrada para coches. Después, Nicole y él se sentaron en unas tumbonas y estuvieron bebiendo cerveza y planificando el jardín hasta que los mosquitos los obligaron a refugiarse en el interior de la casa. Nueve meses más tarde llegó Ellie. Aquella había sido la época más feliz de su vida, y no se arrepentía de haber comprado la casa, ni siquiera ahora. Aunque aferrarse a ella lo estuviera matando. Aquella casa representaba la vida que les debía a Nicole y a Ellie, y antes prefería morir que consentir que ellas la perdieran por su culpa.

El partido de fútbol estaba justo empezando. El balón rebotó hacia la banda lateral y las jugadoras de ambos equipos fueron a por él dando gritos de alegría. Localizó a Ellie de inmediato: estaba al fondo del campo de juego, inclinada hacia delante y con la vista fija en algo que había en la hierba. Esbozó una sonrisa. Era posible que su hija fuera la futbolista de menos talento en toda la historia de mundo. No era solo por culpa de su total falta de coordinación y su incapacidad para calcular la trayectoria del balón, sino también de su flagrante desacato a las reglas del juego. La aburría la idea de jugar en una única posición, de modo que se movía por todas partes con impunidad. Sin el uniforme, habría costado trabajo distinguir de qué equipo era.

Ellie empezó a corretear describiendo un círculo cerrado, con los brazos extendidos y mirando hacia el cielo, hasta que se mareó y se cayó al suelo, desmañada.

Gibson no pudo evitar sonreír. Durante la mitad del tiempo no sabía de qué planeta era su hija, pero la quería tanto que sentía dolor físico por no poder acostarla todas las noches. Leerle un cuento antes de dormir a través de un ordenador no era la manera de ser padre.

Ellie volvió a levantarse, tan contenta, y echó a correr por el campo de juego: un recordatorio de la alegría que podía extraer uno de la vida. ¿Debería él sentirse avergonzado por reconocer que su ejemplo a seguir era su hija de seis años?

De repente el balón rebotó hacia Ellie y esta le propinó un fuerte puntapié. El balón salió despedido hacia la derecha con un pronunciado giro y continuó volando quince metros fuera de límites. Gibson dio un paso al frente y aplaudió como si Ellie acabara de ganar la Copa del Mundo. La pequeña frenó en seco para saludar a su papá con la mano mientras las demás jugadoras pasaban por delante de ella en tropel, persiguiendo el balón.

Allá en las gradas divisó a su mujer, que volvió la vista hacia él. Su *exmujer,* se recordó. Estaba sentada junto con el grupo principal de padres de los que vivían «en casa», que habían formado un pequeño oasis de sillas plegables y neveras. Gibson había tomado la costumbre de mantenerse apartado de ellos, lo bastante lejos para no agobiar a Nicole, pero no tanto como para que diera la impresión de que se tomaba aquello muy en serio. Nicole había hecho amistad con varios y él le cedió gustosamente dicho territorio. Lo saludó con un gesto de cabeza y él contestó con otro. Después, ella volvió a centrar la atención en el partido y no volvió a mirarlo.

Al llegar al descanso, las jugadoras se congregaron en sus respectivas porterías para tomarse un zumo de naranja mientras los entrenadores hablaban de estrategias que ellas de ningún modo iban a ejecutar. Los padres se entretuvieron charlando unos con otros o aprovecharon para ir al servicio. Nicole bajó hasta la banda lateral, en dirección a Gibson. Llevaba uno de esos vestidos veraniegos, sueltos y vaporosos, que tanto la favorecían ya desde la época del instituto. Vista a contraluz, tenía una silueta despampanante.

—Hola —dijo.

—Hola.

Tanta cortesía los agotó a ambos, y dedicaron un segundo a reagruparse. Hablar con Nicole siempre entrañaba menos riesgo cuando se ceñían al tema de Ellie. Habían sucedido muchas cosas desagradables entre ellos, pero en lo referente a su hija estaban absolutamente de acuerdo.

—Parece ser que, esta temporada, Ellie lo tiene fácil para llevarse el premio al Jugador Más Valioso —comentó Gibson.

—Durante todo el partido no han hecho más que llamarme los de la selección de Brasil.

—Sé dura negociando la pasta.

—Como una profesional.

—¿Recibiste el dinero?

—Sí, gracias. ¿Cómo es que te están pagando en metálico, Gib?

—Ha sido una gratificación inicial.

—En metálico —repitió Nicole entornando los ojos—. ¿No habrá problema para ingresarlo?

—Claro que no. —Sintió que empezaba a alterarse, pero lo cierto era que Nicole tenía razón. A nadie le pagaban el sueldo en efectivo.

—¿Qué sucede?

—Nada. Es dinero limpio.

—¿Es dinero limpio? Pues ingrésalo en el cajero.

—Necesitamos ese dinero y está limpio. Te lo prometo.

—No me hagas promesas, Gib, por favor. ¿De acuerdo?

Lo dijo en tono tranquilo y sin rencor, pero aun así le hizo daño y Gibson desvió la mirada. Ambos permanecieron unos segundos en silencio, como si cualquier movimiento brusco pudiera interpretarse como una acción hostil. Aquellos estaban siendo los peores momentos de su vida. Estar al lado de la única persona con la que había podido hablar abiertamente y tener que limitarse a mantener conversaciones precavidas, sumamente cuidadosas, o cautos y torpes silencios.

—El lunes te llevo otra vez el dinero a tu casa.

—Nicole...

—Gibson —lo cortó ella, sin ceder ni un milímetro.

—Es por Suzanne. El trabajo que tengo ahora y el dinero. Tiene que ver con Suzanne.

Nicole cambió totalmente de actitud al oír el nombre de Suzanne. Desapareció su ensayado gesto de indiferencia y, por primera vez en un año, Gibson vio en sus ojos interés y preocupación, y los nubarrones se abrieron durante unos momentos.

—Suzanne. —Lo miró a los ojos para ver si estaba siendo sincero—. ¿Estás intentando encontrarla?

Gibson afirmó con la cabeza.

—Dios.

—Ojalá pudiera contártelo todo. Pero me tienen atado muy corto. Te prometo que el dinero es legítimo.

—No, no pasa nada. No necesito saberlo.

—Gracias.

—¿Te encuentras bien, Gib? Quiero decir... por lo de Suzanne.

—Creo que sí.

—Después del partido, Ellie tiene una fiesta de cumpleaños. Han invitado a los padres. Habrá pizza y ponche. Me parece que hasta han contratado a un payaso. Deberías venir.

—Me gustaría.

Se volvió para ver qué era lo que estaba mirando Nicole a su espalda y vio a Jenn Charles, trajeada y con tacones, que venía derecha hacia él. Incluso llevando puestas las gafas de sol, la expresión que traía Jenn en la cara le provocó un hormigueo de nerviosismo.

—¿Qué? ¿Qué ha ocurrido? —le preguntó cuando hubo llegado.

—Lo hemos encontrado —respondió Jenn.

—¿Cuándo? ¿Dónde?

Jenn dirigió una mirada a Nicole y no contestó.

—Dígame por lo menos si voy a ir yo —pidió Gibson.

—El jefe tiene que hablar con usted. Está en el aparcamiento.

Gibson volvió la vista hacia los coches, luego miró a Jenn y finalmente a Nicole.

—Tengo que irme.

—Pues vete —dijo Nicole.

—Pero Ellie...

—Lo entenderá. Pero no te olvides de llamarla. Si no habla contigo, se pone muy nerviosa.

—La llamaré.

Echó a andar detrás de Jenn camino del aparcamiento, pero Nicole lo detuvo.

—Gib.

—¿Sí?

—Buena caza.

Capítulo 15

George estaba esperándolo dentro de un Mercedes negro clase M. En el asiento del pasajero reposaba una caja alargada y rectangular envuelta en papel de un vivo color rojo estampado con dibujitos de unicornios blancos.

—¿Qué hay en esa caja? —preguntó Gibson.

—No es para ti.

—Vaya, acabas de herir mis sentimientos.

George emitió una risita, pasó el regalo al asiento de atrás y le entregó a Gibson una americana deportiva.

—Póntela. Tenemos una cita.

—Buena suerte —les dijo Jenn.

—¿Usted no viene?

Ella negó con un gesto de cabeza.

—Nos vemos en la oficina.

El sedán salió suavemente del aparcamiento envuelto en una burbuja de lujo. Gibson no había ido nunca en un coche tan elegante, y no costaba mucho comprender en qué radicaba su atractivo. De hecho, estaba deseando verse atrapado en un atasco.

—¿Y bien? —dijo.

—Tenías razón.

—¿Dónde está?

—El viernes por la tarde, tu virus nos contestó desde una dirección IP del oeste de Pensilvania. Un pueblo llamado Somerset.

—¿Y por que no me llamó nadie?

—Porque el virus hizo contacto una sola vez y luego guardó silencio.

—¿Cómo que guardó silencio? —Aquello no estaba previsto que ocurriera y al momento se le ocurrieron varias teorías para explicarlo—. ¿En qué tenía yo razón?

—Se trataba de una biblioteca pública.

Gibson reflexionó unos instantes. Tenía sentido. Un montón de gente entrando y saliendo. Había sido inteligente escoger un lugar así, y además añadía otra capa de anonimato que sería difícil de levantar. Iban a tener que vigilar aquella biblioteca, con la esperanza de poder identificar a WR8TH si intentaba acceder de nuevo a los servidores de Abe Consulting Group.

En la Rotonda Washington tomaron la salida de New Hampshire para incorporarse a la calle 22 y a continuación doblaron a la izquierda en la calle P para entrar en Georgetown. Los bloques de pisos dieron paso a las hileras de casas de ladrillo y, más adelante, a grandes viviendas unifamiliares rodeadas de enormes olmos y robles.

Duke Vaughn había descrito Georgetown como un barrio de bolsillos llenos y dientes afilados. Su padre asistía todos los años a cuatro o cinco eventos relacionados con el trabajo, pero nunca se llevaba consigo a su hijo.

—No son fiestas adecuadas para ti —le explicó Duke—. Es territorio hostil.

—¿Incluso aunque estén de tu parte? —le preguntó Gibson a su padre.

—Sobre todo si están de tu parte —respondió él guiñando un ojo.

—¿Eso quiere decir que voy a ir?

—Me gustaría seguir teniéndote en el equipo —dijo Abe—. Hasta el momento has sido una pieza muy valiosa, y creo que tus habilidades seguirán siéndonos de gran utilidad. Al igual que la relación que tuviste con Suzanne.

—Entonces, ¿eso es un sí?

—Depende.

—¿De qué?

—La señora Dauplaise ha solicitado verte.

Gibson asintió con la cabeza, sin apartar la mirada de Abe. Había sido llamado a una audiencia con la reina. Por lo menos, esa impresión daba.

—Yo creo que puedes ayudarnos, y eso es exactamente lo que le he dicho a ella. Pero la señora Dauplaise prefiere decidir por sí misma.

George detuvo el coche frente a una verja de hierro forjado. Había un letrero metálico y negro con letras doradas que rezaba: «Colline». En lo alto de uno de los pináculos flotaba una masa de globos de vivos colores, y había una fila de familiares esperando a pasar el control de un par de guardias de seguridad. Todos los hombres llevaban chaqueta y las mujeres iban con falda. Si el paraíso estuviera patrocinado por Laura Ashley y Ralph Lauren, sería algo similar a aquello.

Uno de los guardias de seguridad se separó de la fila para acercarse al coche.

—Va a tener que buscar un hueco para aparcar en la calle… —Se interrumpió al reconocer a la persona que iba al volante—. Ah, hola, señor Abe. ¿Viene a la fiesta?

—No, Tony. Vengo a ver a la señora Dauplaise.

—Oh, desde luego, pase, por favor. Pero, en vez del lugar de siempre, aparque delante del pabellón de carruajes. Ahora mismo los llamo por radio para que estén preparados. Hoy tenemos un poco de lío allí.

—Te lo agradezco.

Subieron por el camino para vehículos cubierto de grava, en dirección a una imponente mansión federal flanqueada por cuidados jardines que partían de ella y descendían hacia un lado y hacia el otro. Las proporciones de la casa dejaron asombrado a Gibson. Contó siete chimeneas como mínimo. Era una vivienda típica de la campiña inglesa, resultaba impropio que estuviera en el centro de una ciudad norteamericana. Otro guardia los hizo salir del camino principal y Abe aparcó junto a un garaje de dos plantas que era más grande que la casa en que vivía Nicole. Era un edificio de ladrillo rojo provisto de siete plazas de aparcamiento con puertas retráctiles. La del centro estaba abierta, y en su interior se veía un Bentley *vintage* de color verde, magníficamente conservado.

Abe se fijó en cómo lo miraba Gibson.

—Es un modelo del 52. Perteneció al abuelo de la señora Dauplaise, que fue embajador en Francia durante el mandato de Roosevelt. Theodore, no Franklin.

—¿Y también vivía aquí?

—Los Dauplaise llevan viviendo aquí desde la década de 1820. En esta ciudad no hay muchas familias más antiguas que ellos. La casa principal fue diseñada por Charles Bulfinch y Alexandre Dauplaise tras la guerra de 1812.

—¿Y qué significa «Colline»? —preguntó Gibson.

—Pequeño monte. Es el nombre que le puso a la casa la esposa de Alexandre cuando llegó de Francia. Naturalmente, la señora Dauplaise podrá contarte más; en lo referente a la historia de su familia, es una enciclopedia.

—¿Quién más vive aquí?

—Por el momento, solo ella y su sobrina. La fiesta es por el cumpleaños de Catherine.

—¿Dos personas? ¿Eso es todo?

—La señora Dauplaise tiene un hijo de un matrimonio anterior, que vive en Florida y no suele venir mucho por aquí. También tiene dos hermanas que aún viven. Una de ellas, en San Francisco. La otra es decana de la Facultad de Medicina de la Universidad de Pittsburgh. Su hermana pequeña, madre de esta sobrina, falleció al dar a luz, y Calista adoptó a la recién nacida, Catherine. Además, hay como otros cien primos diferentes, ya he perdido la cuenta.

Subieron andando hasta la casa. Abe hizo un alto y se volvió hacia Gibson. Estaba buscando la manera adecuada de decirle algo.

—Calista... La señora Dauplaise es una buena persona.

—¿Pero...?

—Es difícil. No se toma bien que le lleven la contraria. Está acostumbrada al sonido de su propia voz, si entiendes lo que quiero decir.

—¿Qué necesitas que haga?

—Que la dejes hablar. Si quieres este trabajo.

Gibson sí quería aquel trabajo. Necesitaba ver Somerset, en Pensilvania. Lo necesitaba. Le daba miedo lo que pudiera encontrar allí, pero tenía que saberlo. Si el precio era bailar claqué para Calista, pues lo haría. Su padre había hecho carrera sabiendo llevar a la burguesía adinerada y seguro que algo de ello se le había pegado.

Nada más doblar la esquina de la mansión, se tropezaron con música y chillidos de alegría de los niños. Una escena digna de ver. Gibson calculó que allí habría sus buenas trescientas personas, sobre un césped que nacía en la balaustrada que rodeaba toda la amplia terraza. Al fondo, debajo de una de las carpas de color blanco, había una banda Dixieland en plena actuación. Habían montado una pista de baile de parqué sobre la que había muchas parejas bailando. Los payasos y los magos realizaban toda clase de trucos para los grupos de niños.

A Gibson le vino a la cabeza la fiesta de cumpleaños a la que iba a acudir Ellie aquella misma tarde. Esperó que hubiera un payaso. A Ellie le encantaría que lo hubiera.

—¿Qué edad tiene la sobrina? —preguntó Gibson.

—Ocho años.

—¿Ocho? —repitió, incrédulo—. ¿Toda esta gente ha venido por una niña de ocho años?

—No seas absurdo. Toda esta gente está aquí por la señora Dauplaise.

—Ya. ¿Mi padre vino aquí alguna vez?

—Por supuesto —contestó Abe—. Trabajó estrechamente con la señora Dauplaise. En Washington, uno no llega muy lejos haciendo caso omiso de las invitaciones de Calista Dauplaise.

—¿Cómo trabó relación con Lombard?

—Es al revés. Fue Calista Dauplaise la que descubrió a Benjamin Lombard. La que lo inventó, en realidad. Cuando se conocieron, él estaba languideciendo en la Asamblea General de Virginia. Ella lo sacó de la oscuridad y lo pulió un poco. Lo ayudó a establecer los contactos adecuados y financió su campaña para el Senado de los Estados Unidos.

—Muy generoso por su parte.

—Bueno, hay reyes y hay quienes hacen a los reyes. Con independencia de lo que pueda argumentar la historia populista, rara vez se ven a unos sin los otros.

—De modo que, si en noviembre Lombard resulta elegido presidente, ella obtendrá algún tipo de trofeo.

—El vicepresidente y ella ya no se llevan bien.

Subieron una escalinata de piedra que conducía a la terraza. Aquella zona parecía estar designada como un espacio sin niños. Habían colocado dos docenas de mesas protegidas por sombrillas, y la gente pululaba alrededor bebiendo y charlando. Entre las mesas circulaban camareros con pajarita que iban rellenado las copas y ofreciendo bandejas de entremeses. Gibson tenía hambre, de modo que cogió un canapé de solomillo con rabanitos dispuesto sobre una fina rebanada de pan francés. Abe lo condujo al centro de la terraza, donde había una mesa más grande y más elegante, mirando al prado y ligeramente separada de las otras.

Abe le indicó a Gibson con una seña que esperase un momento y se acercó a una mujer que tendría probablemente sesenta y pocos años, pero a la que los privilegios del dinero habían concedido una prolongada mediana edad. Gibson supo, sin necesidad de preguntarlo, que aquella era Calista Dauplaise. Lo que irradiaba no era arrogancia, sino algo que estaba muy por encima de la arrogancia. Era seguridad, la certeza absoluta de que el mundo había sido organizado exactamente a gusto de ella. Dicha seguridad le prestaba una elegancia y un aplomo que hacían que sus acompañantes palidecieran en comparación. Llevaba el pelo cortado en una estilosa media melena rubia que se mecía a la altura de la línea del mentón, el cual, a todas luces, había gozado de las atenciones de un talentoso cirujano plástico. Vestida toda de blanco y ribeteada en dorado, no lucía ninguna clase de joyas. Abe se inclinó para susurrarle algo al oído; ella se volvió en dirección a Gibson con una mirada aguda y penetrante.

—Queridas, perdonadme. ¿Podéis disculparme un momento? —dijo.

Gibson esperaba que se pusiera de pie, pero fueron las demás personas sentadas a la mesa las que recogieron sus bolsos y se levantaron. Una de ellas, una mujer de cincuenta y tantos años y cabello plateado, le dijo algo al oído al tiempo que miraba a Gibson. Calista le respondió a su vez, mostrándose de acuerdo con ella, y la mujer, satisfecha, se perdió entre la multitud.

Abe le hizo una seña a Gibson para que se aproximara.

—Calista, te presento a Gibson Vaughn.

Ella sonrió y le tendió la mano para que se la estrechara.

—Por favor, siéntese —le dijo—. Tú no, George. Ve a servirte una copa. No tardaremos ni un minuto.

Abe se excusó, pero antes de irse cruzó la mirada con Gibson. «Procura no cagarla» era el mensaje inconfundible.

—Me alegro mucho de volver a verte, Gibson. ¿Te acuerdas de mí?

—Sí. Yo también me alegro de verla a usted.

—No te habré sacado del trabajo, ¿verdad?

—No.

—¿Así que no estuviste presente en el gran momento?

Sonó como una acusación. Para no contestar, Gibson le dio un bocado al canapé de solomillo.

—En todo caso, gracias por venir habiéndote avisado con tan poca antelación. Lamento profundamente todo este alboroto —dijo Calista, señalando con un gesto la fiesta que tenía lugar en el césped—. Estoy segura de que cualquier otro día habría sido más cómodo, pero George opina que debemos actuar rápidamente y yo deseaba hablar contigo antes de que las cosas avanzaran más.

—Es una fiesta estupenda —comentó Gibson.

—Sí. Y hace un día magnífico. Siento haber anulado la exhibición aérea.

—¿Qué exhibición aérea?

—La Marina tiene una escuadra de reactores que realizan unas piruetas realmente maravillosas.

—¿Los Ángeles Azules?

—Los mismos —repuso Calista.

A Gibson lo dejó atónito que aquella mujer hubiera contratado a los Ángeles Azules para la fiesta de cumpleaños de una niña de ocho años.

—Estoy bromeando un poco, naturalmente. ¿Eres fácil de engañar, Gibson?

—No, por lo general no.

Sin embargo, aquella mujer tenía algo que lo hacía sentirse fuera de su elemento. En su presencia se sentía cohibido, una sensación que no le hacía ni pizca de gracia. Una vez, en una reunión, le había dicho a un general de tres estrellas que bajase la voz; con aquella mujer, en cambio, se sentía igual que Oliver Twist con el cuenco tendido.

—Esperemos que no —repuso ella, sonriente.

—¿Por qué estoy aquí? —preguntó Gibson.

—Vamos, no te sientas dolido. Es importante saber reírse de uno mismo.

—¿Usted lo hace?

—¿Reírme de mí misma? Por supuesto. No obstante, es de vital importancia que sea uno quien haga las bromas. —Le guiñó un ojo—. Eso lo cambia todo.

—Lo tendré en cuenta.

—Procura no olvidarlo. Mi familia hace ya varias generaciones que perdió la capacidad de reírse de sí misma. Cuando se alcanza cierto nivel de prominencia, uno tiende a ver la familia propia con un grado de reverencia poco saludable. Termina por estar convencido de que el éxito de su familia no ha sido resultado de la suerte y del trabajo duro, sino debido a una superioridad innata. —De improviso se inclinó hacia Gibson como si pretendiera confiarle un secreto—: Voluntad divina. Buenos genes. Sangre azul. Esas cosas. Es ridículo, por supuesto, pero ocurre con una frecuencia que resulta inquietante. Y siempre termina igual. Cada generación tiene más derechos que la generación que la precede. Es más holgazana. Le interesa más pasar unas vacaciones esquiando en Gstaad que aumentar la fortuna de la familia. Creerse que uno tiene derechos lleva a la vagancia, la cual, a su vez, engendra el declive. Pero claro está, si tienes suficiente dinero, puedes pasar varias décadas sin darte cuenta de que el apellido de tu familia está acumulando polvo. Un día te despiertas y descubres que el último miembro de tu familia que logró hacer algo notorio falleció antes que Kennedy. ¿Sabes a qué se dedica mi hijo?

Gibson hizo un gesto negativo con la cabeza.

—A nada. Vive en un piso de Fort Lauderdale con una mujer y juega al golf. —Abrió mucho los ojos en un gesto de horror, para ayudar a Gibson a comprender la gravedad de la situación. Como él no dio muestras de apreciarla, repitió la frase más despacio—. Fort Lauderdale, Gibson. Mi tío abuelo ayudó a Wilson a redactar el Tratado de Versalles y, sin embargo, la ambición de mi hijo no va más allá de las subdivisiones de los pantanos de Florida. Lo deja a una patidifusa.

—¿No le gusta demasiado?

—¿El estado de Florida? No. Está claro que quizá hubiera sido mejor que el aire acondicionado no se hubiera inventado nunca.

—¿Por eso conserva el sentido del humor?

—Me ha resultado muy útil. —Calista sonrió y tocó el borde de su copa de vino, ya vacía. Al instante apareció un camarero para llenársela.

—En cierto modo, estoy en deuda contigo —dijo Calista.

—¿Por qué?

—Ese asunto de Benjamin que te causó tantas... dificultades.

—No la sigo.

—¿De quién crees que eran los fondos que malversó? ¿De él? Por favor, ese hombre no tenía nada cuando yo lo conocí. Tú, a tu equivocada manera, me ayudaste a darme cuenta de que estaba apostando por el caballo que no debía.

—No entiendo. ¿Se refiere a mi padre?

—No. Tu padre era una persona encantadora, pero era simplemente el jockey. Si me permites la analogía.

—¿Lombard, entonces?

—Exacto. Era un ladronzuelo sumamente emprendedor. Tú hiciste saltar la liebre.

—Pero mi padre...

Calista le dirigió una mirada de lástima.

—¿Te creíste su versión? ¿La de que había sido tu padre? Oh, querido, no. Tu padre era leal a más no poder. Una cualidad que compartía con George. Duke Vaughn fue meramente un chivo expiatorio. Los muertos no tienen derechos, al menos eso es lo que me dicen mis abogados, y rara vez se defienden. ¿De verdad has pasado todos estos años creyendo que tu padre era un ladrón?

Gibson sintió un acceso de vértigo que le nubló la vista y un agudo zumbido en los oídos que le impidió percibir el estruendo de la fiesta. Reprimió el fuerte impulso de hundir la cabeza entre las rodillas; en vez de eso, entrelazó los dedos con fuerza y le sostuvo la mirada a Calista.

—¿Por qué no salió usted en su defensa? —preguntó tras largos instantes.

—Buena pregunta. Porque, dicho de manera sencilla, no era algo que me interesara.

—Sí que le interesaba lo que Lombard le estaba robando.

—En efecto, y mi dinero me fue devuelto.

—¿Y ya está?

—La política es una pintura fea puesta en un marco bonito. Por muy bien que me cayera Duke Vaughn, no estaba por la labor de embarcar a mi familia en una disputa con Benjamin Lombard para salvar la reputación de tu fallecido padre. El daño que sufriría la mía sería irreparable.

—Usted dejó que ganase Lombard.

—Y sobreviví para luchar un día más. Elegí el menor de dos males.

—¿De modo que por eso estoy aquí? ¿Para tranquilizarles la conciencia a George y a usted?

—No, por Dios. Fue todo obra de George. Es muy buena persona, incluso noble. Fue su gran fracaso —terminó Calista con una sonrisa divertida.

—Así que este arreglo no ha sido idea suya.

—¿Contratar a la persona acusada de haber traicionado a Benjamin Lombard para que encuentre a Suzanne? Es grotesco. Las decisiones que tomaste tú, fueran las que fuesen, fueron responsabilidad tuya y no tienen absolutamente nada que ver conmigo. En cambio George, el pobre, cree que existe alguna simetría, de modo que aquí estamos.

—¿Para qué estamos?

—Para restaurar el equilibrio kármico de George, supongo.

—No. ¿Para qué estamos nosotros? —aclaró Gibson.

—Ah. Quieres decir que por qué te he invitado a venir a mi casa. Pues porque, con independencia de lo que yo sienta por Benjamin, para mí Suzanne sigue siendo una persona muy querida. Yo era su madrina, estuve presente en su bautizo y contribuí a criarla. Era una niña angelical, de verdad, una de esas que nunca lloran. Era un tesoro y una adolescente maravillosa, como bien sabes tú. Sentía un apetito por la vida que mi familia ha despilfarrado. Era brillante, o habría llegado a serlo. Lo que le sucedió es una tragedia.

Bebió un largo sorbo de su copa de vino. Tardó unos momentos en continuar hablando.

—Disculpa. Este tema me resulta muy doloroso, incluso después de todo este tiempo.

—Lo comprendo —dijo Gibson.

—Eres demasiado amable. Mira, si existe siquiera una posibilidad remota de que esa fotografía sea auténtica, y, sinceramente, yo opino que es una falsificación, obra de un sádico, con la que pretende infligir angustia y reabrir viejas heridas... Pero si es auténtica y esa persona de verdad sabe algo acerca de lo que le sucedió a mi ahijada, pienso remover cielo y tierra hasta encontrarlo. El responsable de todo esto... —Hizo una pausa para elegir con cuidado la forma de expresarse—: va a sufrir.

La última palabra cayó como una guadaña. Gibson se acordó de que George Abe había dicho que deseaba tener una conversación seria con el individuo que había secuestrado a Suzanne.

—En cualquier caso, George opina que tú podrías aportar algo a la causa. De modo que quise hablar contigo y verlo por mí misma.

—¿Así que esto es una entrevista?

—Difícilmente. No, tan solo soy una espectadora que siente curiosidad. Si George dice que tú estás preparado, desde luego yo no estoy cualificada para discutírselo.

—¿Entonces?

—Solo una cosa: encuentra a ese individuo y te estaré agradecida. Mi familia ya no es lo que era. No es que nuestro apellido haya perdido del todo su influencia, pero estoy convencida de que volverá a recuperar su grandeza. ¿Ves esa pequeña cúpula que hay al otro lado del seto?

Señaló hacia un punto situado más allá del césped y Gibson vio la construcción con forma de cúpula que se levantaba en los límites de la finca. El seto debía tener como mínimo cuatro metros de alto, así que no entendía cómo Calista podía pensar que era pequeña.

—La construyó mi tatarabuelo Alexandre Dauplaise cuando falleció su esposa. Murió doce años más tarde y lo enterraron a su lado. La familia entera está enterrada ahí, a excepción de mi tío Daniel, a quien dieron sepultura en Normandía debajo de una cruz blanca. A su debido momento me sumaré a ellos y, cuando llegue ese día, la relación de mi familia con esta ciudad abarcará tres siglos. Pero antes tengo la intención de asegurarme de que nuestro apellido ha empezado a restaurar su tradición de grandeza y servicio a este país.

—¿Se acabaron los pisos en Florida?

—Desde luego. Todo esto no te lo cuento para darte una lección de historia, sino para asegurarte que mi gratitud no será en vano. Tú y tu familia os beneficiaréis. Pero si se te ocurre alguna idea —dijo a continuación, endureciendo el tono de voz—, algún pensamiento de explotar esta situación para tus propios fines, dando a conocer este asunto a los medios, como intentaste hacer en el pasado... En fin, ciertamente me lo tomaré como algo personal.

—Entiendo.

—Estupendo. Estoy segura de que esta conversación era completamente innecesaria.

—Si yo estuviera en su lugar, habría hecho lo mismo.

Calista hizo un gesto de aprobación.

—Te lo agradezco, Gibson, de verdad.

—¡Tía C! ¡Tía C! —chilló una niña que iba a la carrera hacia la mesa. La seguían un pelotón de niños, pero se detuvieron al pie de la escalera como si se hubieran visto bloqueados por un campo de fuerza. La niña se aproximó a su tía, sin resuello y con el vestido lleno de briznas de hierba. Tenía el pelo negro y sujeto en una trenza baja, y unos bonitos ojos azules. Nada más ver a Gibson adoptó una actitud de timidez, se apretó contra su tía y le susurró algo al oído. Calista rio y le dio un abrazo.

—Sí, claro que sí. Pero no más de veinte. Y díselo a Davis, para que se lo comunique a los padres.

La niña sonrió de oreja a oreja y dio las gracias. Acto seguido hizo ademán de marcharse de nuevo, pero Calista la retuvo agarrándola de la manga.

—Ven, saluda a nuestro invitado. Te presento al señor Vaughn. Esta es mi sobrina Catherine.

—Hola —dijo la niña agitando la mano.

—Hola —respondió Gibson.

—Hazlo como es debido, jovencita.

La niña asintió reconociendo su error, rectificó la postura y se acercó a Gibson tendiéndole la mano. Él se la estrechó.

—Encantada de conocerlo, señor Vaughn. Yo soy Catherine Dauplaise. Gracias por venir a mi fiesta de cumpleaños.

Miró a su tía con el rabillo del ojo para ver si lo había hecho bien. Calista dejó escapar un suspiro y la despidió con un gesto de la mano.

—Anda, ve a jugar. Y acuérdate, no más de veinte.

—¡Sí, tía C! —chilló Catherine emocionada al tiempo que bajaba la escalera y salía al césped.

—Mi sobrina es una obra en construcción —comentó Calista—. Me temo que la maternidad no es algo que yo lleve en la sangre. Tal como podrá atestiguar mi abúlico hijo. Pero hago lo que puedo.

—Si le sirve de consuelo, su sobrina se comporta mejor que mi hija.

Por su gesto dedujo que aquello no le servía de consuelo.

—Ha sido un placer volver a verte, Gibson. Buena suerte en Pensilvania.

Segunda parte
SOMERSET

Capítulo 16

La expedición a Somerset partió al día siguiente. El aparcamiento que había junto a Abe Consulting estaba casi vacío y las pisadas de Gibson iban reverberando contra los muros de hormigón. Hendricks, que fumaba un cigarrillo, estaba apoyado en un maltrecho Grand-Cherokee último modelo que tenía las ruedas salpicadas de herrumbre y los costados llenos de abollones. Y la parte de atrás daba la impresión de haber sido reesculpida por alguien que hubiera usado un muro de hormigón a modo de cincel.

—Un buga estupendo. ¿No había ningún Range Rover en la tienda? —comentó Gibson.

—Los monovolúmenes de noventa mil dólares no es que pasen muy inadvertidos en el centro de Pensilvania. Estamos intentando ser discretos.

Gibson levantó las manos.

—Era una broma, tío.

—Usted preocúpese de los ordenadores, ¿vale? —Hendricks lanzó la ceniza del cigarrillo hacia dos grandes petates de color negro—. Ahí tiene el equipo que pidió. Guárdelo en el maletero.

Acto seguido se subió al Cherokee y arrancó el motor. Gibson abrió la cremallera de los petates e hizo inventario, después los metió en el maletero, al lado de otros petates idénticos, negros también. Hendricks cargaba con un montón de equipo. ¿Qué diablos era todo aquello?

En aquel momento llegó Jenn, al volante de un Taurus que estaba todavía más magullado que el Cherokee; era como si lo hubieran hecho pasar por un callejón demasiado estrecho. No obstante, los daños externos que había sufrido aquel Taurus no habían afectado a lo que había debajo del capó. Cuando el coche se detuvo, Gibson captó el rugido fuerte y bronco del motor. Cerró la puerta del maletero del Grand Cherokee y se fijó en que, al igual que el Taurus, llevaba matrícula de Pensilvania y una pegatina que decía «Penn State». Puede que él no tuviera mucha experiencia en vigilancia, pero agradecía que la gente prestara atención a los detalles.

La puerta del pasajero del Taurus tenía echado el seguro. Dio unos golpecitos en el cristal de la ventanilla y miró a Jenn. Esta sacudió la cabeza en un gesto negativo y señaló con el dedo el Cherokee. Hendricks tocó el claxon.

—¿Está de broma? —preguntó Gibson haciendo un gesto mudo con los labios.

Jenn bajó la ventanilla unos centímetros.

—Nos vemos en Somerset.

—¡Es para hoy! —voceó Hendricks.

—Estoy dispuesto a pagarle si me abre la puerta.

—Sé cuánto gana.

Hendricks le gritó que se diera prisa. Gibson dirigió a Jenn una última mirada suplicante, pero ella, impasible, se limitó a mantener la vista fija al frente, haciendo un esfuerzo sobrehumano para no sonreír.

Hendricks los sacó de la ciudad por la calle Clara Barton Parkway, que discurría a lo largo del antiguo canal Chesapeake y Ohio. La calzada estaba bordeada de árboles, y avanzaron con las ventanillas bajadas. Gibson pidió permiso para oír el partido y Hendricks le señaló la radio.

—¿Tiene algún equipo favorito? —le preguntó Gibson.

—A mi padre le gustaban los Dodgers, pero yo no sigo el tema.

—¿También era policía?

—No.

Gibson esperó a que Hendricks continuara, pero, por lo visto, aquello fue todo. Acercó la mano a la radio.

—Era técnico de estudios de grabación. De música. Trabajó mucho para SST y Slash Records.

—Genial. ¿Algún grupo conocido?

—No, a no ser que le gusten los antiguos grupos de *punk*, como Black Flag, por ejemplo.

Gibson negó con la cabeza.

—Pues entonces no va a conocer a ninguno.

—Si su padre trabajaba en la música, ¿cómo terminó usted haciéndose poli?

—Inscribiéndome en la academia. ¿Cómo cree usted? —replicó Hendricks, y, para marcar el final de la conversación, encendió la radio.

Los Nationals iban 2-0 en el segundo tiempo. A Duke le habría encantado tener de nuevo en Washington un club de fútbol. Cuando Gibson era pequeño, lo más parecido a un club local que tenían eran los Orioles y su padre lo llevaba a ver diez o quince partidos al año. Pero, haciendo memoria, Gibson habría dicho que su padre prefería oír los partidos por la radio. Recordaba viajes en coche entre Charlottesville y Washington escuchando a Mel Proctor y Jim Palmer de comentaristas. Resultaba muy aburrido escuchar en la radio a unos viejos describiendo algo que él no podía ver. Pero, como tantas otras cosas, a medida que fue haciéndose mayor aquello le pareció un consuelo. Muchas veces ni siquiera seguía el partido y se limitaba a disfrutar de aquel suave murmullo como sonido de fondo. Y hoy era una de aquellas veces.

Todavía se sentía afectado por la conversación que había tenido con Calista Dauplaise. Si la creía, entonces todo lo que él había creído cierto durante diez años era una mentira. Todo lo que había dado por hecho en su vida de repente pasó a pivotar sobre una única afirmación: Duke Vaughn no había sido un delincuente. El que lo fue, todo el tiempo, era Benjamin Lombard. Lombard, que había malversado millones de dólares y había tendido una trampa a su amigo para que le cubriera las espaldas. Gibson aún no se había recobrado de la impresión, no lograba asimilar del todo el hecho de que había estado en lo cierto desde el principio. Sin embargo, no había estado en lo cierto todo el tiempo. Se había creído la historia que le contó Lombard acerca de su padre y, para su vergüenza, le dio la espalda como hicieron todos los demás.

También había otra cosa más que lo torturaba. Durante todos aquellos años había tenido el convencimiento de que su padre se había suicidado porque se sentía culpable de haberle robado a Lombard. No había dejado ninguna nota y aquel era el único motivo que Vaughn había logrado imaginar. Pero si su padre no había cometido ningún desfalco, si no era un delincuente, ¿qué lo llevó a quitarse la vida? Aquella era la pregunta que lo había atormentado durante toda su vida, mucho después de pensar que sabía cuál era la respuesta. La respuesta lo había dejado furioso y resentido, pero por lo menos le había ofrecido una pequeña y mísera oportunidad de pasar página. Ahora ni siquiera tenía eso.

Recordaba perfectamente la antigua casa: el césped delantero, un poco inclinado, el cual había pasado buena parte de su infancia segando o rastrillando; el olmo que crecía en espiral y bajo el que su padre había intentado, sin éxito, enseñarle a lanzar una bola con efecto; el maltrecho Volvo aparcado en el camino de entrada para coches, que indicaba que su padre estaba en casa; la grieta de los escalones del porche y los sillones Adirondack que a él nunca le habían resultado cómodos; la puerta principal, que nunca estaba cerrada con llave.

Aquel día estaba abierta de par en par.

Llamó a su padre a voces, pero no contestó nadie. En el estéreo estaban sonando los Eagles, las primeras notas de *New Kid in Town;* a su padre le encantaba aquella música: James Taylor, Jackson Browne, Bob Marley & the Wailers, CSN&Y; era su «música de Frisbee, de domingos por la tarde en la universidad». Dejó la mochila del instituto al pie de los escalones y recorrió la casa llamando a su padre. Recordó experimentar una sensación inquietante porque su padre no debía volver hasta el viernes, y se contaban con los dedos de una mano las veces que Duke Vaughn había llegado temprano a cualquier cosa.

Examinó la habitación dos veces. El jardín trasero. Su padre en ocasiones hacía una visita a los vecinos; lo más probable era que estuviese hablando de los equipos de béisbol de la Universidad de Virginia con el señor Hooper, que trabajaba para la universidad. Aquello le pareció razonable. Aun así, no le gustó que la puerta principal estuviera abierta de par en par. Dio otra vuelta por la casa y entonces reparó en que la puerta del sótano estaba entreabierta. No había mirado allí porque nadie bajaba nunca al sótano; era mayormente un lugar de almacenaje y también un dormitorio adicional para las raras ocasiones en que tenían compañía.

Abrió la puerta y vio que la luz del sótano estaba encendida. Al instante lo golpeó un acre olor a podredumbre. Llamó a su padre, pero el sótano no le respondió. Así que bajó la escalera. Despacio. Sabiendo que ocurría algo malo. Cuando le faltaban cuatro peldaños para llegar, agachó la cabeza y se asomó. Entonces vio los pies de su padre, colgando en el aire, apuntando hacia el suelo de cemento como si estuviera volando.

Otro peldaño más.

No parecía él. La cuerda le había tensado las facciones y se las había ennegrecido. Lo llamó una vez más por su nombre, en susurros, y se dejó caer sobre el último peldaño de la escalera. No lloró hasta que llegaron los de la policía y le dijeron que tenía que acompañarlos.

«¿Por qué lo hiciste, Duke? Eras inocente. ¿Qué te llevó a bajar al sótano?»

Llegaron a Somerset a media tarde. Somerset, situado a una hora de Pittsburgh, en dirección este, era una pequeña comunidad obrera de menos de siete mil habitantes. Resultaba que era históricamente famosa por haber constituido un caldo de cultivo de rebeldes durante la Rebelión del Whisky de 1794. En épocas más recientes, había tenido relación con los sucesos del 11-S, pues el Vuelo 93 se estrelló en Shanksville, que estaba cerca de allí. Pero lo que importaba ahora era que Somerset estaba muy próxima a la gasolinera de Breezewood, tan solo ochenta kilómetros hacia el este.

Hendricks rodeó el palacio de justicia que había en el centro del pueblo, provisto de una cúpula de cobre, y se detuvo a esperar a Jenn, que venía con diez minutos de retraso. Tal vez no fuera el más ameno de los posibles compañeros de viaje, pero conducía muy bien. Encontraron tráfico denso en la carretera Maryland Line y Gibson sacó su móvil para buscar una ruta alternativa.

—Guarde eso —le rugió Hendricks, y acto seguido se desvió y tomó la Ruta 68, que estaba despejada, sin siquiera mirar un mapa. Era un GPS humano.

De un punto a otro, había sido el trayecto más tranquilo y sin tropiezos que Gibson recordaba haber hecho jamás. Todas las personas se creen magníficos conductores, pero Hendricks lo era de verdad. Se notaba en el modo en que el coche frenaba suavemente, sin esfuerzo, y volvía a acelerar sin que uno apenas se diera cuenta. Hendricks se las arreglaba para estar circulando siempre por el carril que avanzaba, y no era suerte; si medio kilómetro más adelante un vehículo pisaba el freno, él calculaba cómo iba a afectar aquello al tráfico y adaptaba su velocidad o cambiaba de carril.

Jenn llegó hasta ellos unos minutos más tarde. Gibson, dado que no podía saber con seguridad hasta qué punto había penetrado WR8TH en Abe Consulting, había instaurado un silencio electrónico total en la compañía en lo que se refería a cualquier intento de seguir los pasos de su presa: ni correos, ni mensajes de texto, ni documentos de Word. Michael Rilling estaba preparando un servidor dedicado en exclusiva a aquella operación que no tenía conexión con Abe Consulting, pero mientras tanto todo se comunicaba empleando cuadernos e informes escritos, algo a lo que a todo el mundo le costó un poco adaptarse, excepto a Hendricks, que por lo visto lo prefería.

Dicha medida implicó también que no se hicieran reservas en ningún hotel, pero Hendricks se sabía de memoria la distribución de todo el pueblo de Somerset y les recitó los nombres de todos los moteles que había en cinco kilómetros a la redonda.

—¿Es que ya había estado aquí antes? —le preguntó Gibson.

—¿Tengo pinta de haber estado aquí?

—Entonces, ¿qué? ¿Cuando se va por la noche a casa se pone a estudiar el atlas?

—Si voy a ir a alguna parte, sí. Google no vale tanto como saber las cosas por uno mismo. Apunte eso.

Cuando Jenn llegó a su altura, avanzaron un tramo uno detrás del otro y escogieron un motel achaparrado y de una sola planta que, sin saber cómo, estaba resguardado del ruido de la autopista. Gibson, todavía nervioso, optó por salir un rato a correr antes de pensar en la cena. Salió de su habitación y se despidió con un gesto de Hendricks, que había sacado una silla de madera a la puerta y estaba fumando perezosamente.

—Vuelvo dentro de una hora.

Hendricks emitió un gruñido y Gibson, adoptando un paso cómodo, empezó a correr en dirección a la calle. Ya había llegado el verano; todavía hacía bochorno y treinta y dos grados de temperatura pasadas la seis de la tarde. Se dirigió hacia el sur, de vuelta hacia el centro del pueblo, observando la distribución de la zona, y pasó por delante de la Summit Diner, una clásica cafetería prefabricada de acero inoxidable, provista de un letrero de neón rojo y verde, pegada al bordillo. La habían renovado, pero seguro que originalmente había sido una típica Swingle Family Diner como Dios manda. Lo más probable era que datara de los años sesenta. Seguro que su padre lo habría sabido, pero en cualquier caso era una pieza de coleccionista. Gibson ya supo dónde iba a hacer todas sus comidas mientras durase su estancia en aquel pueblo.

Al llegar al palacio de justicia, torció a la derecha y se dirigió hacia el oeste, directo hacia el sol. Cuando vio la biblioteca, aminoró el paso y el resto del camino lo hizo andando, pues deseaba echar un vistazo de primera mano. La biblioteca tenía una web de una sola página que era poco más que un letrero electrónico que informaba del horario de funcionamiento. Había encontrado unas cuantas imágenes, pero ninguna que ofreciera una panorámica completa de la estructura. Sobre todo, sentía curiosidad por echar una ojeada a lo que podía ser la base de operaciones de una de las personas más buscadas por el FBI.

Pero, como guarida de un villano, aquel lugar dejaba bastante que desear. La biblioteca Carolyn Anthony era un bonito edificio de ladrillo con bordes pintados de blanco en las ventanas y en la entrada principal. Lo separaba de la calle un cuidado césped y una frontera de parterres de flores y pequeños arbustos. A un costado de la entrada principal había una boca de riego y, al otro, una fuente. Constituía una pequeña parcela sacada del arquetipo americano y, al igual que el palacio de justicia, estaba fuera de lugar en medio de tanta casa revestida de tablillas de madera.

La fuente de agua potable era poco más que un gorgoteo. Gibson consiguió beber un sorbito y después decidió dar una vuelta alrededor de la biblioteca. Por el costado y por detrás había un parque público con bancos para sentarse, mesas para merendar, praderas de hierba y una fuente de piedra en el centro que escupía agua en un chorro difuso y errático. Le recordó a la foto de Suzanne y la rana. Lo cual, a su vez, le trajo a la memoria un detalle que ya lo había preocupado anteriormente... La gorra... Tenía algo que ver con aquella gorra de béisbol de los Phillies de Filadelfia. «¿Qué problema hay?», se preguntó. Suzanne necesitaba una gorra para taparse la cara y se compró una de los Phillies. Cálmate, Sherlock.

Pero, aun así, aquel detalle continuó molestándolo.

«Céntrate en la tarea que tienes entre manos», se dijo. En la distribución de la biblioteca. Por lo visto, el edificio tenía tres entradas y salidas: la principal, una puerta para mercancías a un costado y una puerta lateral que daba al parque. Estaba un poco apartado de los edificios vecinos, lo cual ofrecía pocas excusas para andar deambulando por las inmediaciones. Eso, sumado al tamaño de aquel pueblo, hacía que cualquier forastero llamara enseguida la atención. WR8TH los descubriría a ellos mucho antes de que ellos lo descubrieran a él.

Gibson hizo uso de su teléfono móvil para confirmar lo que ya sabía: que la wi-fi de aquel centro público no estaba protegida por ninguna contraseña. Caminó media manzana, hasta que perdió por completo la señal. Al día siguiente regresaría con un medidor de cobertura y trazaría un mapa del perímetro de la señal de wi-fi. Pero ya había quedado dolorosamente claro que WR8TH podía meterse en la wi-fi de aquella biblioteca sin necesidad de poner un pie dentro del edificio y prácticamente sin entrar en su campo visual. La labor del equipo acababa de volverse más difícil; no imposible, pero sí mucho más complicada.

En fin, por el momento no había nada que él pudiera hacer al respecto. Volvió a colocarse los auriculares y emprendió el regreso al hotel para llamar a Ellie antes de la cena.

Capítulo 17

Estaban pared con pared en la Summit Diner, un lugar pequeño y claustrofóbico de estilo escueto y utilitario. Las banquetas de la barra, coronada por un tablero cuadrado, eran de hierro pintado de negro y estaban fijas al suelo. Los asientos con sofás se hallaban todos juntos alrededor de la pared exterior, y en ellos se amontonaba la gente. Jenn no le encontraba el atractivo a aquel sitio; Vaughn, sin embargo, lo trataba con el mismo respeto reverencial que se reservaba para los museos. Aquel local debería estar dentro de uno, sin duda alguna. ¿Qué obsesión tenía Vaughn con las cafeterías?

—Este sitio es increíble, ¿a que sí? —comentó Gibson.

—Pues no —respondió Jenn—. ¿Qué demonios es un «*pretzel* fundido»? —Así figuraba en la carta de ofertas del día.

Gibson esbozó una sonrisa.

—Una especie de *calzone,* pero con un *pretzel.* Le encantará.

Jenn se lo quedó mirando.

—Esto es porque no le he dejado venir en mi coche, ¿verdad?

—Ya me dará las gracias más tarde.

—No espere que lo haga.

Para alivio de Jenn, encontró ensaladas en la carta. Hendricks pidió el pastel de carne. Cuando se lo trajeron, lo cortó en una docena de cuadraditos del tamaño de un bocado y fue mojando cada uno en salsa de tabasco. Gibson pidió un batido y una monstruosidad denominada Cindy Sue, que era una hamburguesa chorreante de salsa barbacoa y coronada por un grueso aro de cebolla. Si a eso se le sumaba un acompañamiento de patatas fritas, ya no quedaba duda de por qué pasaba tanto tiempo en el gimnasio: aquello debía de tener unas 1.500 calorías. Gibson, entre un bocado y otro, los fue poniendo al corriente del problema que iba a suponerles la vigilancia de la biblioteca Carolyn Anthony.

Hendricks estuvo de acuerdo en que mezclarse con los visitantes iba a resultar difícil.

—Hay que afrontar la realidad. Se trata de una biblioteca pública, poco usada, situada en un pueblo. Una cara nueva tiene que tener una razón muy poderosa para entrar en ella.

—Pues es evidente que ese tipo lleva diez años sin ser detectado —replicó Jenn pensando en voz alta—. Ha elegido bien el sitio. Él nos verá a nosotros, en cambio nosotros no lo veremos a él.

—Sí, pero eso también nos indica una cosa —señaló Hendricks.

—¿Qué? —preguntó Gibson.

—Los desconocidos destacan entre la multitud. Lo cual quiere decir que él no es un desconocido. Él se siente cómodo y seguro.

—Tenemos un problema más grande —dijo Gibson, y les explicó que la wi-fi pública de la biblioteca no requería ni registro ni contraseña, funcionaba las veinticuatro horas del día, todos los días de la semana y emitía una señal lo bastante fuerte para llegar hasta la luna.

—Y bien, ¿dónde nos deja eso? —preguntó Jenn.

—Nos deja en que nuestro hombre puede hacer uso de esa wi-fi a cualquier hora, de día o de noche, sin ni siquiera tener la necesidad de entrar físicamente en el edificio. Puede estar sentado dentro de su coche a una manzana de distancia, a las dos de la madrugada, y hacerlo todo desde allí. Y nosotros no podemos impedírselo.

—Pero únicamente ha dado instrucciones al virus durante el horario normal de trabajo —apuntó Jenn.

—Cierto, y no hay motivo para pensar que vaya a cambiar de táctica. Lo único que estoy diciendo es que si quiere, puede.

—Si quiere —subrayó Hendricks—. Pero también es posible que ya se haya divertido bastante y esto sea una pista muerta.

—¿Cuánto tiempo pasa entre que se comete una intrusión activa en la red de Abe Consulting y los centinelas la reconocen y la notifican? —preguntó Jenn a Gibson.

—De tres a cinco segundos. Más o menos. Cualquier instrucción entrante que proceda del anuncio corrupto de la IP de la web del *Washington Post* disparará aquí una alarma. Yo recibiré un mensaje de texto, un correo electrónico y una llamada de teléfono.

—¿Y qué ha pasado con su preocupación de que WR8TH pudiera estar siguiendo todas las comunicaciones de Abe Consulting?

—¿Por qué cree que he dejado totalmente a un lado vuestra red?

Jenn miró a Hendricks. A este tampoco le había gustado aquella respuesta.

—¿Puede desviar esa alerta también a nuestros teléfonos?

—Claro. Lo haré después de cenar.

—A ver si he entendido el plan —dijo Hendricks—. Esperamos a que WR8TH acceda a su virus y después echamos a correr como locos buscando a un pedófilo de mediana edad empalmado con un portátil. ¿Me dejo algo?

—No, ese es más o menos el resumen del plan —dijo Jenn.

—Era para tenerlo claro.

—Pero, por si acaso cambia de táctica, vamos a dormir por turnos —dijo Jenn—. Tenemos que estar preparados a todas horas, pero algo me dice que seguirá ciñéndose a su horario.

Gibson hizo un gesto afirmativo. Había repasado el historial de Abe Consulting Group buscando rastros de las huellas dejadas por WR8TH en los servidores. En todos los casos, su actividad aparecía indicada al final de la semana, el viernes por la tarde.

—Lo cual nos permite un margen de cuatro días para trazar un plan.

—Yo he estado investigando un poco —dijo Gibson—. Hace unos años, hubo un aluvión de pedófilos que utilizaban la wi-fi de las bibliotecas públicas de Virginia. Aparcaban literalmente delante de la biblioteca en mitad de la noche y descargaban pornografía infantil. De modo que esta estrategia no es ni nueva ni única.

—¿Qué opciones tenemos? —preguntó Jenn.

—Podríamos hacer lo que se hizo en las bibliotecas y añadir un formulario de registro. También cerraron su wi-fi fuera del horario de apertura, pero...

—Cualquier cambio que se produjera en el sistema alertaría a nuestro amigo.

—Exacto, lo cual también quiere decir que yo no puedo interferir con el alcance ni el ancho de banda de la wi-fi. Ese tipo ya ha demostrado que es cauteloso y listo. Si liamos la cosa, se nos escapará.

—Podríamos hacer venir a la caballería. A más agentes, más pares de ojos —propuso Hendricks.

—La solución no está en llevar a cabo una gigantesca operación de vigilancia que casi con toda seguridad sería descubierta —dijo Jenn—. Necesitamos una solución que no dependa de desplegar a la División 101 Aerotransportada.

—Déjenme que piense en ello esta noche. Puede que se me ocurra alguna idea —dijo Gibson.

Jenn estudió la posibilidad de presionarlo para que les diera detalles, pero optó por hacer caso del consejo de su jefe y concederle el beneficio de la duda. Hendricks, una vez se terminó el pastel de carne, se excusó diciendo que se iba a echar un vistazo a la biblioteca. Gibson pidió una ración de tarta de moras y una bola de helado de vainilla. Le ofreció una cuchara a Jenn, pero esta declinó el ofrecimiento y se quedó con su café, mirándolo fijamente unos instantes.

—En la CIA —dijo.

Gibson la miró sin comprender.

—Me preguntó dónde había servido.

—No me diga. Por el modo en que se me fue acercando en el Nighthawk, yo habría dicho que era usted militar.

Jenn sintió que Gibson le recorría el rostro con la mirada como si estuviera estudiando una ecuación que hubiera dado un resultado erróneo.

—Mis padres sí —repuso—. Mi padre fue marine. Mi madre estuvo en la Armada.

—¿En qué unidad estuvo destinado su padre?

—En la Uno Ocho.

—¿Dónde?

—En el Líbano.

Gibson dejó la cuchara un momento.

—¿Estuvo allí?

—Sí, estuvo allí.

Jenn tenía dos años cuando un camión irrumpió en el barracón de los marines en Beirut y se estrelló contra la entrada. Los únicos obstáculos que encontró fueron un alambre de concertina y unos guardias que no llevaban los rifles cargados. Situación Cuatro: sin cargadores y sin balas en la recámara. Claro que habría dado lo mismo: la fuerza de la detonación arrancó el edificio de sus cimientos, y la gravedad lo hizo caer de nuevo a la tierra y aplastó a todas las personas que había dentro. Al resto los mató la bola de fuego. Jenn había descubierto que aquella era una regla básica muy útil: la brutalidad de algo era directamente proporcional a la frecuencia con que se emplease el término «instantáneo». Su padre no sufrió; ese fue el máximo consuelo que se le pudo ofrecer. Pero no pudo decirse lo mismo de su madre.

Lo poco que recordaba Jenn de su madre era duro. Beth Charles era una mujer menuda y dotada de un gran sentido práctico. Tras el funeral de su esposo, se fue directa a la licorería. Ella, que jamás había bebido, se aficionó al vodka porque el enjuague bucal conseguía eliminar el olor cuando estaba de servicio. No pegaba a Jenn muy a menudo, y nunca demasiado fuerte. Solo tenía aquella cicatriz, detrás de la oreja, pero eso había sido un accidente. Jenn tan solo recordaba haber sentido miedo de verdad en unas pocas ocasiones. Sobre todo cuando veía a su madre sacar la pistola por las noches. La desmontaba y la limpiaba sobre la mesa de centro del salón, con el volumen de la televisión tan alto que ella tenía que dormir tapándose la cabeza con una almohada.

Tras el desastre, Jenn se fue a vivir con su abuela. Se pasó la lengua por los dientes.

—Lo siento mucho —dijo Gibson.

—¿Por qué llamaba usted Osita a Suzanne? —preguntó Jenn.

Gibson rio y dio un bocado a la tarta.

—Porque era de esas personas que dan abrazos de oso. Te rodeaba con los brazos y te estrujaba con toda su alma. Cada vez que veía a mi padre, echaba a correr hacia él chillando: «¡Que viene papá oso!». Se convirtió en una costumbre. Le pegaba el nombre. Además, estaba siempre hibernando en alguna parte, con un libro. Pero me parece que, en realidad, el único que la llamaba Osita era yo.

—¿Cómo era?

—¿Osita? Era mi hermana, ¿entiende? A ver, no era mi hermana de sangre, pero crecimos juntos. No teníamos muchas cosas en común, pero ella era muy buena, buena de verdad. Era una de esas niñas que dan envidia a otros padres. Todos querían que sus hijos se parecieran a ella. Osita era educada y de carácter apacible. Era amable con todo el mundo. Nada malcriada. Pero también muy cabezota. —Gibson rio para sus adentros al recordar algo —. Cuando decidía que algo iba a ser de determinada manera, no servía de nada resistirse. Créame.

—¿Cuándo empezó a cambiar?

—No lo sé. Yo iba haciéndome mayor y empecé a pasar más tiempo en Charlottesville. El colegio y demás. No estoy seguro de que al principio me diera cuenta, porque ella siempre había sido muy callada. Ni siquiera sabía que tuviera novio. Y luego mi padre... ya sabe... Después de eso dejé de ver a los Lombard. Unos tres meses más tarde me detuvieron. —Dejó el tenedor y se quedó mirando la tarta—. Tengo una pregunta. ¿Qué sabe usted de la gorra de los Phillies? La que se ve en el vídeo de Breezewood.

—¿De la gorra? No mucho. Que yo sepa, no tenía nada de especial. Ninguno de los padres de Suzanne la identificó como una prenda suya. Suzanne odiaba el béisbol a muerte, así que se supone que la compró en algún punto de la carretera.

—¿Quién dijo que odiara el béisbol?

—Sus padres. Aparece en las transcripciones de las entrevistas del FBI.

—¿En serio? Qué extraño.

—¿Por qué?

—No sé. Pero esa gorra tiene algo que me intriga. Probablemente no sea nada.

—Probablemente —coincidió Jenn—. Pero las corazonadas hay que respetarlas. Cuénteme.

—Pues... tiene usted razón en que a Osita no le gustaban los deportes. Al menos eso es lo que recuerdo yo. Pero mi padre y Lombard hablaban mucho de béisbol, los dos eran grandes seguidores de los Orioles. Si a Suzanne se le hubiera pegado algo, yo creo que me acordaría; era una de esas niñas que iban por ahí con el corazón en la mano, ¿sabe?

—Bueno, como usted mismo dijo, llevaba ya una temporada sin verla.

—Sí —convino Gibson sin mucho convencimiento.

En la barra, Fred Tinsley removía su café con crema y estudiaba la carta. No tenía hambre, pero donde fueres, haz lo que vieres. No alcanzaba a oír lo que estaban diciendo los dos hombres y la mujer, pero daba igual; no había ido allí a escuchar conversaciones ajenas, sino simplemente a echar una ojeada.

El pequeñajo era un expolicía de los Ángeles, pero no tenía pinta de serlo. De todos modos, lo más seguro era que a Dan Hendricks lo hubieran subestimado toda la vida, y él no iba a cometer el mismo error. El otro tipo, Vaughn, parecía físicamente capaz y poseía experiencia militar, si bien como técnico informático o algo así. ¿Desde cuándo usaban ordenadores los marines? Había que ver lo triste que se estaba volviendo el mundo.

Charles era la única de los tres que tenía calidad. Había segado vidas en combate. Matarla a ella sería lo que más placer le causaría. Bebió un sorbo de café y se puso a pensar cómo iba a hacerlo si finalmente le ordenaban que los matase. Todo dependía de si tenían éxito o no; sus vidas dependían de que fueran competentes. Aquello a Tinsley le resultó de lo más curioso.

La verdad era que aquel encargo era sumamente inusual. Él iba a cobrar en cualquier caso, de modo que podía contemplar cómo se desarrollaban las cosas sin arriesgar nada en el desenlace de las mismas. Aquel aspecto novedoso le resultaba atrayente y sentía curiosidad por ver cómo iba a suceder todo. Entretanto, lo único que tenía que hacer era esperar y observar. Y las dos cosas se le daban bien.

Y, por supuesto, aún tenía que hacer una visita a la médica. No la había visto desde aquella noche, diez años atrás. Admiraba su trabajo, tan diferente del suyo pero similar en el hecho de que también requería actuar de modo calmado y profesional en circunstancias extraordinarias. Él respetaba eso y estaba deseando volver a verla.

Regresó la camarera y él le pidió un Reuben solo para que lo dejase en paz. Todavía estaba esperando que se lo trajera cuando el pequeñajo se levantó y salió de la cafetería. No le preocupó adónde pudiera haber ido; daba igual.

Ya eran pasadas las dos de la madrugada cuando el Cherokee se detuvo delante del motel. Cuando regresaron de la cafetería, Hendricks ya se había ido, y ahora acababa de regresar. Gibson estaba sentado en su cama, intentando elaborar una solución rudimentaria para el problema de la wi-fi de la biblioteca. Oyó a Hendricks entrar en su habitación y cerrar de un portazo. Unos momentos más tarde volvió a abrir, y esta vez cerró con más suavidad.

Gibson dejó a un lado el trabajo y salió al exterior. Hendricks estaba sentado en el capó del Cherokee, fumando. Aunque la temperatura aún era de veintitantos grados, él llevaba puestos un pantalón oscuro y una cazadora. La trasera del Cherokee estaba vacía; Hendricks iba a verse bastante agobiado con todos aquellos petates de equipo amontonados en su habitación.

—Lo de la biblioteca no era mentira —le dijo Hendricks—. Va a ser jodido intentar cubrir todas las salidas y las calles adyacentes siendo solo tres personas. Y mucho más evitar que se nos vea. Y en eso no estoy contando los turnos y las horas de sueño.

—¿Abe podría enviarnos refuerzos?

—Podría, pero eso nos causaría otro problema. Si entramos a saco en esa biblioteca con un ejército, llamaremos más la atención que un grupo de chicas exploradoras en Las Vegas. Y puede que la policía local no sea gran cosa, pero le garantizo que, si montamos un campamento en una biblioteca pública frecuentada por chavales, vamos a terminar con una linterna bien metida por el culo.

—¿Así que estamos jodidos?

—No del todo. He instalado cámaras en el perímetro. Se activan con el movimiento, pero cubren las tres entradas. No es lo ideal, pero veremos quién entra y quién sale. Si es que nuestro hombre llega a entrar o salir. No podemos dar nada por sentado. —Lanzó una punta de ceniza a la alcantarilla—. Claro que no nos vendría mal ese vudú ciber-ninja que hace usted.

—¿Mi vudú ciber-ninja?

—¿No ha venido por ese motivo?

—Hendricks, ¿me deja que le haga una pregunta? ¿Hacía estas mismas cosas cuando estaba en la policía de Los Ángeles?

—¿Trabajar en casos de niños desaparecidos? Tuve unos cuantos.

—¿Encontró a muchos?

Hendricks le dirigió una mirada.

—Si le contesto, ¿volverá a salir disparado al cuarto de baño?

—En absoluto.

—Por regla general, se dispone de cuarenta y ocho horas. Pasado ese plazo, si se encuentra a un niño desaparecido, ya ha dejado de respirar.

—¿Así que usted no cree que exista ninguna posibilidad de que encontremos viva a Suzanne?

Hendricks encendió otro cigarrillo.

—No —respondió—. No, lleva mucho tiempo desaparecida. En mi opinión, el que lo hizo no sabía a quién estaba secuestrando. Yo creo que vio la mierda que le había caído encima cuando descubrió que era hija de un senador. En cuanto comprendió lo jodido que estaba, no perdió tiempo: la mató y se deshizo del cadáver.

Gibson dejó escapar un gemido. Un quejido grave y gutural del que él mismo no se dio cuenta hasta que Hendricks lo interrumpió.

—Oiga, no haberme preguntado.

—Ya lo sé —dijo Gibson—. Bueno, y entonces ¿qué está haciendo usted aquí?

—Es mi trabajo.

—Venga ya.

Hendricks tiró el cigarrillo, se bajó del capó y lo aplastó con el pie.

—Es importante para el jefe, de modo que también es importante para mí. Además, y esto lo digo yo, no me gustan los pedófilos. Y sobre todo no me gustan los listos que se creen que son astutos y que envían fotografías inquietantes de sus víctimas. ¿Quiere saber qué estoy haciendo aquí? He venido a aplastarle el cuello a ese tipo con el pie. Para eso he venido. Y ya que estamos hablando del tema, ¿para qué ha venido usted?

—Por si acaso Suzanne no está muerta.

Del rostro de Hendricks desapareció la perpetua mueca de disgusto y, por un instante, adoptó una expresión sincera y seria.

—Eso no le conviene.

—¿El qué?

—Creer que la chica sigue estando viva. Ni por un segundo.

—¿Por qué no?

—Porque una vez que se empieza, ya no se puede parar. Hágame caso, la esperanza es un cáncer. Pueden sucederle dos cosas: que nunca llegue a descubrir la verdad, en cuyo caso esa idea le calará hasta la médula y lo devorará hasta que no quede nada; o algo peor: que la descubra, y entonces salga disparado por ese parabrisas a cien por hora porque la esperanza le hizo creer que no pasaba nada por conducir sin llevar abrochado el cinturón.

—Así que hay que esperar lo peor.

—El plazo de cuarenta y ocho horas acabó hace mucho. Así que abróchese el cinturón. Es lo único que le digo. Busque otro motivo para estar aquí.

Y, dicho esto, Hendricks regresó a su habitación y cerró la puerta, dejando a Gibson con sus pensamientos.

Y con el teléfono de Hendricks, que este se había dejado olvidado encima del capó del Cherokee. Se lo quedó mirando, calculando de cuánto tiempo dispondría. ¿De treinta minutos? Probablemente menos. ¿Merecía la pena arriesgarse? Llegó a la conclusión de que sí. Siempre había que tener un plan B, aunque no fuera a necesitarse.

Cogió el teléfono y se encerró en su habitación. Lo conectó a su ordenador portátil e inició el programa. Con un ojo en la pantalla, se mantuvo atento por si oía abrirse la puerta de la habitación de Hendricks. Lo más grave que podía pasar era que Hendricks saliera a buscar su móvil, viera que allí no estaba, y que más tarde reapareciese por arte de magia. Y entonces Gibson estaría jodido.

Veintisiete minutos más tarde, el teléfono estaba de nuevo donde Hendricks lo había dejado.

Todo un ejemplo de vudú ciber-ninja.

Capítulo 18

Gibson tardó hasta el martes por la noche en terminar su programa. WR8TH no había vuelto a aparecer, pero su virus continuaba su implacable recorrido por los memorandos y los documentos del FBI que Rilling continuaba subiendo a los servidores, para que WR8TH no se volviera suspicaz al ver que el flujo se había interrumpido.

Jenn pasaba de vez en cuando por la habitación de Gibson a preguntarle si iba habiendo algún progreso.

—¿Necesita algo de nosotros? —le preguntó la primera mañana, cuando él acababa de ponerse a trabajar.

—Tres comidas calientes y una cama.

—¿Algo especial?

—El desayuno y la cena, cada uno a su hora. Sorpréndame en el almuerzo.

Le entregó una carta del Summit Diner, acto seguido la sacó de la habitación, colgó el cartel de «No molestar» y se cerró con llave. Con las persianas bajadas y el aire acondicionado subido al máximo, aquello parecía una cueva subterránea aislada del mundo exterior. Siempre pensaba con mayor claridad estando con frío y abrigado.

Una vez que estuvo debidamente situado, se sentó delante de su portátil, se colocó los auriculares en los oídos y se puso a trabajar sin descanso, dos días seguidos.

Lo primero era lo primero. Necesitaba las especificaciones de la red de la biblioteca. Se coló en ella y escaneó todos los puertos disponibles. Se sentía vagamente tonto hackeando una biblioteca pública del centro de Pensilvania; aún tenía una cierta reputación en la comunidad más bien estrecha de miras que despreciaba aquella clase de cosas, y dudaba mucho que aquello fuese a incrementar la leyenda de BrnChr0m. Era un poco como si Al Capone se dedicase a extorsionar a un quiosco de refrescos para críos.

El escaneo finalizó, y a continuación el portátil emitió un pitido y mostró los resultados. Los leyó con el ceño fruncido. Por lo general uno podía contar con que las redes pequeñitas como las de una biblioteca pública tendrían empleados informáticos de medio pelo que serían vagos o incompetentes, o las dos cosas a la vez. Era frecuente que sus sistemas operativos llevaran ya un par de generaciones obsoletos y sin actualizar. Esas redes eran como perrazos grandes y bonachones; si los adoptabas, al momento se ponían panza arriba y te mostraban una docena de puntos vulnerables de seguridad.

Por desgracia, Gibson, en su incesante búsqueda, al parecer había topado con un ayuntamiento que se tomaba en serio la parte informática. La red de aquella biblioteca funcionaba con una versión actual de Windows y, por lo que parecía, acababan de protegerla con un cortafuegos, solo por si acaso. Gibson lanzó un suspiro y bebió un sorbo de café. Aquella configuración no era muy compleja, pero recibía un mantenimiento profesional. Iba a tener que actuar a la tremenda.

En lugar de diez minutos, tardó dos horas en hacerse con las especificaciones que necesitaba. Le gustó lo que vio; conocía aquel software del derecho y del revés, y el hecho de que la red tuviese un buen mantenimiento en realidad le iba a facilitar la tarea de escribir el programa, si es que encontraba una manera de aprovecharse de la infraestructura de la red inalámbrica. Cerró los ojos y visualizó cómo podía aprovechar alguna vulnerabilidad. Se quedó allí sentado hasta que lo vio mentalmente, y entonces curvó los labios en una leve sonrisa. Abrió los ojos, subió la música y empezó a escribir.

Programar no era en realidad su punto fuerte; le gustaba el reto intelectual y la fría lógica del lenguaje codificado, pero no era lo que le hacía sentirse bien. Al contrario de lo que normalmente creía el público en general, hackear no consistía en librar un duelo entre dos genios de la programación que tecleaban a toda pastilla. En las películas, era siempre una acción demasiado teatralizada, de alta tensión, rebosante de adrenalina; háckers que trabajaban mientras una pistola los apuntaba a la cabeza, con sesenta segundos de plazo para colarse en una red impenetrable. Tecleando a la velocidad del rayo y alcanzando el objetivo en la última fracción de segundo.

En la realidad, la penetración de una red segura era lo menos emocionante que cabía imaginar. Era lenta. Era tediosa. Y requería paciencia y una minuciosa atención a los detalles.

Estaban los que poseían una intuición innata para comprender el lenguaje de una máquina y eran capaces de descubrir posibles agujeros en la seguridad como si tuvieran un sexto sentido. Pero una red segura era mucho más que simplemente una serie de máquinas; también era las personas que manejaban dichas máquinas y se ocupaban de su mantenimiento. Nueve veces de cada diez, el camino más fácil para entrar en una red informática segura no era ni el hardware ni el software, sino el elemento humano. Y allí era donde destacaba Gibson.

Gibson siempre había tenido un don para, nada más echar un vistazo a una red segura y a las personas que la manejaban, ver los fallos existentes entre una cosa y otra. Encontraba las fisuras entre los procedimientos de seguridad adecuados y los atajos que tomaban las personas porque pensaban que nadie estaba prestando atención. Ignorancia, curiosidad, costumbre, vagancia, avaricia, estupidez... Los ordenadores solo eran tan buenos como las personas que los manejasen, y siempre había un eslabón débil. Para Gibson, hackear ordenadores era una tarea aburrida, pero hackear personas... ah, eso era realmente divertido.

Sin embargo, ya metido en un allanamiento, también sabía programar bastante bien. Solo que no era demasiado rápido. De modo que cuando por fin terminó de escribir el programa, lo depuró e hizo una prueba, ya eran más de las once de la noche del martes. No había dormido más que unas pocas horas el domingo por la noche y la falta de sueño lo tenía hecho polvo.

Se pasó los dedos por el pelo y asomó la cabeza por la puerta de la habitación. Hendricks lo saludó al tiempo que aplastaba un cigarrillo. Las pocas veces que Gibson había salido de su habitación para despejarse un poco, se había encontrado con Hendricks afuera, fumando. Casi lo echaba de menos.

—Dígale a Charles que ya he terminado —dijo con voz cansada.

—Muy bien.

—Mañana probaré el programa.

—Muy bien.

—¿Ha habido alguna novedad desde ayer?

—Que los Nats han perdido.

Gibson se metió en la cama con la ropa puesta. En un mundo perfecto, habría dormido dieciocho horas. En el mundo real, durmió seis y estuvo tres más dando vueltas en la cama, mientras su cuerpo intentaba sin éxito dormir pese a la cafeína. Para las nueve ya estaba duchado y afeitado, y había recogido sus cosas. Salió, parpadeando, al brillante sol de la mañana.

Hendricks y Jenn habían estado ocupados. En las últimas cuarenta y ocho horas habían perfeccionado el montaje de cámaras de Hendricks, que ahora no solo cubrían las entradas de la biblioteca, sino también todos los accesos. Jenn había explorado el vecindario buscando puntos discretos que ofrecieran cierta intimidad y siguieran estando dentro del radio de acción de la biblioteca. Hendricks también había enfocado varias cámaras hacia ellos.

—Lo malo es que la población principal de esta biblioteca, por lo visto, está constituida por varones de raza blanca de edades comprendidas entre los cuarenta y cinco y los sesenta años —informó Hendricks.

—Sí, tenemos fotos de veintiséis hombres que han entrado desde la mañana del lunes y que están dentro de la misma franja de edad que nuestro hombre. Las hemos mandado a Washington; a lo mejor tenemos suerte.

—¿Creen que pueda ser uno de ellos?

—Hendricks opina que no. Yo no me pronuncio.

—Es que no creo que ese tipo venga de vez en cuando a esta biblioteca a leer revistas —protestó Hendricks—. No me encaja. Yo creo que hace lo que tiene que hacer, sin llamar la atención, y se larga de ahí.

—Y yo creo que tal vez se siente tan cómodo en su terreno que eso es exactamente lo que haría —dijo Jenn—. Pero tenemos tan pocos datos sobre él que esto es casi hablar de forma teórica. A no ser que demos con una manera de descubrirlo, se perderá entre la multitud. Lo cual me recuerda... —Dejó la frase sin terminar.

—Mi programa —terminó Gibson.

—¿Funciona? —preguntó ella.

—Creo que sí. Pero no lo sabré con seguridad hasta que lo ponga sobre el terreno.

—¿Puede hacer antes una prueba? —pidió Hendricks.

—Ya la he hecho, hasta cierto punto, y como simulación funciona sin venirse abajo; pero, a no ser que quieran esperar a que construya un modelo ficticio de la red de la biblioteca, no hay forma de saberlo con seguridad sin lanzarnos a ello.

—¿Cómo se instala? —preguntó Jenn.

—Por medio de un *pen drive*. Lo único que necesito es pasar dos minutos dentro del despacho del director.

—Parece factible. De eso nos ocuparemos Hendricks y yo. Usted quédese aquí, y ya se lo comunicaremos cuando esté instalado, para que pueda arrancarlo por control remoto y ver si funciona.

—Ya, yo diría que no es buena idea —repuso Gibson.

Jenn calló unos instantes, empezó a cabrearse y se reprimió.

—¿Por qué? ¿Es demasiado complicado para nosotros, pobres idiotas que no controlamos las nuevas tecnologías?

—No, de hecho solo hace falta pulsar un ratón.

—¿Entonces?

—Acaba de decir que la biblioteca está llena de tipos que encajan con el perfil de nuestro hombre, ¿no?

—Sí.

—Vale, ¿y qué ocurre si es uno de ellos?

—De eso se trata, precisamente —dijo Hendricks.

—Considero un error suponer que él no sabe cómo son ustedes físicamente —dijo Gibson—. Deben poner mucho cuidado en no mostrar la cara por la biblioteca más de lo que la han mostrado ya.

—¿Cómo podría saber él cómo somos físicamente? —preguntó Jenn.

—Hombre, lleva ya varias semanas mirando la base de datos de Abe Consulting Group.

Vio cómo Jenn asimilaba lo que él acababa de decir.

—Joder... —dijo Jenn—. Nuestros expedientes de recursos humanos.

—Nuestras fotos —aportó Hendricks.
—¿Todavía quieren que me quede en el motel?

Tal vez la biblioteca Carolyn Anthony fuera pequeña, pero resultaba evidente que las personas que trabajaban en ella se sentían muy orgullosas de lo que hacían. Gibson miró en derredor para examinar el terreno. Era un espacio bien cuidado, limpio, luminoso y que invitaba a entrar. A uno le entraban ganas de sentarse a leer un libro. Osita se habría sentido allí como en el paraíso. La puerta de la calle daba a un atrio pequeño y alegre en el que estaban las últimas novedades, colocadas con gusto sobre unos anaqueles de madera.

Detrás del mostrador principal había una mujer de mediana edad que estaba reintroduciendo libros en el sistema, moviendo adelante y atrás sus gruesos brazos mientras trabajaba. Llevaba el pelo peinado con una rígida permanente que parecía una bola de masilla pasada por el microondas. Se detuvo un momento, saludó a Gibson con un austero gesto de cabeza y prosiguió con su tarea. Las estanterías eran densas con apretadas columnas de libros que se perdían de vista hasta el fondo de la biblioteca. A mano izquierda había una hilera de cubículos para trabajar, cada uno equipado con un viejo monitor de ordenador. Un cartel escrito con letras muy claras daba instrucciones para solicitar el uso del ordenador al bibliotecario que estuviera de guardia en su momento. Había una amplia escalera que bajaba a la «sección infantil». A la derecha se veía una zona de lectura, provista de sillones y reposapiés. Todos los sillones, salvo uno, estaban ocupados por un grupo de jubilados que parecían piezas fijas de la decoración.

Gibson se preguntó si alguno de ellos sería el hombre que estaban buscando. Sintió deseos de acercarse y observarlos detenidamente uno por uno, de escudriñar sus rostros. Por ver si era capaz de reconocerlo, aunque no era tan tonto como para creer que se puede ver el mal pintado en la cara de una persona. El individuo que había secuestrado a Osita diez años atrás se las había arreglado para guardar el secreto durante todo aquel tiempo, de modo que en su rostro no habría nada que lo delatase. Sería la persona de la que menos sospecharía uno. Después de todo, no había metido a Osita en su coche a rastras; ella subió por voluntad propia, porque no estaba viendo una cara que la aterrorizase. Solo después debió de quitarse la máscara su secuestrador.

Quizá por esa razón el hecho de hackear aquella biblioteca insignificante de aquel pueblo insignificante le resultaba tan perturbador. Visto objetivamente, era un trabajo sencillo. Y sin embargo él estaba nervioso. El hombre que sabía el destino que había sufrido Osita conocía aquel lugar, lo conocía bien, y había estado allí en las dos semanas anteriores. Tal vez no estuviera allí en aquel preciso instante, pero aquella acogedora biblioteca seguía constituyendo la clave de un profundo secreto.

Y tal vez Hendricks tuviera razón en que dicho secreto tenía un único fin inevitable, pero si lograban atrapar al culpable quizá existiera todavía un ápice de justicia en el mundo. No para Osita, porque para los muertos no había justicia, bien lo sabía él; pero acaso les sirviera a los vivos para, en cierta medida, restaurar el equilibrio. No, aquello tampoco lo creía; no había forma de rectificar un crimen de aquella magnitud. Si Osita estaba muerta, encontrar a su secuestrador serviría únicamente para dar respuesta a unas preguntas que era mejor que quedaran sin responder. ¿Quién la había raptado? ¿Dónde la habían tenido confinada? ¿Cómo había sufrido y muerto?

Sus pensamientos empezaron a girar en torno a Ellie, pero se obligó a borrarlos de su cerebro. En ninguna circunstancia iba a permitirse imaginar a su hija en el lugar de Suzanne.

Dado que mezclarse con el público en realidad no era una opción, había adoptado la táctica contraria: llamar la atención. Se le ocurrió que la chaqueta con corbata, ambas feas y desparejadas, y el pantalón arrugado formarían un buen conjunto. Parecía un tipo que pretendía causar una buena impresión pero fracasaba penosamente. Y había identificado a la bibliotecaria, Margaret Miller, y buscándola en Google encontró a su hijo, Todd. Allanar la oficina de la biblioteca para instalar su programa era una alternativa, pero no muy buena. Sería mucho más fácil si la señora Miller lo invitase a entrar.

No se parecía en nada a Todd, pero daba igual; no necesitaba parecerse físicamente a él, sino tan solo sugerirlo visualmente. En la mayoría de sus fotos, Todd Miller parecía un tanto lerdo. El atuendo que había escogido Gibson constituía un homenaje a la total falta de gusto que tenía Todd al vestir. Además, se peinó con raya a un lado, igual que Todd.

Se quedó parado justo en la entrada de la biblioteca y miró en derredor con expresión de pánico.

—¿En qué puedo ayudarle? —preguntó la empleada.

Gibson se volvió y la miró componiendo un gesto de persona necesitada. «Apiádate de mí», decía.

—Espero que sí. ¿Está la señora Miller?

—Yo soy la señora Miller —contestó la mujer—. ¿Qué puedo hacer por usted?

—Lo siento muchísimo. Sé que es una petición de lo más extraña, pero en la gasolinera me han sugerido que se lo pregunte a usted... —Dejó que se le quebrase la voz.

—¿Qué es lo que desea preguntarme? ¿De qué se trata?

—Pues... es que dentro de cuarenta y cinco minutos tengo una entrevista de trabajo. En la estación de esquí.

—¿Dentro de cuarenta y cinco minutos? Oh, Dios santo, debe usted darse prisa.

—Lo sé, señora. He venido en coche desde Hagerstown esta misma mañana. Es para un puesto de ayudante del gerente. Un tío mío conoce a alguien de esa estación y le ha dado buenas referencias mías. Pero... en fin, me he dormido y he salido corriendo por la puerta sin coger el currículum. Lo tenía justo encima de la mesa de la cocina —dijo al tiempo que gesticulaba señalando fútilmente la imaginaria mesa de la cocina que malvadamente le había robado su currículum—. Los de la estación me lo dejaron muy claro. Dios mío, la entrevista me la organizó mi tío, y si la cago, me matará.

Y bajó la mirada hacia el suelo con aire de timidez, pero sin dejar de observar a Margaret Miller con el rabillo del ojo, por si captaba alguna pista que le indicase qué tal lo estaba haciendo hasta el momento. No muy bien, a juzgar por la expresión adusta que le devolvió ella.

—Lo siento, pero aquí no tenemos impresora para el público. He solicitado que me traigan una, pero este año no está incluida en el presupuesto.

—Oh —dijo Gibson, y se desinfló—. Me han dicho que en la parte de las oficinas tenían una.

—Sí, pero es solo para el personal.

«Venga, señora, no me haga llorarle.»

Asintió con gesto sombrío, comprendiendo, y apretó la mandíbula para reprimir estoicamente sus emociones masculinas. ¿Resultaría excesivo que le empezara a temblar la barbilla?

—¿Se le ocurre algún otro sitio en el que pueda preguntar? —rogó.

—Pues hay una papelería, pero está en la otra punta... —La señora Miller consultó el reloj—. No, no va a darle tiempo.

—No pasa nada. A lo mejor no les importa tanto.

Margaret Miller dejó escapar un suspiro.

—¿Lo tiene grabado en un disco o algo?

—En un *pen drive* —dijo Gibson al tiempo que se lo tendía con gesto servicial.

—¿Cómo se llama el archivo?

—Simplemente «CV». Es el único que hay.

La señora Miller lo contempló durante largos instantes. Decidiendo el destino de Gibson.

—Venga conmigo —dijo con otro suspiro más.

Condujo a Gibson por el interior de las estanterías hasta su despacho, que se hallaba situado al fondo, en un rincón, lejos del mostrador. Logró contener la lengua durante los seis primeros metros, pero después se volvió y empezó a reprenderlo por haber sido tan irresponsable. Le dijo que, después de que su tío se hubiera tomado tantas molestias por él, no estaba nada bien decepcionarlo de aquella manera. Daba la impresión de que le resultaba casi terapéutico hablar así, de modo que él se limitó a asentir y pedir disculpas en tono contrito apostillando algún que otro «Ya lo sé» y «Tiene usted razón» en los momentos oportunos. Pensó que era lo justo.

La señora Miller abrió la puerta de su despacho empleando la llave y se detuvo un momento.

—Le ruego que disculpe el desorden —dijo.

Tampoco mentía. Su mesa estaba sepultada bajo una montaña de papeles que deberían llevar puesto un aviso de peligro de avalancha. Había libros apilados en el suelo, y todas las macetas necesitaban o agua o la extrema unción. La única zona arreglada que había en aquel despacho era el ordenador situado junto a una fila de servidores. Una vez más, Gibson quedó impresionado al ver lo muy en serio que se tomaban la infraestructura informática en el condado de Somerset. Pero seguro que el mérito no era de Margaret Miller, que ni siquiera sabía lo que era un puerto USB ni dónde estaba. Gibson tuvo que señalarle educadamente dónde debía insertar el *pen drive*. No obstante, ella insistió en imprimir personalmente el documento, lo cual le vino de perlas. Había incrustado el virus dentro del currículum y, en cuanto ella abriera el archivo, el programa se instalaría solo en la máquina y borraría todo rastro de dicha descarga. Luego permanecería en estado latente hasta que él lo activase.

Observó desde atrás de la señora Miller cómo el antivirus de la biblioteca escaneaba el archivo y daba permiso para abrirlo. La señora Miller imprimió tres copias.

—Es solo para estar más seguros —dijo.

Gibson contaba con que ella no mirase demasiado el currículum en cuestión, que era un modelo que había descargado de una web de empleo. Había pasado diez minutos modificando los detalles para que figurasen varios trabajos falsos en Hagerstown, pero aquellas mentiras no aguantarían un escrutinio a fondo. Por suerte, la señora Miller estaba demasiado ocupada en sermonearlo acerca de ser responsable.

Lo llevó de vuelta hacia la salida y, cuando él ya abandonaba el edificio, le deseó buena suerte.

Capítulo 19

La casa se hallaba situada tan atrás que a Tinsley no lo preocupaba que pudieran verlo. La hilera de altos cipreses de Leyland obstaculizaba la línea visual desde la calle, de tal modo que sería necesario ir hasta el camino de entrada para detectar su presencia. Arrodillado en el grueso felpudo que amistosamente le decía que era «Bienvenido» en color verde bosque, Tinsley forzó la cerradura con eficiencia y rapidez. Dejó que la puerta se abriera sola y prestó atención a la información que pudiera proporcionarle. Chirrió, pero solo un poco, al alcanzar un ángulo de cuarenta y cinco grados. La alarma emitió un pitido interrogante.

Tinsley pasó al interior, cerró la puerta y desactivó la alarma. El sudor se le iba enfriando en contacto con la piel y le provocó un escalofrío involuntario. Allí dentro hacía casi frío, en comparación con el calor opresivo de fuera. Fue hasta la parte posterior de la vivienda, donde la cocina y el salón se unían para formar una grandiosa estancia. Era media tarde, y el sol penetraba por los amplios ventanales. En una de las paredes colgaba un televisor de gran tamaño, de pantalla plana, que se podía ver tanto desde el sofá como desde la isleta de la cocina, coronada por una losa de granito. El televisor estaba flanqueado por unas enormes estanterías empotradas que soportaban toda una colección de libros encuadernados en tapa dura. Daba la impresión de que aquellos libros existían con el fin de contrarrestar, y en cierto modo disculpar, la vulgar presencia de la televisión. Y también daba la impresión de ser el hogar de una mujer, aunque Tinsley no supo decir por qué.

La doctora no llegaría a casa antes de las siete. Se había dado un amplio margen de tiempo para familiarizarse con el entorno: qué puertas estaban cerradas con llave y qué puertas no, cuáles chirriaban y cuáles se abrían sin hacer ruido, dónde estaban ubicados los teléfonos, si podría verlo alguien por alguna de las ventanas del piso de arriba. Fue moviéndose por la casa, en silencio, acariciando las paredes con los dedos cubiertos por los guantes de látex, como si pretendiera calibrar lo robustas que eran. Luego se sentó en el borde de la cama y se puso a pensar cómo actuaría ella. ¿Cómo lo haría una doctora respetada? «Haz que me lo crea», pensó. Estuvo así sentado durante largo rato.

Cuando terminó, estiró el edredón y regresó a la planta de abajo. Allí había un dormitorio de invitados, cuya puerta se abrió sin hacer ruido. Esperaría allí dentro. Practicó volver andando hasta el dormitorio de la doctora, fue probando las tablas del suelo hasta que identificó todas las que crujían. Una vez satisfecho, reactivó el sistema de seguridad, se metió en el dormitorio de invitados y cerró la puerta. A continuación, con mucho cuidado, vació la vejiga en el cuarto de baño; cogió un trozo de papel higiénico y limpió una gota solitaria que había quedado en el asiento. Luego se escondió debajo de la cama y despejó la mente. El suave zumbido que se oía en la casa resultaba agradable.

Esperó.

Sintió en la columna vertebral la vibración de la puerta del garaje al abrirse. Ya totalmente despierto, escuchó lo que la casa tuviera que decirle. La puerta del garaje se cerró, y la alarma volvió a sonar, pero se apagó un momento más tarde. Se oyeron unos zapatos de tacón que se dirigían hacia la entrada de la vivienda y seguidamente el timbre de la puerta. Alguien que venía con ella. Tal vez una amistad a la que había invitado. Pero ¿hombre o mujer? Era viuda, de manera que cualquiera de las dos cosas era posible. Oyó que salía a abrir y, a continuación, las voces de dos mujeres que hablaban animadamente en el vestíbulo. Risas. Pasaron por delante de la puerta del dormitorio de invitados y continuaron hacia la cocina.

Durante las horas siguientes, Tinsley escuchó a las dos mujeres cocinar y cenar. Sus voces se oían amortiguadas por música clásica, pero en ningún momento perdió detalle de sus movimientos por la casa. Analizaba y catalogaba cada sonido u olor que le llegaba. La cisterna del baño. El tintineo de cubiertos y vasos. El olor a ajo y a aceite de oliva. Fue desplazándolas por la vivienda sobre el tablero de ajedrez que se había dibujado en la mente. Por suerte para la amiga, la puerta del dormitorio de invitados no llegó a abrirse.

Él había venido solo a por una.

Ya eran más de las once cuando la doctora acompañó a su amiga hasta la puerta. Permanecieron unos instantes de pie, hablando y haciendo planes que la doctora no iba a poder cumplir. A su amiga le costaría creer que la doctora había decidido quitarse la vida después de haber pasado tan agradable velada. Pero gradualmente acabaría por convencerse de que aquella cena pretendía ser una despedida. «Pero si estaba tan alegre, tan llena de vida...». Los psiquiatras darían la explicación de que los suicidas, una vez que han tomado la decisión, es frecuente que se muestren muy alegres. Como si se hubieran quitado un peso de encima. Con el tiempo llegaría a aceptar que aquello era lo que había sucedido, aun cuando todavía albergara una pequeña duda al respecto. Oyó arrancar el motor de un coche, el cual se fue al cabo de unos instantes.

Estuvo escuchando los familiares ruiditos de alguien recogiendo los cacharros de la cena. El estrépito de cargar el lavavajillas. El grifo del agua. El cubo de la basura. Finalmente, la música se apagó. Pisadas. El sistema de seguridad al reactivarse. Por debajo de la puerta vio que se apagaban las luces y que la doctora subía la escalera que llevaba al piso de arriba. Transcurridos diez minutos, tuvo la seguridad de que la compañera de cena de la doctora no había olvidado nada y por lo tanto no iba a volver inesperadamente.

Entonces salió de debajo de la cama.

Incluso con el silenciador puesto, la Browning Buck Mark del 22 le resultaba ligera. Era un arma de pequeño calibre, pero su finalidad era más que nada la apariencia. Si de verdad la necesitara, era lo bastante eficaz en distancias cortas y prácticamente no hacía ruido. Si las cosas se torcieran de improviso, contaba con el amplio respaldo de su Sig Sauer P320.

Salió sigilosamente del dormitorio de invitados y fue detrás de la doctora. En el dormitorio estaba la luz encendida, pero la voz que se oía procedía del despacho. Estaba hablando por teléfono, al parecer con su peluquero. Se quedó en el rellano, escuchando, mientras ella dejaba un mensaje para anular la cita del día siguiente. Era un detalle minúsculo, pero de los que suelen hacer dudar a un detective escéptico. Un gesto muy considerado por su parte. Una vez que la oyó colgar el teléfono, se coló en el despacho.

Cambió de postura, para erguirse un poco más, y permitió que su voz adquiriese un ligero acento británico. Algunos americanos tenían tan arraigada en la imaginación la imagen del espía elegante, que los ayudaba a verlo a él así. Resultaba sorprendente lo mucho que se conseguía con un poco de educación.

—Buenas noches —dijo.

Aquello podía tener dos resultados.

La doctora lanzó un grito y se incorporó rápidamente. Una reacción lógica. Las paredes de la casa eran gruesas y el grito no fue lo bastante potente para llamar la atención de los vecinos, de modo que le permitió que se explayase a gusto. Levantó la pistola para que ella la viera, pero no apuntó. La doctora enmudeció de repente, se le dilataron las pupilas y se le aceleró la respiración. Su mirada se posaba alternativamente en el arma y en el rostro del intruso. De pronto entrecerró los ojos. Lo había reconocido.

—Es usted.

—Hola, doctora.

—¿Qué está haciendo en mi casa? ¿Qué es lo que quiere?

A Tinsley le gustaba aquella mujer. Era lo bastante lista para ver que estaba acorralada y que si intentaba pelear no saldría bien parada. Estaba intentando razonar con él. No iba a funcionar, pero era lo mejor que podía hacer. Si se lo permitía, la trataría con delicadeza.

—Quiero que abra la caja fuerte, doctora Furst. ¿Le importa hacerme ese favor?

—¿La caja fuerte? ¿Qué es lo que...? —No terminó la frase—. ¿Me permite hacer una llamada telefónica? Puedo aclarar todo esto.

Tinsley no contestó. No tenía ninguna respuesta que ella fuera a apreciar.

—Por favor —insistió la doctora.

Tinsley le señaló la estantería en la que se hallaba oculta la caja fuerte. Ella se puso de pie, se apoyó en el borde de la mesa para serenarse y obedeció. La caja fuerte estaba detrás de un jarrón de cerámica. Lo hizo a un lado y empezó a girar el mando de apertura de la caja con movimientos rápidos y mecánicos. A continuación, bajó la palanca y la caja se abrió con un chasquido.

—Gracias, doctora —le dijo Tinsley—. Apártese.

Lo único que había en el interior de la caja fuerte era una delgada carpeta de papel manila. Dentro había un solo folio. En el ángulo superior izquierdo figuraban las siglas «UPMC», correspondientes a la Facultad de Medicina de la Universidad de Pittsburgh. Y debajo decía: «Resultado de Análisis de ADN». Tinsley volvió a guardar el folio en la carpeta sin leer más.

—¿Esta es la única copia que existe?

—La única.

—Bien. Pasemos al dormitorio, si le parece. Tengo un mensaje que entregarle.

La doctora Furst abrió los ojos, alarmada, y Tinsley vio en qué lo había interpretado mal.

—No, no es nada de eso, doctora. No tengo intención de causarle dolor, a no ser que se ponga usted difícil. Se lo aseguro.

Aquello era verdad. Había recibido instrucciones explícitas de actuar de manera indolora. Como gesto de buena fe, bajó el arma a un costado. Ella se mostraba cautelosa, pero dispuesta a seguirle el juego. Todavía abrigaba la esperanza de que el tono de voz calmado que él empleaba fuera señal de que poseía una mente razonable y racional. Tinsley fue detrás de ella hasta el dormitorio y le dijo que se tumbase en la cama. La doctora estaba cada vez más dócil, complaciente. Él permaneció apartado, junto a la ventana. Había salido la luna.

—Me han pedido que le transmita que no hay resentimiento. Todo acabará dentro de unos pocos días.

—Yo no le habría dicho nada a nadie —repuso ella en un tono rebosante de vehemencia—. Fue tan solo un momento de debilidad.

—No, claro que no. Pero una copia de los resultados del laboratorio representa un riesgo demasiado grande. Hay demasiado en juego en noviembre. Ha hecho mal en conservarla.

—Ya lo sé. Y lo siento. Cada vez que me acuerdo de esa pobre chica, me pregunto en qué nos hemos convertido. En lo que he hecho. —Escrutó su semblante en busca de algún indicio de que él la había entendido.

Tinsley no sabía componer dicha expresión.

—Eso no es de mi incumbencia. Soy únicamente el mensajero. Pero sí que tengo una pregunta que hacerle, y espero que me responda con sinceridad.

—Por supuesto —dijo ella.

—Doctora Furst, ¿hay en esta casa alguna otra cosa de la que yo deba tener conocimiento? ¿Algo más que resulte incriminatorio?

—No, se lo juro. Solo lo que hay en la caja fuerte.

Tinsley asintió. Sabía que la doctora le estaba diciendo la verdad y se dejó llevar por la inercia de creerla.

—Gracias. Se lo agradezco.

—Entonces ¿ya hemos terminado?

—Casi. Se me ha ordenado que registre la vivienda, en cualquier caso. Pero —añadió con énfasis, para hacerle saber que iba a ser recompensada— haré todo lo posible para no trastocar nada. Ya que se ha mostrado usted tan dispuesta a cooperar.

—Gracias —contestó ella, como si le estuvieran haciendo un favor.

—Ahora voy a administrarle un sedante suave.

—Oh... —dijo la doctora, nuevamente en tono de alarma.

—No pasa nada. Como ya le he dicho, tengo que registrar la casa, y prefiero no tener que atarla. Así estará mucho más cómoda, es mejor para la circulación. Dormirá unas cuantas horas y, cuando se despierte, yo ya no estaré aquí y esta situación tan desagradable se habrá terminado.

—Está bien —aceptó la doctora, haciendo un esfuerzo para creerlo.

Tinsley abrió una pequeña bolsa de cuero y extrajo una jeringuilla y una ampolla de Luminal. No era un fármaco que él tuviera por costumbre utilizar en situaciones como aquella, pero era fácil de conseguir para la doctora. Al forense le resultaría lógico. Era un antiepiléptico, no un sedante, pero ejercía el mismo efecto, por lo menos administrado en dosis pequeñas.

—¿Cuántas copas de vino ha tomado?

—Dos.

Ajustó ligeramente la dosis y depositó la jeringuilla sobre la mesilla de noche.

—Si es tan amable —dijo.

—¿Quiere que me lo inyecte yo misma?

—Usted es médica.

La doctora Furst lo pensó un momento y después cogió la jeringuilla. Se subió la manga y buscó una vena justo un poco más abajo del pliegue del codo. Cuando terminó, volvió a dejar la jeringuilla en la mesilla de noche y miró al intruso con gesto irritado, como si le dijera: «¿Qué, ya está contento?». Había pasado de estar aterrorizada a contrariada con una velocidad asombrosa.

—Le ruego que tenga cuidado con el objeto de cristal que hay en el piso de abajo. Lo compró mi esposo en Irlanda, durante nuestra luna de miel. Me molestaría mucho que sufriera algún daño.

Tinsley le aseguró que lo trataría con el máximo cuidado.

Cuando la doctora quedó inconsciente, Tinsley sacó otra jeringuilla de la bolsita de cuero y le administró una segunda inyección. Cuarenta mililitros serían más que suficientes, teniendo en cuenta su edad y su peso. Después se sentó en un sillón que había junto a la ventana y se quedó escuchando su respiración, que fue haciéndose cada vez más lenta hasta que se interrumpió.

Dejó pasar media hora y examinó las constantes vitales. Una vez satisfecho, colocó la ampolla vacía al lado de la jeringuilla y dio un paso atrás para contemplar la escena. Faltaba algo.

Bajó al piso de abajo, fue hasta el piano y observó las fotografías enmarcadas hasta que encontró una en la que aparecía ella junto a su fallecido esposo. Ambos estaban cogidos de la mano, sentados de espaldas al mar. Se llevó la foto al dormitorio y la situó en la mesilla de noche, donde ella pudiera verla. Acto seguido salió de la habitación y cerró la puerta sin hacer ruido, como si no quisiera molestarla.

Entró en el despacho, cogió de la caja fuerte el documento que le habían ordenado recuperar y volvió a cerrarla. Estuvo dudando dónde dejar la nota y llegó a la conclusión de que el mejor sitio era el despacho. El material de papelería de la doctora era de papel grueso; puso el sobre de pie, de tal forma que la solapa hiciera de sostén y contribuyera a hacerlo destacar sobre el secante. A su lado puso el bolígrafo con el que se había escrito la nota.

De ordinario, evitaba hacer uso de cartas falsificadas, pues había demasiadas formas de cometer algún fallo. Pero le habían asegurado que aquella no la cuestionaría nadie.

Satisfecho con la escena, regresó al dormitorio, le quitó los zapatos a la doctora Furst y los puso al lado de la cama, el uno junto al otro, con las puntas hacia fuera. No supo por qué se sintió empujado a hacer aquello, pero le permitía abandonar el escenario. De algún modo, los zapatos indicaban el punto final.

Salió de la casa sin hacer ruido. Estaba empezando a llover, unos goterones gruesos que caían en la acera como si fueran cuerpos mojados que se estrellaban. Pero él apenas se percató, como no fuera para dar las gracias por que, a consecuencia de ello, la calle en la que había vivido la doctora hasta entonces aparecía desierta. Se quitó los guantes de látex y se internó en la oscuridad.

Capítulo 20

El viernes por la mañana, temprano, Jenn despertó a Gibson sin contemplaciones encendiendo las luces y batiendo palmas, como si fuera el instructor de un campamento. Gibson estaba bastante seguro de haber cerrado la puerta con llave.

—Son las cinco y veintiocho —informó Jenn.

Por lo visto, aquello era todo cuanto había venido a decir. Dejó abierta la puerta de la habitación y se fue, supuso Gibson, en busca de algún cachorrillo al que regañar. Un minuto después apareció Hendricks y le puso un café grande encima de la mesa.

—Buenos días, corazón. Comprobación de equipo dentro de sesenta segundos, y después Jenn quiere repasar otra vez el plan.

Veinte minutos más tarde, la habitación de Gibson parecía un centro de mando de renta baja. Había apoyado el colchón contra la pared y había puesto encima del somier toda una colección de ordenadores portátiles, monitores y teclados formando un semicírculo. Todo ello estaba unido mediante cables grises y negros, y las pegatinas amarillas adheridas a los monitores y a los teclados ayudaban a que todos estuvieran en orden. En un conjunto de pantallas, las cámaras instaladas por Hendricks, que mandaban información actualizada cada tres segundos, mostraban imágenes de las calles que rodeaban la biblioteca. En otra serie de pantallas, el programa que tan amablemente había instalado Margaret Miller proporcionaba abundante información acerca de los ordenadores que estaban conectados a la wi-fi de la biblioteca.

El programa de Gibson no era excesivamente complejo, pero era de una eficacia brutal, pues se aprovechaba de la wi-fi de la biblioteca para que le hiciera casi todo el trabajo.

Había una miríada de puertos por los que se llegaba a un ordenador. Todos ellos utilizaban un cortafuegos que les decía de quién podían fiarse cuando llegaba un usuario nuevo pidiendo entrar. Un cortafuegos era simplemente un portero fornido e intimidatorio que echaba para atrás a todo el que no estaba en la lista VIP. Todo bien, hasta que el propietario de la discoteca, el usuario humano, llamaba a dicho portero y, en efecto, le entregaba una tarjeta de usuario VIP. El usuario le estaba diciendo al portero que abriese el cordón de terciopelo y le dejase entrar en la discoteca sin hacerle preguntas. Aquello era lo que sucedía cada vez que el usuario abría una página web, pinchaba en el enlace de un correo electrónico o ejecutaba un programa. O se incorporaba a una red wi-fi.

Para que un usuario utilizara una wi-fi, el portero tenía que fiarse de él y abrirle un puerto. Una vez establecida la confianza, uno también se fiaba de todo aquello que enviase el usuario a través de dicho puerto. Eso era porque la red de la biblioteca contaba con su propio cortafuegos y la mayoría de los usuarios utilizaban una configuración por defecto cuando configuraban sus ordenadores, y las configuraciones por defecto, en lo que se refería a las redes wi-fi, solían ser bastante confiadas. Lo cual, por regla general, no era muy buena idea. Y desde luego especialmente en este caso, dado que el programa de Gibson ya estaba al otro lado del cortafuegos de la biblioteca.

Como resultado, Gibson, gracias a su programa, podría entrar sin que nadie le diera el alto y recopilar información de la mayor parte de los ordenadores conectados a la wi-fi de la biblioteca. Dependiendo de las configuraciones de seguridad de cada ordenador, podría recabar nombres, direcciones, contactos, números de móvil, números de tarjetas de crédito y direcciones IP salientes, y todo en cuestión de segundos.

Además, al aprovecharse de los puntos de acceso a la wi-fi repartidos por toda la biblioteca, podría más o menos triangular las ubicaciones de los usuarios. Por desgracia, no había suficientes puntos de acceso para obtener más que un tosco mapa, pero Gibson supo decir de un solo vistazo cuántos usuarios había en cada planta de la biblioteca, cuántos en el parque situado al oeste, y si había alguien en alguna de las calles adyacentes a las que llegaba la cobertura.

Cuando ya estaba levantándose para acudir a la reunión de las seis y media con Jenn, uno de sus monitores emitió una luz de alerta. Correspondía a una conexión solitaria procedente del parque. De inmediato comenzaron a desplegarse en otro monitor datos personales de dicho dispositivo: Lisa Davis... código postal 814... dirección personal... dirección del trabajo... correo electrónico... contactos... historial del buscador en la red. Sonrió y pasó a observar las cámaras del parque. Ninguna tenía enfocado un ordenador portátil; la única persona que había en el parque era una mujer embarazada que empujaba un carrito infantil.

Lo que significaba aquello, probablemente, era que el teléfono móvil de la mujer se había conectado automáticamente con la wi-fi de la biblioteca. Para salir de dudas, marcó su número y luego observó en el monitor de las cámaras cómo sacaba el móvil y, al no reconocer el número entrante, lo pasaba directamente al contestador.

Como era de esperar, un peatón ubicado en el punto más lejano de la cobertura de la wi-fi se conectó durante unos segundos y acto seguido salió de la zona de cobertura. Surgió en su mapa con un breve pitido y, con la misma rapidez, se desvaneció.

Gibson frunció el entrecejo. Los *smartphones* iban a complicar las cosas. Era un problema tan obvio que se reprendió a sí mismo por no haberlo previsto. Los tiempos habían cambiado mucho desde que lo detuvieron y necesitaba ponerse al día urgentemente. Se alegró de que no estuvieran allí ni Jenn ni Hendricks para llamarle la atención.

Estudió las opciones que tenía y después hizo varios ajustes en el programa para filtrar el tráfico de *smartphones* y desviarlo a un subdirectorio. No era un teléfono lo que perseguía, pero ya recuperaría más tarde los datos para estudiarlos. Si es que llegaba el caso. Sus dedos se movieron ligeros sobre el teclado. Escribiendo tenía una letra apenas legible; tecleando, en cambio era capaz de escribir a casi ochenta palabras por minuto: era un hombre de su época. Pulsó la tecla «Actualizar» y vio que la firma del móvil del parque desaparecía. A ver si así se despejaba un poco la cosa.

Pero solo un poco. Se hacía evidente que los habitantes de Somerset estaban deseosos de aprovechar el buen tiempo que hacía, razonablemente fresco. Después de haber pasado varias semanas por encima de los treinta grados, poder disfrutar por un día de una temperatura de veintitantos era como un regalo del cielo. Para la hora de comer, el centro urbano de Somerset apenas guardaba parecido alguno con la ciudad fantasma que lo recibió el domingo. El parque que había junto a la biblioteca se veía abarrotado de madres y niños pequeños, trabajadores en la hora del almuerzo y gente que había salido a tomar el sol. Había un grupo de colegialas de instituto que habían extendido unas esterillas y estaban tostándose en la hierba, lo cual, a su vez, atrajo a varios chicos que jugaban con los *frisbees* desnudos de cintura para arriba. En un rincón había un carrito de helados despachando sin descanso polos y cucuruchos. Conforme fue avanzando la tarde, la muchedumbre, en vez de dispersarse, se hizo más nutrida, porque la gente decidió escaquearse del trabajo y empezar el fin de semana antes de tiempo.

—¿Qué tal vamos? —preguntó la voz de Jenn a través del auricular.

Gibson posó la mirada en la pantalla enfocada hacia el parque. Jenn estaba sentada sola en un banco desde el que tenía una buena panorámica de la zona. En la foto del trabajo iba trajeada y bien peinada; hoy iba vestida como para hacer gimnasia: el pelo recogido en una cola de caballo, gorra de béisbol y gafas de sol supergrandes que le tapaban la cara. De vez en cuando bebía de una botella de agua como si estuviera tomándose un descanso después de correr. Teniendo en cuenta los trajes a medida con que él estaba acostumbrado a verla, la había tomado por una de esas mujeres obsesionadas por el ejercicio físico cuyo objetivo en la vida es tener unos brazos como espaguetis y vestir una talla treinta y cuatro. Pero la camiseta ceñida y el pantalón corto le hicieron darse cuenta de lo equivocado que estaba. Jenn era un atleta, y además una que estaba muy en forma. Pero sabía que aquella excelente forma física tenía una finalidad práctica: sus hombros y sus muslos, tan esculpidos, indicaban una fuerza contenida y letal.

—De maravilla —contestó.

Jenn se volvió hacia la cámara, pero Gibson, entre las gafas de sol y la gorra de los Steelers, no pudo ver qué cara ponía.

—Más vale que hable del tiempo que hace —comentó ella.

—¿De qué, si no?

—Ya. Hendricks, ¿cuál es la situación?

Hendricks estaba apostado en el interior del Cherokee, a una manzana de la biblioteca, en un punto desde el que podía ver la calle que discurría enfrente, en ambos sentidos.

—He visto algunos peatones entrando en la biblioteca y en el parque, pero no muchos saliendo. Cuento cinco, acaso seis, que coinciden con nuestro perfil y que están dentro del edificio. Y hay otros siete que no encajan en los parámetros de nuestro hombre.

—Yo tengo a seis en el parque. Gibson, ¿nos falta alguien?

—No, eso coincide con lo que estoy viendo yo también. El volumen de datos procesados es estable, y no veo nada que parezca furtivo dentro del perímetro.

—¿Y en Abe Consulting está todo tranquilo?

Demasiado tranquilo, por desgracia. En la pantalla que mostraba el tráfico que entraba y salía de la red de Abe Consulting no aparecía nada fuera de lo normal. Y, por más que él lo mirase con gesto hosco, el monitor parecía estar firmemente empeñado en no mostrar nada fuera de lo normal. Empezó a preocuparlo que tal vez hubieran dejado ver sus cartas sin saberlo.

¿Estarían esperando a un individuo que no iba a dar nunca la cara y que ya se encontraba a miles de kilómetros de allí, huyendo a toda velocidad? ¿Y qué pasaría si el susodicho simplemente se había tomado una semana de vacaciones? Gibson intentó imaginarse esperando hasta el viernes siguiente para averiguarlo. Y luego hasta el otro viernes, y luego hasta el otro. Todos los días sentía cómo le pesaba el recuerdo de Suzanne, y estaba empezando a agotarlo. Hendricks había mencionado que su operación de vigilancia más larga había sido de siete semanas; rezó para que la suya no durase tanto.

—Gibson, ¿todo tranquilo en Abe Consulting? —le preguntó Jenn de nuevo.

—Hasta ahora, nada —respondió.

—Muy bien, pues ahora le toca a él mover ficha.

Aunque estaban concentrándose en hombres que encajaran con el perfil trazado por el FBI, las cámaras capturaban imágenes de todas las personas, hombres y mujeres, que se acercaban a menos de cien metros de la biblioteca. Jenn le había explicado la manera de proceder durante la reunión que habían tenido aquella mañana. Se notaba que le gustaba dar instrucciones.

—Con toda probabilidad, el perfil es correcto. Un perfil no es una corazonada, sino una estadística, y los números dicen que el que secuestró a Suzanne era probablemente un varón de raza blanca que actualmente tendrá entre cuarenta y cincuenta y tantos años.

—Pero... —la interrumpió él, notando que venía una pega.

—Pero siempre hay casos que se salen del perfil. Tal vez fuera una mujer que pretendía reemplazar a un hijo que había perdido, o alguien más joven o más viejo de lo que solemos ver en casos como estos. Una persona de color buscando a alguien que no perteneciera a su grupo étnico. Un terrorista o algún otro secuestrador con motivos políticos. Lo cierto es que el FBI no tenía forma de eliminar ninguna de esas posibilidades, y nosotros tampoco.

—¿De modo que apostamos por lo que es más probable, pero cubriendo nuestras bases?

—Apostamos por lo que es más probable. Y cubrimos nuestras bases.

Pasó las horas centrales de la tarde en la habitación del motel, repasando las imágenes captadas por las cámaras en busca de fotogramas en los que se vieran claramente los rostros, compilándolos como fotos fijas y comparándolos, cuando procedía, con la información personal recabada de los ordenadores conectados a la wi-fi. Cada hora enviaba fotos y datos personales totalmente nuevos a Abe Consulting... pero no de forma directa.

Temiendo que WR8TH pudiera comprometer los servidores de Abe Consulting, Gibson y Mike Rilling habían configurado varios servidores independientes para que recibieran todas las comunicaciones y datos relativos al caso. Rilling estaba pasando las fotografías de los rostros por un software de reconocimiento facial vinculado a bases de datos estatales y federales. Lo que hacía, esencialmente, era asociar una cara y un nombre, y abrigar la esperanza de tener mucha suerte con una ficha de antecedentes penales. Algo así constituiría un verdadero éxito para el Registro Nacional de Delincuentes Sexuales.

Gibson tenía la televisión con el volumen quitado, para que le hiciera compañía, y, cuando ya llevaba viendo tres veces los mismos comentarios en el canal SportsCenter, cambió al informativo. La campaña de Benjamin Lombard continuaba plantando batalla a la de la gobernadora Fleming. Lombard había contratado a un nuevo director de campaña y le había ido sorprendentemente bien en California, el estado natal de Fleming. Los comentaristas hablaban de los pros y los contras de su nueva estrategia, más agresiva. El vicepresidente se encontraba en medio de una gira por Nueva Inglaterra, y aquella mañana pronunciaba un discurso en Boston. Se esperaba que la afluencia fuera masiva.

Gibson se preguntó qué sucedería si efectivamente encontrasen a Suzanne. ¿Qué empujón supondría ello para la campaña de Lombard? Al público americano le gustaban mucho los culebrones, y ver cómo se reunía de nuevo una familia sería demasiado como para resistirse. ¿Subiría a Lombard a lo más alto? No estaba seguro de poder soportar la ironía de haberse convertido en el salvador de Benjamin Lombard.

—Necesito un café —murmuró Hendricks con gesto de mal humor—. Que nadie me hable, a no ser que aparezca alguien con una camiseta que diga «Yo rapté a Suzanne Lombard», ¿de acuerdo?

Cinco minutos más tarde sucedió lo mejor, en forma de un individuo alto y desgarbado que caminaba inclinado hacia delante y tenía una piel que parecía estar hecha con la cera de una vela. El Hombre de Cera se sentó ante una mesa de trabajo, se quitó la mochila y la puso encima de la mesa. Acto seguido, empezó a mirar fijamente a los niños que jugaban junto a la fuente, como un turista que escoge una langosta en un restaurante. Decididamente, había algo en él que no daba buena espina.

—¿Está viendo a ese tipo? —preguntó Gibson.

—Sí, acabo de fijarme en él. Ya desde lejos me está poniendo los pelos de punta. ¿Tiene algún portátil? —preguntó Jenn.

—Negativo. Simplemente está ahí sentado, como si estuviera posando.

Como si le hubieran dado el pie, el Hombre de Cera abrió la mochila y sacó un ordenador portátil de un reluciente color plata.

—Por lo visto atiende peticiones —informó Gibson—. Un portátil por petición popular. A ver si conoce algo de Radiohead.

El Hombre de Cera empezó a teclear, y Gibson vio aparecer en la pantalla que un dispositivo se conectaba a la wi-fi. En cuestión de unos momentos, su programa empezó a obtener información pertinente del registro del sistema de aquel portátil.

—¿Qué es lo que tiene, Vaughn? —preguntó Jenn.

—Se llama James MacArthur Bradley. Y tengo su dirección postal y su teléfono móvil.

—Bien. Envíelos junto con su foto a Washington. Veamos si el señor Bradley posee antecedentes penales.

Estuvieron observando a Bradley durante diez minutos, en tensión, instándolo en silencio a que hiciera algo. Periódicamente, el Hombre de Cera dejaba de teclear, miraba por encima de la tapa de su portátil hacia los niños que jugaban en la hierba y se pasaba la lengua por los labios.

—¿Qué está haciendo? —preguntó Hendricks.

—¿Además de ponerme a mí la carne de gallina? No gran cosa —contestó Jenn.

—Completamente de acuerdo.

—Sí, en fin, que nos ponga la carne de gallina es algo totalmente teórico si de hecho no accede a Abe Consulting —comentó Hendricks.

—Ya me gustaría tener alguna buena noticia, pero aquí no ocurre nada —dijo Gibson.

De improviso, el Hombre de Cera cerró el portátil, lo guardó en la mochila y echó a andar a paso vivo hacia la calle.

—¿Adónde demonios va? —preguntó Jenn.

—¿Lo hemos espantado?

—No creo —dijo Jenn—. Hendricks, va a doblar la esquina en dirección a ti dentro de tres, dos, uno…

Hendricks afirmó con un gruñido.

—Lo tengo. Ah, sí, ya veo a qué os referíais. Ese tipo no está bien. Está subiéndose a un Ford último modelo. Ha arrancado. Y… acaba de marcharse.

—Maldita sea —dijo Jenn.

—Bueno, tengo el coche y la matrícula —dijo Hendricks—. Pero si ese era nuestro hombre, yo diría que acaba de descubrirnos.

—¿Y si no lo es? —preguntó Gibson.

—En ese caso, será que tenía que irse a alguna parte.

—¿Vamos tras él?

—No —dijo Jenn, tajante—. Ya no podemos hacer nada al respecto. Mantendremos la vigilancia y supondremos que no era nuestro hombre. Tenemos datos suficientes paras seguirlo más tarde, si es necesario.

Y dicho esto, los tres pasaron a una fase de espera muy avanzada y profesional, conocida dentro del gremio como profundo aburrimiento. Para las cuatro, el parque seguía estando de lo más concurrido, pero bastante estático. Llevaban treinta minutos sin que entrara ni saliera nadie nuevo utilizando un dispositivo con wi-fi. Gibson estaba siguiendo los movimientos de catorce usuarios conectados a la wi-fi de la biblioteca, nueve fuera y cinco dentro. Fuera tenía a cuatro con tabletas o lectores digitales: dos mujeres de raza blanca, un varón también blanco de veintitantos años y un afroamericano de pelo canoso que debía de tener por lo menos ochenta. Los otros cinco, de diferentes razas y sexos, estaban con portátiles, y entre ellos había tres que ofrecían especial interés.

El primero era un varón de raza blanca, achaparrado y corpulento, como de treinta y muchos años. El registro de su ordenador decía que se llamaba Kirby Tate. Su anodino rostro estaba totalmente en desproporción con el volumen de los hombros y el pecho, y daba la impresión de ser un montaje de Photosop de la cara de un niño pegada al cuerpo de un hombre. El resultado no era favorecedor, pero a él parecía gustarle el efecto, porque llevaba un pantalón corto color caqui y una camiseta sin mangas varias tallas más pequeña. Gibson ya conocía a los tipos como aquel —había prestado servicio junto a ellos—, eran tipos que se pondrían una camiseta sin mangas hasta durante una ventisca.

Tate estaba sentado ante una mesa de picnic, cerca de la fuente, y repartía el tiempo entre mirar fijamente a su ordenador y mirar fijamente a las chicas tumbadas en las esterillas. Las gafas de sol que llevaba no lograban ocultar la admiración con que seguía los movimientos de las jóvenes.

El segundo era un varón hispano de cuarenta y tantos, Daniel Espinosa. Calvicie incipiente, pelo gris en las sienes, edad adecuada; pese a ello, los pedófilos tendían a salir de caza dentro de su mismo grupo étnico. Eso no lo descartaba, pero tampoco lo situaba en el primer puesto de la lista. Tenía una expresión abierta y afable, y estaba charlando con una pareja que compartía la misma mesa.

El tercero era Lawrence Kenney. Tendría cincuenta y pocos años, y parecía que había comprado el pantalón planchado, el chaleco de punto y los cuatro pelos peinados de lado con los que sin empacho alguno pretendía disimular la calva en la misma tienda para clientes que aún se encuentran en la fase anal. Tecleando sin parar en su portátil, parecía el típico contable amanerado; sin embargo, Gibson, aunque no sabría decir por qué se ponía nervioso al verlo. Quizá fuera la manera en que, aun estando rodeado de gente, se notaba palpablemente que no encajaba con nadie. Cuando una mujer que empujaba un carrito pasó por delante de él, se puso en tensión. La siguió con la mirada, fija en su espalda como un taladro, hasta el punto de que a Gibson se le erizó el vello de los brazos. ¿En Pensilvania se consideraría una prueba suficiente la carne de gallina?

Esperaba que Rilling consiguiera asociar caras y nombres y llevar a cabo una comprobación de todos ellos. Hasta entonces, tendrían que basarse en el anticuado trabajo policial y en la intuición.

Jenn y Hendricks se pusieron a debatir sobre los individuos y a diseccionarlos. Escuchándolos, a Gibson le quedaron claras dos cosas. Una: que sabían de lo que estaban hablando. Dos: que él no lo sabía, y la conversación no tardó en eclipsar su capacidad para seguirla. Los conocimientos que poseía él sobre asesinos en serie procedían mayormente de la película *El silencio de los corderos* y de las novelas de Patricia Cornwell. De lo que sabía él era de ordenadores y de las personas que los utilizaban. Le gustaría saber si las mismas técnicas que se usaban para trazar perfiles de asesinos y violadores podían aplicarse a los háckers. Si extrapolase esas técnicas partiendo de la firma del háckerde Abe Consulting, ¿a qué individuo conduciría?

Supuso que, si tuviera que apostar por alguien, sería el contable. La codificación del virus era limpia, precisa, y requería prestar atención a los detalles. Según el atuendo por lo menos, el contable era quien más se ajustaba al perfil. Sin embargo, aquello estaba tomado por los pelos. Él conocía muchísimos programadores que eran unos verdaderos guarros. Llegó a la conclusión que estaba fuera de su elemento, descartó aquella teoría y volvió a la tarea de examinar el lote de fotografías de carné de conducir que le había enviado Mike Rilling desde Washington. Pasó la hora siguiente localizando sus ubicaciones lo mejor que pudo.

A las cinco menos cuarto, Gibson no estaba dormido, pero tampoco estaba del todo despierto. Se había sentado en el suelo con las piernas cruzadas, con la barbilla apoyada en las manos y la mirada fija en el monitor que mostraba los datos del servidor de Abe Consulting. Se sentía igual que si estuviera esperando un vuelo perpetuamente retrasado. Por ese motivo, reaccionó con lentitud cuando su móvil comenzó a vibrar en el suelo, entre sus rodillas. A la tercera sacudida, bajó la vista hacia él, vio el mensaje de texto y de inmediato volvió a concentrarse en el monitor. Inundado por la adrenalina. Había aparecido una barra de color rojo con un mensaje de alerta. El virus inoculado en los servidores de Abe Consulting estaba recibiendo instrucciones nuevas.

—¿Alguno de vosotros acaba de recibir un mensaje de texto? —preguntó Hendricks.

—Sí, yo. —respondió Jenn—. Gibson, ¿qué está pasando? —Su tono de voz contenía cierta urgencia: emoción mezclada con un ansia depredadora.

—Que el virus está activo. WR8TH le está hablando.

—¿Desde la biblioteca? —preguntó Jenn.

—Un momento —pidió Gibson, al tiempo que escrutaba la lista de dispositivos que enviaban información desde la biblioteca. «Vamos, pequeño.» Pasó un dedo por la pantalla... y allí estaba. Grande, precioso y culpable. En la wi-fi de la biblioteca había alguien que estaba comunicándose con el servidor del anuncio corrupto que servía como anónimo punto de relevo del virus. Era una coincidencia imposible y solo podía significar una cosa.

—Ese hijo de puta está aquí —anunció. Lo dijo más bien para sí mismo, pero, como había dejado abierta la comunicación, la respuesta le llegó de inmediato.

—¿Dónde? —preguntó Jenn.

—Fuera. En el parque.

Observó las imágenes del vídeo que correspondían al parque. Su hombre estaba allí. El individuo que había secuestrado a Suzanne, y su posible asesino, se hallaba allí sentado, a plena vista de todo el mundo, tomando el sol.

—¿Quién es? —quiso saber Jenn.

Gibson emparejó la dirección IP con un dispositivo y fue leyendo sus apuntes hasta que dio con la foto del carné de conducir. A continuación, volvió al monitor y descubrió de quién se trataba.

—Ya te tengo —dijo con una sonrisa.

Capítulo 21

Tinsley estaba sentado en una caja de madera que utilizaba a modo de banqueta improvisada. Llevaba allí desde antes del amanecer, y había contemplado cómo iba elevándose el sol por encima de la biblioteca. Estaba esperando a que sucediera... o a que no. Le resultaba indiferente.

Aquella misma semana había descubierto una oficina pequeña y desocupada en la que esconderse. Desde la ventana del segundo piso, donde estaba sentado, disfrutaba de una panorámica sin obstáculos de la biblioteca y del parque adyacente. A aquella hora, tanto la una como el otro se encontraban desiertos, pero él necesitaba tiempo para que el vacío le saturase las retinas y le grabara aquel paisaje en el cerebro. Más tarde, cuando estuviera abarrotado de gente, cada objeto destacaría con gran claridad, igual que un arañazo en un original inmaculado.

El agente inmobiliario que le había enseñado la propiedad se había quejado de que él era la primera persona que se interesaba por ella en más de un mes. Se lo tomó como un buen presagio y aquella misma noche allanó el lugar. Lo estaba utilizando como base de operaciones, pero no había ningún rastro ni indicio de que allí hubiera habido alguien. Deseaba marcharse de aquel pueblo sin dejar la menor huella de su presencia. Esta vez no tenía intención de matar al agente inmobiliario, pero aun así se había quedado con su tarjeta de visita, por si se torcieran las cosas.

Parpadeó y recibió el saludo del sol del mediodía.

Parpadeó y vio cómo se ponía el sol por el horizonte.

Su carísimo reloj le dijo que llevaba doce horas sentado ante aquella ventana. Sus ojos continuaban atentos a los borrosos movimientos de las formas que pululaban por el parque. No había cambiado nada que fuera importante. La mujer seguía sentada en el banco. El hombre pequeñajo e irritable seguía dentro de su coche. Al tercero no lo veía, pero confiaba en que hubiera regresado al motel. Lo más probable era que estuviera tecleando sin parar en uno de sus queridos ordenadores. Clic, clic, clic.

Era una situación un tanto irónica: los cazadores no sabían que estaban siendo cazados. Ni que morirían si dieran alcance a su presa. No le causó la menor impresión, pero se paró a pensar: ¿se daría cuenta él si alguien lo estuviera persiguiendo? ¿No sería una arrogancia suponer que él era el único que llevaba ventaja? Aquella idea lo hizo sonreír. Sería un juego de lo más intrincado, desde luego. Enviar a un asesino a atrapar a otro asesino, atar todos los cabos sueltos. Dudoso, pero dentro de lo posible. Decidió recalibrar sus sentidos, a fin de estar alerta ante aquella posible traición.

En cierto modo lo anhelaba. Aquel trabajo estaba resultando ser bastante trivial y la perspectiva de matar a aquellas personas no le hacía ninguna ilusión. Hendricks no iba a ser nada. Jenn Charles precisaría un poco más de atención, pero nada más. Y con Gibson Vaughn tenía historia, pero ni siquiera eso le emocionaba demasiado.

A aquellas alturas, ya no parecía una perspectiva probable. El viernes era supuestamente un día crucial para ellos y, hasta el momento, continuaban con las manos vacías. Debería orinar y comer algo. No sentía necesidad de hacer ninguna de las dos cosas, pero confiaba en que el reloj le dijera cuándo era la hora.

De repente le vibró el teléfono móvil. Leyó el mensaje de texto con fría curiosidad. Estaba ocurriendo. Volvió la vista hacia el parque. La mujer había desaparecido del banco. Su cerebro la localizó yendo hacia la fuente. Eludió el grupo principal de gente apiñada en las mesas cercanas a la biblioteca y se detuvo para llenar su botella de agua. En el coche se apreciaba todavía la silueta del pequeñajo malhumorado, pero ahora estaba hablando animadamente por un móvil.

Sentía curiosidad por ver la cara de la otra persona que le habían ordenado asesinar, la que llevaba tantos años esquivándolo. Después de todo, esa persona era su principal objetivo, el antiguo asunto pendiente que lo había hecho volver allí. O diez años atrás se había equivocado y había matado a otro, o existía un cómplice que había sido pasado por alto. El tiempo, como siempre, le había dado a aquel hombre la suficiente falsa seguridad en sí mismo para reaparecer. Él no tardaría en encargarse de restaurar el equilibrio.

Los otros serían simplemente daños colaterales.

En aquellos momentos estaban jugando con él. Se daba perfecta cuenta. Lombard consultó el reloj con un brusco giro de la muñeca. Las seis y cuarenta y siete de la tarde. Llevaba casi siete horas de brazos cruzados, en la oficina ceremonial situada junto al Senado.

Y todo por un proyecto de ley sobre inmigración que llevaba languideciendo en el Senado desde principios de primavera. Ahora, milagrosamente, unos días antes de las cruciales primarias de California, el Senado había llevado dicho proyecto de ley a votación para que fuera aprobado o rechazado.

El jefe del grupo parlamentario de la mayoría, previendo un empate, había informado a Lombard de que, como vicepresidente, debía estar en Washington para que aquello saliera del punto muerto.

El líder de la mayoría le había asegurado que la votación sería lo primero, así que lo primero que hizo él también fue tomar un avión, y llegó al Capitolio a las once y media para votar a las doce. Con el cambio de hora, a primera hora de la tarde habría estado ya de vuelta en Dallas para varios actos de campaña. Sin embargo, se produjo un contratiempo inesperado, una enmienda adicional y una votación de clausura fallida. Cada una colocada exactamente cuando la votación del texto definitivo del proyecto de ley parecía ya inminente. Ahora, lo que le preocupaba era que se aplazase la votación hasta el día siguiente, con lo cual no estaría en Dallas hasta el sábado por la tarde como muy pronto.

Aquello no era ni casual ni accidental. Resultaba evidente. Lombard sabía por experiencia cómo se jugaba en el Senado y no le costó imaginarse al líder de la minoría riéndose de él desde su despacho. «Pues disfrútalo mientras puedas», pensó Lombard. La agenda no oficial de su primer mandato había sido modificada en las últimas horas para incluir que aquel capullo perdiera su puesto.

Volvió a consultar el reloj. Aunque no pensaba reconocerlo ante nadie, la campaña estaba en buenas manos y podía continuar sin él durante un día. Fleming estaba contra las cuerdas y, si los datos de las encuestas merecían lo que había pagado por ellos, la nominación sería suya en la siguiente semana.

No, lo que le estaba provocando acidez de estómago era el incidente que estaba teniendo lugar en Pensilvania. Una hora antes había recibido un críptico mensaje de Eskridge que indicaba que era posible que Gibson Vaughn hubiera encontrado por fin al individuo que había secuestrado a su hija. Era algo incomprensible y normalmente era capaz de separar una cosa de otra en su cerebro, pero no había podido concentrarse en nada más. Quería saber qué estaba pasando, y quería saberlo ya.

Y, en cambio, estaba allí atrapado, rodeado de personas de las que no se fiaba del todo y sin poder hacer una llamada para que lo pusieran al tanto. Por primera vez en ocho años, ser el vicepresidente de los Estados Unidos estaba resultando ser una maldita molestia; tenía todo el poder del mundo, pero no podía influir en la búsqueda de su propia hija. Miró el reloj y le dio cuerda, por si acaso.

—¿Señor vicepresidente? —lo solicitó un joven ayudante que había aparecido en la puerta.

—¿Sí? ¿Están ya listos, por fin?

El ayudante bajó la vista con gesto contrito.

—¿Qué ocurre ahora? —se impacientó Lombard.

—Otra enmienda, señor.

Notó cómo le aumentaba la tensión.

—¿Cuánto tiempo?

—Noventa minutos... puede que dos horas.

Lombard consultó el reloj. Se acabó lo de llegar a Dallas a tiempo para el discurso. Necesitaba hablar con Reed y empezar a hacer los preparativos para el sábado.

—Cierre la puerta.

El ayudante se retiró, agradecido, hacia el pasillo. Lombard se sentó a su escritorio y tomó el teléfono, pero al instante volvió a dejarlo en su horquilla y se quedó largo rato contemplándolo con gesto sombrío.

Capítulo 22

Gibson detuvo el Taurus a un lado de la carretera. El tráfico pasaba raudo por su lado, lo bastante cerca como para zarandear el coche. Se quedó allí sentado, con las manos en el volante, escuchando el ralentí del motor. Se encontraba a cincuenta kilómetros de Somerset hacia el sur. Aquello tenía que ser suficiente. ¿Lo habrían seguido? Miró de nuevo por el espejo retrovisor. Nada. Pero no experimentó ningún alivio: no vería a Hendricks hasta que Hendricks quisiera que lo viera.

Habían sido treinta y seis horas durante las que no había sucedido nada. WR8TH había resultado ser Kirby Tate, el aspirante a culturista. Su programa había funcionado a la perfección y había trazado una línea recta entre el servidor del anuncio corrupto y el ordenador de Tate. Mientras Rilling buscaba el nombre de Kirby Tate en las bases de datos estatales y federales, Hendricks y Jenn lo siguieron hasta su domicilio. A la mañana siguiente, estaban seguros al noventa por ciento de que habían capturado al culpable y para el sábado por la tarde, cuando Rilling les envió el expediente de Tate, quedaron convencidos. George llamó a los contactos que tenía en el FBI para presentar su caso contra Kirby Tate.

—Nuestro hombre tiene antecedentes penales —dijo Hendricks—. Cumplió cinco años y medio de condena en Frackville por detención ilegal. Debió de ser allí donde se puso cachas, porque en la foto de la ficha policial parece un tipo de lo más enclenque.

—¿Qué fue lo que hizo? —preguntó Gibson.

—Lo pillaron con Trish Casper, una niña de once años, en el coche; eso fue lo que hizo.

—Es un delincuente sexual fichado —agregó Jenn.

—Desde luego. El hermano pequeño de la niña identificó el automóvil saliendo de un supermercado y la madre llamó a la policía. Cuando la policía detuvo a Tate, la niña estaba encerrada en el maletero. Semidesnuda.

—Salió de la cárcel un año y medio antes de la desaparición de Suzanne.

—Lo triste es que ese monstruo debería haber sido condenado por el secuestro de una menor —dijo Jenn.

—Constituye un delito grave de primer grado —terció Hendricks.

—Deberían haberle caído veinte años de cárcel.

—Pero la policía local se entusiasmó demasiado durante la detención y lo golpeó mientras lo tenía esposado —dijo Hendricks.

—Le rompieron un brazo y le dislocaron el hombro. Su abogado llegó a un acuerdo y consiguió que el caso fuera declarado detención ilegal.

—Un delito grave de segundo grado —aclaró Hendricks.

—Con lo cual, pudo salir de prisión a tiempo para secuestrar a Suzanne —dijo Gibson viendo que todo encajaba de forma trágica.

—Ya lo hemos capturado —concluyó Jenn.

El sábado por la noche, mientras Hendricks permanecía en el domicilio de Tate, Jenn y Gibson se fueron hasta el Summit Diner. Un par de héroes conquistadores. Jenn se había soltado el último botón de su personalidad, y estuvieron riendo como si fueran viejos amigos y contando anécdotas acerca de aquella última semana como si hubiera transcurrido una eternidad. Gibson se sintió parte del equipo por primera vez, y brindaron con vasos de batido. Jenn estuvo cercana y le brindó elogios, y le dijo que jamás habrían podido conseguirlo sin su ayuda. Incluso lo llamó George Abe personalmente para darle las gracias. Fue una sensación maravillosa, maravillosa de verdad, formar parte de algo importante.

Después de pagar la cuenta, Jenn dejó caer la bomba: Abe quería que regresara a Washington.

—Tienes que comprender que tu presencia pondrá en peligro nuestra credibilidad. Los del FBI ya van a irritarse cuando se enteren de que no hemos dejado esta operación directamente en sus manos, y tener aquí a alguien como tú no hará más que enturbiar las aguas todavía más.

—Alguien como yo.

—Alguien con tu historial. El FBI no va a entender lo importante que es Suzanne para ti. Lo único que verán será tu historia con Lombard.

Gibson no se lo creyó. Prometió no inmiscuirse. Habría prometido cualquier cosa. Ya estaban muy cerca, no podía marcharse a casa sin más.

—Aquí has conseguido un gran éxito —le dijo Jenn—. Estamos en deuda contigo, pero tienes que dejar que nosotros tomemos las riendas a partir de ahora. Quieres que atrapemos a ese tipo, ¿no?

Estaban en el aparcamiento de la cafetería, discutiendo sobre el tema, cada vez con más vehemencia y empleando un tono de voz más alto hasta que salió el dueño a decirles que se callaran. De modo que reanudaron la discusión en la habitación de Jenn, repitiendo una y otra vez los mismos argumentos, ya rancios. Finamente, los dos, cansados, guardaron silencio.

—Por el amor de Dios, déjalo ya —le dijo Jenn por fin—. Lo has hecho muy bien. Por una vez en tu vida, reconoce que llevas ventaja y déjalo estar.

Era un buen consejo, aunque escocía. Aunque no tuviera la intención de seguirlo. Si tenía que ver con Osita, pensaba llegar hasta el final, aunque tuviera que hacerlo solo. Que se quedaran con el dinero.

Ya se había percatado a mitad de aquella discusión de que ningún argumento serviría para convencer a Jenn, pero continuó discutiendo para salvar las apariencias. Llegado el momento apropiado, se fue hecho una furia y volvió a su habitación para hacer el equipaje. Al día siguiente Jenn intentó hacer las paces, pero él respondió con gesto hosco y encogiéndose de hombros. Ella no se habría creído ninguna otra reacción y él necesitaba que creyera que se marchaba a su casa.

Miró una vez más por el espejo retrovisor. ¿Habría logrado engañarlos? En tal caso, la culpa había sido de ellos, por haber creído que unas cuantas palabras amables iban a convencerlo de que abandonase el asunto. Torció el volante, hizo un giro de 180 grados y de nuevo puso rumbo a Somerset.

Rumbo a Osita.

Hendricks llevaba razón. La esperanza era un cáncer.

Gibson observó a Hendricks cargar todo el equipo en el maletero de atrás del Cherokee. Acto seguido, el expolicía cerró el portón y prendió un cigarrillo. Al cabo de un minuto Jenn salió de la oficina del gerente del motel, le hizo una seña a Hendricks para que se pusiera en marcha y se sentó en el asiento del pasajero. Hendricks aplastó el cigarrillo a medio fumar y se puso al volante.

El Cherokee se incorporó al tráfico y, cuando pasó por su lado en dirección a la salida del pueblo, Gibson se escondió tras el volante. Había aparcado un par de manzanas más allá y los estaba observando con unos prismáticos que había encontrado en la guantera. Todavía se sentía demasiado desprotegido. Ellos conocían el coche y a Hendricks no se le escapaban muchas cosas, así que casi esperaba que se detuvieran y lo sacaran a rastras de allí. Sin embargo, Hendricks y Jenn pasaron por su lado sin siquiera volver la vista hacia él. Le entraron ganas de seguirlos, pero no tenía ni idea de cómo seguir a un coche. Hendricks lo descubriría antes de que hubiera recorrido un kilómetro.

Volvió a sentarse, con la sensación de que era idiota. Pero ¿de verdad lo estaba siendo? Había algo que no le encajaba. Supuestamente, Jenn y Hendricks no iban a mover un dedo hasta que llegara Abe, para poder coordinar la operación con los federales. Entonces, ¿adónde iban con tanta prisa?

Pero ni siquiera era eso. Era más el modo en que se comportaba Hendricks. No era exactamente que tuviera prisa, pero se movía con decisión. Era su manera de caminar, ahorrando energía, entre la habitación y el coche. No a contrarreloj, pero tampoco perdiendo el tiempo. Su actitud le recordó a los marines cuando hacían los preparativos para un despliegue inminente: cómo examinaban una y otra vez el equipo, cómo hacían inventario mentalmente. Era aquella intensidad latente que se adueñaba de las personas antes de lanzarse a algo de envergadura.

¿Adónde iban, pues? ¿Cuánto tiempo hacía que se había marchado él, una hora y media como mucho? Y en aquel rato Jenn y Hendricks habían recogido todo el campamento. Sus planes no habían cambiado desde que se fue; no, aquel había sido el plan desde el principio. No le cupo la menor duda.

Ahora comprendía lo de la noche anterior. Aquella camaradería en la cena. Jenn había montado un teatro. Había intentado doblegarlo, apelando a su inseguridad y a su vanidad. Lo había llevado a cenar, lo había tomado de la mano y le había susurrado trivialidades al oído. Todo para convencerlo de que se fuera pacíficamente a Washington.

¿Cuál era la primera norma para conseguir que una persona acepte lo que se le propone? Averiguar qué es lo que necesita y darle a probar un aperitivo. No lo suficiente para que se sacie, pero sí lo bastante como para abrirle el apetito. De ese modo, necesitará más. Bien, ¿y qué era lo que necesitaba él? ¿Respeto? ¿Agradecimiento? ¿Realización personal? ¿Y no era eso acaso lo que le había dado Jenn la noche anterior, durante la cena? Le estuvo sacando brillo a su ego hasta que lo dejó reluciente. Se apoyó en la lealtad que sentía él hacia Suzanne y se valió de eso para controlarlo. Gibson observó el sobre de papel manila que descansaba sobre el asiento del pasajero. Dentro había diez mil dólares, en metálico. Una gratificación de Abe Consulting Group por su «extraordinaria» labor. Ciertamente, aquello lo había ayudado mucho a tragarse la medicina.

Si aquel había sido el plan desde el principio, mandarlo a casa después de que hubieran encontrado a WR8TH, la siguiente pregunta que había que hacerse era por qué. ¿Qué era lo que le había dicho George Abe el día en que ambos se encontraron, cuando le confesó que le gustaría tener una conversación muy seria con el individuo que había secuestrado a Suzanne? Fue algo acerca de dejar las sobras al FBI. Bien, ¿no tendría lógica que para eso quisieran dejarlo a él bien apartado del caso? ¿Les importaba siquiera encontrar a Suzanne? Y si eso no les importaba, ¿qué era lo que buscaban entonces?

La verdadera pregunta era qué iba a hacer él al respecto. Pero lo primero era lo primero. Fue hasta una oficina de UPS, se metió un fajo de mil dólares en el bolsillo del pantalón y puso el resto del dinero en el correo. Se lo envió a Nicole, con una nota. Si aquello salía mal, por lo menos el dinero lo tendría ella. Después, salió de nuevo al sol y jugueteó con las llaves del coche.

«Que empiece el juego.»

Tal vez no fuera capaz de seguir a Hendricks, pero la verdad era que no le hacía falta. Aquella vez que Hendricks se olvidó el móvil encima del capó del coche, él se lo tomó como una invitación para hacer unas cuantas actualizaciones. Los datos personales de Hendricks estaban todos encriptados, naturalmente, de modo que no resultaba fácil acceder a ellos. Pero como él no quería ni necesitaba acceder a dichos datos, bastó simplemente con eliminarlos temporalmente del teléfono, hacer un *jailbreak,* instalar un programa suyo y volver a cargar los datos encriptados.

Activó dicha aplicación utilizando ahora su propio móvil y esperó a que accediera a la función de GPS del teléfono de Hendricks. Cuando terminó de cargarse, apareció un punto rojo en el mapa que, partiendo del punto verde que representaba la ubicación de Vaughn, iba moviéndose poco a poco en dirección norte. Lo siguió hasta que dejó de moverse. Amplió el mapa con los dedos, encontró una dirección y ejecutó una búsqueda de la misma.

Era la dirección de unos trasteros de alquiler.

Situado a veinte minutos en coche desde Somerset, Grafton Storage se encontraba en una triste carretera de doble sentido limitada por un terraplén a ambos lados y un parque nacional. Apareció a su derecha, y era la primera estructura que veía en varios kilómetros. Aminoró la marcha para verla mejor.

La finca ocupaba casi una hectárea y era bastante simple: una tapia de ladrillos, alta y coronada por un alambre, que circundaba la propiedad; una verja automática con una pequeña oficina; y varias hileras de trasteros de una sola planta, todos idénticos y cerrados con una puerta corredera de color azul. Gibson no alcanzaba a entender qué podía poseer una persona para tener que construir un trastero allí, en mitad de la nada. Pero aquello seguramente explicaba el hecho de que Grafton Storage no estuviera funcionando y de que, por la pinta que tenía, llevara bastante tiempo sin hacerlo.

Continuó avanzando hasta que encontró una carretera sin asfaltar por la que meterse y dejar el coche. Desanduvo a pie el medio kilómetro que había hasta Grafton Storage sin ver pasar ni un solo vehículo. Aquel difunto negocio de trasteros de alquiler parecía aún más decrépito cuando se lo veía de cerca: de la verja de entrada colgaba un letrero de «Se vende», magullado y torcido, y entre las grietas del asfalto habían crecido matas de hierba. La gruesa cadena y el candado corroído por el óxido que protegían la entrada daban la impresión de llevar cien años sin que los tocara nadie.

¿Estaría fallando su programa? Cerró la aplicación que estaba siguiendo la ubicación de Hendricks y volvió a cargarla. Pues no, continuaba indicando que Hendricks estaba dentro de Grafton Storage. Observó el candado más de cerca. Aquellos puntitos en los que se veía el hierro a través del óxido ¿querrían decir que alguien había introducido una llave en la rígida cerradura? ¿Cuándo se había convertido él en un experto en candados oxidados, exactamente?

Miró a su alrededor. Si en efecto Jenn y Hendricks estaban allí dentro, ¿quién había vuelto a cerrar con llave después de dejarlos pasar? Aquello no tenía sentido, a no ser que hubiera otra entrada. O a no ser que Hendricks hubiera lanzado su teléfono al otro lado de la tapia para despistarlo. Pero eso querría decir que Hendricks sabía que lo estaban siguiendo.

O... O...

Gibson se rascó la frente. Había demasiadas posibilidades, convenía eliminar unas cuantas.

Llamó al teléfono de Hendricks. Sonó cinco o seis veces antes de que el expolicía lo atendiera. Se lo notaba bastante cabreado.

«Bien.»

—Hola —dijo Gibson en el tono de voz más bajo que pudo.

—¿Qué pasa? Que yo recuerde, ya he terminado contigo. Te has ido, ¿no? No han sido imaginaciones mías.

—Ya lo sé. Lo siento. ¿Está Jenn? Tengo que hacerle una pregunta rápida.

—Ella también tiene teléfono, ¿sabes? No soy su secretario.

Empezó a pedir disculpas de nuevo, pero en aquel momento se puso Jenn al teléfono. La notó solo un poquito menos tensa que su compañero.

—¿Sí?

—Perdonad que os moleste, pero sería genial si pudiera irme derecho a mi casa y devolver el coche a Abe Consulting mañana por la mañana.

Casi le pareció estar viendo a Jenn poner los ojos en blanco, de modo que empezó a contar que quería llegar a tiempo para el partido de fútbol que jugaba Ellie aquella tarde. Jenn lo interrumpió y le dijo que de acuerdo.

—¿Ya ha llegado George? —preguntó.

—Aún no.

—¿De verdad pensáis que va a quedarse a dormir en ese motel de mierda?

Jenn se obligó a reírle la gracia, pero su voz sonó hueca y falta de alegría. Coincidió con él en que resultaría divertido.

—En fin, pues hacéis fotos y me las enviáis. Eso no me lo pierdo.

Jenn colgó sin pronunciar una palabra más.

Gibson se quedó mirando el móvil con gesto socarrón. Así que Jenn y Hendricks se habían encerrado en un abandonado trastero de alquiler de aquella carretera perdida en la nada. Dejando aparte un momento el carácter más bien surrealista de dicha afirmación, ¿cómo lo habían hecho para entrar y volver a cerrar la verja con llave? Estaba a punto de recorrer a pie el perímetro para buscar una segunda entrada cuando de pronto reparó en un tramo del alambre que aparecía recortado, a unos quince metros de la verja principal; resultaba fácil no verlo desde la carretera.

Echó a andar arrimado a la tapia, pasando la mano por la lisa superficie. En teoría, la abertura era lo bastante amplia para que pasara una persona; pero la tapia tenía tres metros de altura, y hasta un escalador con experiencia necesitaría algún asidero. Se necesitaría... una escalera.

Vio algo de color amarillo entre la maleza que le llamó la atención. Se acercó a echar un vistazo, y tuvo suerte de no tropezar y hacerse un tajo con el trozo de alambre recortado. Lo vio en el último segundo, enroscado como una serpiente entre la hierba, afiladísimo, y tuvo que ejecutar una torpe pirueta para esquivarlo. Perdió el equilibrio y, al retroceder, pisó algo macizo y se cayó al suelo de espaldas.

Se quedó allí tumbado unos instantes, con un gesto de dolor en la cara, hasta que el malestar fue disminuyendo. Luego se incorporó a medias para mirar la escalera de mano plegable, nuevecita, con la que había tropezado.

«Pero ¿qué diablos está pasando aquí?»

Aún estaba contemplando aquella pregunta cuando de repente vio salir volando una cuerda por encima de la tapia. Quedó colgando a medio metro del suelo, balanceándose adelante y atrás. La miró durante unos momentos como si fuera idiota. Luego se levantó a toda prisa y apenas le dio tiempo a esconderse detrás de un árbol antes de que apareciera Jenn pasando una pierna por lo alto del muro y seguidamente agarrándose a la cuerda para bajar hasta el suelo. Dio una voz para comunicar que había llegado y la cuerda volvió a desaparecer por el otro lado.

Gibson observó cómo abría el candado y empujaba la verja. Salió Hendricks al volante del Cherokee. La parte de atrás estaba vacía, lo cual quería decir que habían dejado el equipo dentro. Aquello le hizo preguntarse qué sería lo que había en los otros petates negros. Y dónde había estado Hendricks mientras él escribía el programa para la biblioteca.

Jenn cerró de nuevo la verja y Gibson los vio marcharse por segunda vez aquel día. Pensó en saltar la tapia para explorar un poco, pero podía llevarle una semana entera descubrir dónde habían instalado el campamento. Era mejor continuar siguiéndolos y ver adónde lo llevaban. Así que se sacudió el polvo de la ropa y emprendió el regreso a su coche.

Capítulo 23

El punto rojo condujo a Gibson hacia el este, a través de una serie de pueblos de clase media-baja, cada uno de ellos más sombrío que el anterior. Para cuando hubo dejado atrás el último, ya había anochecido y el cielo era una mancha de brillante color rojo en el espejo retrovisor. Redujo la velocidad para mirar el teléfono: el punto de Hendricks llevaba treinta minutos sin moverse del sitio. Ya no estaba muy lejos.

Desde que se fue de los trasteros de alquiler se había abatido sobre él una grave certidumbre, y temía saber exactamente adónde se dirigían Jenn y Hendricks. Abrigó la esperanza de estar equivocado, pero era lo único que daba sentido a sus recientes movimientos. No iba a tardar en comprobarlo.

Las casas fueron espaciándose gradualmente, hasta que acabó apareciendo una cada cien metros. No existía demarcación alguna entre una propiedad y otra, ni tampoco vallas, tan solo espacios abiertos que se fundían.

Las fincas podían ser grandes; las viviendas en sí, en cambio, eran modestas construcciones de una sola planta o casas prefabricadas apoyadas sobre una base de ladrillos de ceniza. En la mayoría de los jardines había una antena parabólica. Por la noche, allí no había mucho que hacer salvo ver la televisión y navegar por internet, e iba a pasar mucho tiempo antes de que alguien se tomara la molestia de tender cables en el quinto pino.

Al doblar una curva descubrió el Cherokee allá al frente, a la izquierda. Estaba aparcado en el camino de grava de una vivienda, al lado de una vieja furgoneta forrada de madera. El color que debió de tener originalmente aquella casa hacía tiempo que había quedado deslavado y desconchado, y ahora recordaba al de las gachas rancias. Una de las ventanas delanteras se había roto, pero en lugar de reponer el cristal, habían colocado un plástico con grapas para tapar el hueco. El tejado, formado por tablas de color gris, se veía muy combado en el centro, y la casa entera daba la impresión de ir a derrumbarse solo con que se le propinara un fuerte puntapié. Habían arrastrado un sofá amarillo y marrón hasta debajo de un olmo, y allí, dejado de la mano de Dios y rodeado de maleza, iba acumulando moho.

Resultaba deprimente imaginar qué podía empujar a una persona a vivir en aquel sitio. Nadie eligiría por gusto un lugar como aquel.

No vio ningún sitio donde detenerse sin ser visto, así que continuó. Tampoco vio que hubiera nadie dentro del Cherokee, por lo tanto, había que suponer que estaban en el interior de la casa.

Dos casas más adelante apareció una antigua iglesia baptista. El letrero de la carretera decía: «E tra y r za con nosotr s», pero, al parecer, hacía años que nadie aceptaba dicha oferta. Ni siquiera Dios quería vivir allí. Gibson detuvo el Taurus y se fue a la parte de atrás, donde no pudieran verlo desde la carretera.

Sacó los prismáticos y se escondió, agachado, detrás de un muro de ladrillos de baja altura a observar y esperar. Miró el móvil, pero allí no había cobertura.

Pasaron las horas.

Fue una noche sin luna. Al sur había tormenta, pero esta pasó de largo sin dejar una sola gota de lluvia. Como no había farolas, la única iluminación era la que provenía de algún que otro porche o del leve resplandor de alguna televisión que se filtrase por una ventana. Pero la casa en la que estaba aparcado el Cherokee se veía completamente a oscuras. Ni siquiera podía distinguir si había luces encendidas dentro, porque las persianas estaban bajadas. Le preocupaba pensar lo que podría estar ocurriendo en el interior.

Se puso a sopesar los pros y los contras de penetrar en la vivienda. Pro: se haría una mucho mejor idea de lo que estaba sucediendo dentro. Contra: ellos iban armados, y él no. Si lo vieran, no sabría muy bien hacia qué lado echar a correr. Era curioso; aquella misma mañana, lo único que lo preocupaba era que lo hubieran excluido del caso. Había que ver cómo habían cambiado las cosas en doce horas.

Cuando Jenn y Hendricks se movieron por fin, Gibson no lo detectó hasta que Hendricks arrancó el coche. Se encendieron los faros y, a través de los prismáticos, vio la silueta de Jenn recortada al trasluz del faro de techo del Cherokee. Salía de la casa empujando a alguien. Llevaba la cabeza cubierta por una capucha pero era un hombre, a juzgar por los hombros anchos y fuertes. Los brazos estaban atados a la espalda, así que Jenn lo guiaba empujándolo por la nuca, y lo subió al asiento trasero. A continuación, se subió ella a la furgoneta que esperaba en el camino de grava y arrancó para seguir a Hendricks.

Gibson, detrás del muro, se derrumbó. Jenn y Hendricks no habían llamado a los federales, al menos por el momento, pero tenía el presentimiento de que en su agenda no figuraba llamarlos nunca. Allí, la intención no era llevar a WR8TH ante la justicia; la intención era cobrarse venganza. Por eso lo habían mandado para casa. ¿Qué era lo que le había dicho

Calista Dauplaise en Georgetown? Que el responsable de haber secuestrado a Suzanne Lombard iba a pagar por ello. No, no fue ese el término que empleó; lo que dijo fue que iba a «sufrir».

Ni George ni Calista tenían ninguna lealtad hacia Benjamin Lombard. Los dos habían acusado profundamente la pérdida de Suzanne, él se lo notó a ambos en la voz cuando hablaron de ella. El vicepresidente no sabía nada de todo esto y Gibson dudaba que llegara a enterarse. Esto era algo entre George, Calista y el hombre que había raptado a Suzanne.

¿A qué se había dejado arrastrar? ¿Hasta qué punto era culpable? ¿Lograría demostrar que él no sabía lo que tenían planeado hacer? ¿Tendría importancia? Había hackeado una biblioteca pública... ¿Qué opinión le merecería a un fiscal el hecho de que hubiera allanado un edificio que pertenecía al gobierno? Por no mencionar los pagos en metálico que había recibido. De repente aquello también se le antojó incriminatorio.

Estudió sus alternativas. Llamar a la policía inmediatamente. Probablemente aquello era lo que haría la mayoría de las personas, pero no le apetecía nada volver a la cárcel. También podía llamar a Lombard y contarle en qué andaba metido su antiguo jefe de seguridad y aliado político. «Sí —pensó para sus adentros—, Lombard me protegerá mientras se cobra venganza de todos los implicados.»

Cuando Jenn y Hendricks se hubieron marchado, esperó diez minutos más y echó a andar por la carretera en dirección a la casa. La grava que iba pisando tronaba igual que un grupo de rock calentando motores para el espectáculo. La siguiente casa estaba a un estadio de fútbol de distancia, pero eso no le sirvió de mucho para calmar los nervios.

La puerta principal estaba cerrada con llave y la trasera también. Probó con las ventanas, pero tenían el pestillo echado.

Arrugó el entrecejo. Entonces fue hasta la parte de atrás de la vivienda y, ayudándose de las llaves del coche, hizo un delgado corte en el plástico que cubría el cristal roto. Introdujo la mano por él y abrió el pestillo.

El interior estaba hecho una pocilga. Al principio pensó que Jenn y Hendricks lo habían revuelto todo, pero aquello era obra de varios años, no de unas pocas horas. No quiso arriesgarse a encender las luces, pero en el móvil tenía una aplicación de linterna que utilizó para examinar aquel océano de basura, muebles rotos y cajas de cartón vacías. Una pila de paraguas, cuarenta como mínimo. Un acordeón destrozado. Una cabeza de ciervo descolgada que miraba fijamente hacia el techo.

La cocina era un horror, no había modo de describir aquello. El hedor. Dios, alguien había vivido allí. No se atrevió a traspasar el umbral y decidió dejarlo para más tarde. La única parte limpia de la casa era un dormitorio adicional que había sido transformado en gimnasio. Había un banco de abdominales, unas cuantas mancuernas oxidadas y una barra de dominadas. Habían colocado varios espejos de cuerpo entero el uno junto al otro, formando una pared en la que mirarse y admirarse. En otra pared se apoyaban varios montones de revistas de musculación: *Muscle & Fitness, Muscular Development, Natural Muscle, Planet Muscle*...

Gibson iba buscando algo personal, algo que llevase un nombre que confirmara lo que ya le estaban diciendo sus tripas. Pensó que tal vez pudieran ser las revistas de musculación, pero todas las habían comprado en un quiosco. Serviría una foto, pero en las paredes no había ninguna colgada, y tampoco parecía ser una casa en la que cupiera encontrar fotos enmarcadas. En el dormitorio no halló nada de utilidad. Regresó hasta la puerta de entrada y encontró una montaña de correo sin abrir.

Fue acercando las cartas a la luz del teléfono una por una, buscando un nombre. La mayoría iban dirigidas al «residente» o al «ocupante actual», pero al fin encontró una del Correccional de Pensilvania. El nombre que figuraba en ella era el que esperaba encontrar: Kirby Tate.

De repente lo sobresaltó un ruido en la puerta: alguien estaba intentando abrirla. Tenía el tirador a escasos centímetros de la cara y se lo quedó mirando, fascinado, viendo cómo giraba a un lado y al otro. No había oído llegar ningún vehículo por el camino de grava. ¿Podría tratarse de un vecino que venía a hacer una visita? ¿Tate tenía amigos? Lo más probable era que Jenn o Hendricks se hubieran olvidado de algo y hubieran vuelto para buscarlo. «O para buscarte a ti», le susurró sin piedad una vocecilla en su cerebro.

Se metió rápidamente la carta en un bolsillo y se apartó de la puerta. Con el elemento sorpresa, la ventaja la tendría él si se trataba de una única persona, pero si habían vuelto los dos no tenía ninguna posibilidad. No le apetecía quedarse a averiguarlo. El tintineo de metal rozando contra metal recorrió el espacio silencioso de la casa, pero gracias a Dios la puerta no llegó a abrirse. De pronto se acordó de un armario que había cerca de la cocina y retrocedió a toda prisa sorteando los montones de basura. ¿Acabarían matándolo? ¿Tan lejos había llegado la cosa?

Se metió en el armario, pegó la espalda a la pared y se acurrucó. No pudo cerrar la puerta del todo, porque no había manilla por dentro. Notó humedad bajo los pies y también olor a meados. Puso el móvil en modo avión y escuchó. Acababa de abrirse la puerta de entrada.

Que él pudiera distinguir, era una sola persona. El intruso no habló ni encendió la luz. La puerta volvió a cerrarse sin hacer ruido. De pronto se vio el resplandor de una linterna y, por la rendija de la puerta, Gibson alcanzó a ver el haz de luz que iba recorriendo las paredes. Él, al entrar, no pudo evitar que las tablas del suelo crujieran bajo sus pies; sin embargo aquella persona que avanzaba por la casa las conocía excepcionalmente bien o se movía como un espectro. Gibson percibía cada pisada, pero solo porque tenía absolutamente toda su atención concentrada en escucharlas. De pronto hubo un destello. Después, otro, y otro más. Eran fotografías. La persona estaba recorriendo la vivienda tomando fotos. Haciendo inventario de forma metódica de cada una de las habitaciones. ¿Pensaría incluir también los armarios?

Si se abría la puerta, iba a tener que arrearle un puñetazo en las zonas bajas, y con fuerza. Continuaría golpeándolo hasta que dejara de moverse. No obstante, lo preocupaba resbalar en la papilla líquida que notaba bajo los pies. Se movió muy despacio, cambiando las piernas de sitio, buscando una superficie seca sobre la que afianzarse.

No creía que hubieran descubierto su presencia, pero se puso alerta de pronto cuando las fotos cesaron. En la casa se hizo un silencio tan denso que empezaron a pitarle los oídos. Contuvo la respiración y aguzó los sentidos. Era como si dos submarinos estuvieran jugando al gato y al ratón en las oscuras profundidades, cada uno atento al otro, temeroso de delatar su posición.

Pasaron los minutos. Gibson oyó aquellas pisadas fantasmales replegarse en dirección a la parte delantera de la casa. La puerta se abrió y volvió a cerrarse sin hacer ruido. Luego, nada.

Expulsó el aire, pero no se movió. Se quedó dentro del armario, esperando, durante un rato que se le antojó una eternidad. Con miedo a que al intruso se le ocurriera volver o, peor todavía, a que no se hubiera marchado del todo y pretendiera hacerlo salir de su escondite con la idea de que ya no había peligro. Escuchó hasta que le dolieron las sienes, pero en la casa reinaba el silencio total.

Por fin salió del armario. Durante una fracción de segundo lo invadió el pánico cuando la cabeza de ciervo proyectó una sombra que parecía la figura de un ser humano. Dejó escapar un leve grito y, al instante, avergonzado, cerró la boca.

«Domínate, hombre.»

Se dejó caer en un sofá y se frotó las pantorrillas, entumecidas después de haber pasado tanto rato agachado en cuclillas en el armario. Luego encendió la interna del móvil y miró en derredor. Se notaba a las claras que aquel sofá era donde Kirby Tate pasaba la mayor parte del tiempo. Él estaba sentado en el único espacio que quedaba vacío, porque el resto aparecía abarrotado de platos sucios, envases vacíos de comida basura y revistas porno. Había centenares de ellas. Ni siquiera sabía que todavía se publicaran.

Rio en silencio para sus adentros, pero se interrumpió cuando de pronto se le ocurrió una cosa. ¿Sabes quién sabría que se seguían publicando? Alguien que no tuviera internet. En el patio no había ninguna antena parabólica. Si no había antena, eso significaba que allí no había televisión ni, lo más importante, tampoco acceso a internet.

¿Debía creer que la persona que estaba hackeando Abe Consulting no tenía internet? Volvió a registrar la casa, pero esta vez buscando algo que cabría encontrar en la vivienda de una persona ducha en internet. No halló nada. Ni herramientas, ni libros, ni un espacio donde trabajar, ni materiales donde almacenar información. Tan solo basura, pornografía y equipos de gimnasia. Si Kirby Tate era un hácker, era el primero que Gibson veía que fuera capaz de vivir sin tener acceso a una conexión de alta velocidad a internet durante las veinticuatro horas del día.

La gente pasaba bastante tiempo trabajando con el ordenador, e internet se había convertido en una segunda casa. Un refugio. Un lugar en el que compartir ideas, intercambiar fragmentos de código fuente y conocer personas que tenían el mismo interés que uno por las aplicaciones extralegales de la programación. ¿Podría una persona así vivir sin internet? Supuso que era posible. Ya, replicó otra voz, pero ¿era probable? Estaba más seguro que nunca de que, fuera lo que fuera lo que estaban planeando hacer Jenn y Hendricks en Grafton Storage, se habían equivocado de persona. Hubiera lo que hubiese en el portátil de Kirby Tate, no podía haber llegado hasta allí sin la ayuda de alguien.

Así pues, ¿quién lo estaba ayudando? ¿Tendría un socio?

Gibson salió de la casa lo más silenciosamente que pudo. En comparación con el interior de la vivienda, fuera daba la sensación de ser mediodía. No se veía ni un alma, pero para quedarse más tranquilo regresó a su coche dando un amplio rodeo. Y no encendió los faros hasta que se hubo alejado por lo menos varios kilómetros.

Tinsley estaba de pie en la oscuridad de la casa. De modo que Vaughn había vuelto. Aquella era una información interesante. Se suponía que a aquellas alturas ya debería estar en su casa. Pero, por lo visto, Vaughn tenía otras ideas. Tampoco era que aquello fuera a cambiar nada; de hecho, le había ahorrado un viaje a Washington. Como dicen, volvía a tener todos los huevos en una sola cesta.

Se sentó en el sofá en que se había sentado Vaughn. Al informático se le había ocurrido una idea; se lo notó en la expresión de la cara. Estaban tan cerca el uno del otro que podría haberlo tocado con solo alargar el brazo. Ya se imaginaba cómo habría reaccionado Vaughn si lo hubiera visto. Pero Vaughn no lo vio. Nadie lo veía nunca. Y menos mal, porque aquel no era el lugar donde Vaughn debía morir. Lo irónico era que aquel era un lugar en el que estaba seguro.

Tinsley observó las revistas porno que había examinado Vaughn, pero no llegó a oír lo que estas le habían susurrado. Frunció el ceño. ¿Por qué habría vuelto Vaughn? No le gustaba lo que no podía ver. Fuera lo que fuese. Si Kirby Tate era el individuo que lo había eludido diez años atrás, ello quería decir que su trabajo estaba casi concluido.

Capítulo 24

Jenn observaba a Kirby en una serie de monitores. Su celda estaba a oscuras y Tate era una fantasmal mancha de color verde en la pantalla. Colgaba de las muñecas, amarrado y con los brazos estirados, y bailoteaba de puntillas en un esfuerzo por apoyarse en los pies. Cada vez que resbalaba, sus hombros soportaban todo el peso del cuerpo, hasta que conseguía apoyarse de nuevo en los pies. Resultaba agotador. Y esa era la intención.

Al otro lado de las paredes se oía el grave estruendo de la música que bombardeaba al preso. Algún grupo de *speed metal* que creía que cualquier sonido inferior a las 250 notas por minuto era hilo musical. La asombraba que hubiera personas que escucharan aquello voluntariamente; para ella era tan solo la música que ponían en los centros de detención clandestinos que poseía la CIA repartidos por el mundo.

Se limpió el sudor de los ojos. Incluso con el portón abierto, el sol recalentaba aquellos trasteros como si fueran hornos. Claro que para Tate era mucho peor. ¿Hasta dónde estaría dispuesta a prolongar aquello si Tate no se desmoronaba tan rápido como estaba previsto? Apartó aquella idea de su mente. Tate se desmoronaría. Tal vez tuvieran que llevar la tortura hasta el extremo, pero estaba segura de que el preso cedería antes de que la sangre llegara al río. Era necesario.

En la época en que estuvo trabajando en la CIA, había presenciado más interrogatorios «mejorados» de los que recordaba. Por más duro que uno creyera ser, siempre se le quedaban arraigados en el alma. Y el hecho de estar convencida de que eran necesarios no la ayudaba a dormir mejor por las noches. Los interrogados eran hombres de fe y de principios. Unos principios que ella despreciaba. Unos principios que los habían llevado a cometer crímenes imperdonables. Pero principios al fin y al cabo, y hasta cierto punto ella podía respetar dicha devoción. Interrogar a hombres así llevaba tiempo. Llevaba tiempo despojar a un devoto de sus creencias y era algo horrible de presenciar. Y era peor aún si una era la responsable.

Sin embargo, Kirby Tate solo creía en su necesidad. No tenía más principios que sus morbosos deseos. Un hombre así ya estaba destrozado. Jenn no esperaba pasar mucho tiempo allí. ¿Cuánta fortaleza podía haber en un hombre que era lo bastante débil como para tomar como presa a un niño?

Bostezó y se estiró. Había sido una noche muy larga. Miró con envidia a Hendricks, dormido en el camastro del rincón. Lo despertaría dentro de dos horas y volverían a insistir con Tate.

Tate era un delincuente de carrera. Además de la chapuza que supuso el secuestro de Trish Casper, contaba con un largo historial y había estado entrando y saliendo de la cárcel desde los quince años. Producto del sistema, creyó que sabía cómo funcionaba, que conocía sus reglas. Seguro que se sintió de lo más seguro de su habilidad para jugar con él a su favor. De modo que, después de capturar a Tate en su casa, le hicieron creer que ya no se encontraba en Estados Unidos, que estaba lejísimos de su casa y que no iba a acudir nadie a rescatarlo. Tenía que entender desde el principio que allí no servía el concepto de legalidad que poseía él, que allí no había abogados, ni advertencia Miranda, ni tratos que negociar. Tan solo respuestas o dolor. Respuestas o dolor.

Para crear dicha fantasía había sido necesario llevar a Tate en coche hasta un aeródromo poco utilizado, subirlo a un avión y sentarlo con el cinturón abrochado. Naturalmente, el avión no llegó a salir del hangar, pero en su imaginación Tate creyó que habían recorrido medio mundo.

Hendricks era un consumado técnico de sonido. Recreó la secuencia que llevaría a cabo la tripulación completa de una cabina del piloto ejecutando las comprobaciones previas al vuelo. Con su ayuda habían fingido un trasbordo del prisionero durante el cual lo maltrataron y le ladraron órdenes. Tate forcejeó y se quejó bajo la capucha, pero, como llevaba una mordaza puesta, no pudo hablar. Hendricks le propinó un cachete en la cabeza y le dijo que se portara bien.

Justo antes de «despegar» le administraron gas. Nada demasiado potente, lo justo para dejarlo fuera de combate durante cinco minutos, y cuando despertó le dijeron que el avión estaba en el «aire». Fue un efecto impresionante, la cabina zumbaba igual que en pleno vuelo. Hendricks había anulado el interruptor de aterrizaje (un dispositivo sensible al peso situado en el tren de aterrizaje que indica al avión que se encuentra posado en el suelo) y presurizó el interior; Jenn incluso sintió que se le taponaban los oídos. Entonces se oyó por los altavoces la voz de un «piloto» proporcionando una actualización de los datos: velocidad del aire, altitud, tiempo de vuelo. Hendricks había colocado un altavoz de graves debajo de la aeronave que producía un tono constante de baja frecuencia, para simular los motores. Y no habían dejado de parlotear: Jenn representó el papel de la veterana y Hendricks el papel de novato. Durante el «vuelo», Hendricks le había formulado numerosas preguntas acerca del destino, y ella había pintado un panorama más bien sombrío, dirigido a Tate.

Dejaron que Tate se empapara bien del engaño y después volvieron a gasearlo. Esta vez un poco más. De manera que cuando despertó, adormilado y desorientado, no fue difícil convencerlo de que estaba otra vez en tierra firme y lo estaban subiendo a un coche. El coche era el mismo, casualmente, pero como de fondo se oían voces hablando en un idioma extranjero, él no tuvo forma de saberlo. Por debajo de la capucha se oyó un lloriqueo.

Para cuando llegaron a Grafton Storage, Tate ya estaba convencido. Jenn se lo había notado en la voz. Y, en algún momento del recorrido, también se había meado encima.

Mientras Gibson estaba ocupado con su programa en el motel de Somerset, Hendricks había transformado uno de los trasteros abandonados en un rudimentario centro de mando. Tenían camastros, un hornillo eléctrico, comida y agua. Y un generador portátil para alimentar los monitores que estaban utilizando para observar a su cautivo.

La celda de Kirby Tate era otro trastero contiguo, de tres metros por nueve, que Hendricks había adaptado para que pareciera un calabozo y una sala de interrogatorios. Había instalado una valla metálica y una puerta con candado que cerraba la mitad del espacio. En la base puso alambre de espino. También incluyó un jergón de paja por si Tate se ganaba el derecho de dormir, y un cubo para la basura.

Era primitivo, tal como se pretendía.

Lo hicieron bajarse del coche y lo metieron en la celda. Mientras lanzaba ahogados gritos histéricos bajo la capucha, lo colgaron de las muñecas. Siguió quejándose mientras ellos se cambiaban de ropa y se ponían un mono de color negro y un pasamontañas. Al ocultar su identidad, le hacían a Tate concebir la esperanza de que, si confesaba, lo dejarían libre. Hasta Tate era lo bastante listo para deducir que si les veía la cara era hombre muerto.

Jenn le quitó la capucha de un tirón y el preso, con los ojos muy abiertos, empezó a mirar en todas direcciones. Hendricks fue el que se encargó de hablar. Jenn pensó que Tate reaccionaría mejor ante una figura de autoridad masculina. A saber qué clase de relación humillante tenía con las mujeres adultas.

Estaba un poco preocupada por Hendricks. Este contaba con décadas de experiencia en interrogatorios tradicionales y poseía una tremenda intuición, pero esto era algo totalmente distinto. Llevaba ya un par de semanas entrenándolo y, si bien había captado los conceptos teóricos, la práctica era otra cosa. Pero no tenía de qué preocuparse: a Hendricks le salió todo natural.

—Chico, esta vez sí que la has cagado —empezó Hendricks.

Tate intentó hablar a pesar de la mordaza, pero tan solo pudo articular un gorgoteo fútil y ridículo.

—¿De verdad pensabas que ibas a irte de rositas? ¿Que no íbamos a encontrarte? Pues tengo una mala noticia que darte. Para ti, el viaje se termina aquí. Deberías haberte bajado de este tren hace mucho y ahora estás muy lejos de tu casa.

Jenn le quitó la mordaza de la boca.

—Quiero un abogado —exigió Tate.

Hendricks lanzó una carcajada.

—En el infierno no hay abogados, hijo.

—Esto es ilegal. ¡Quiero un abogado!

—Tu abogado soy yo. ¿Qué necesitas?

—No puede hacer esto —lloró Tate—. Conozco mis derechos.

—Chico, aquí no hay derechos. ¿Dónde crees que estás?

Tate tenía los ojos muy abiertos, llenos de un pánico cerval. Movió en silencio los labios, como si todavía llevara puesta la mordaza.

—Escúchame con atención. Sabemos quién eres. Sabemos lo que hiciste. Lo sabemos todo. Pero queremos que nos lo digas tú. Te equivocaste de chica y ya no hay forma de reparar eso. ¿Tienes idea de lo poderoso que es su padre? ¿De hasta dónde puede llegar? Imagino que no, porque de lo contrario habrías elegido a otra niña, ¿me equivoco? Bueno, pues ahora estás metido hasta el fondo. Lo hecho, hecho está. Ya solo te queda pensar en el aquí y el ahora. En lo que te va a suceder a partir de este momento. Si va a ser corto o largo. Eso es lo que tienes que decidir. Cómo hacerlo más corto. Porque, créeme, no te conviene que esto se alargue.

—Le juro por Dios que no sé de qué me habla. ¡No sé de qué me habla!

Hendricks le dio una bofetada. No fue muy fuerte, pero tuvo un efecto decisivo. El preso cerró la boca y se lo quedó mirando con cara de miedo.

—Estos son los derechos que tienes aquí —le dijo Hendricks—. Con esa manera de hablar conseguirás que esto, en vez de acortarse, se alargue.

—Se lo juro —gimió Tate, mirando alternativamente a uno y otro. Allí no había ningún poli bueno.

Hendricks se llevó un dedo a los labios.

—Vamos a dejarte para que te lo pienses un poco. Corto o largo, de ti depende. Si dices la verdad, eso será corto e indoloro. Pero si nos mientes, sufrirás durante mucho, mucho tiempo. ¿Lo entiendes?

Tate no dijo nada.

—¡¿Lo entiendes?! —bramó Hendricks.

Tate hizo un gesto afirmativo y la cabeza se le inclinó débilmente hacia un lado.

—Bien —dijo Hendricks—, pues vamos a dejarte solo para que lo pienses. Entretanto, mi compañera y yo vamos a cenar. Para estar descansados cuando volvamos contigo. Y después nos contarás todo lo relacionado con Suzanne Lombard. Porque, de lo contrario, voy a destrozarte.

Lo dijo sin alzar la voz, en tono distendido, como si estuviera escogiendo entre dos cervezas ligeras.

A continuación, hizo una seña a Jenn y ambos salieron y dejaron a Tate colgando en su celda. Él los llamó a gritos, y continuó gritándoles mucho después de que ellos cerrasen la puerta corredera del trastero.

—¿Quién? —chilló una y otra vez—. ¡Yo no conozco a ninguna Suzanne! ¿Quién cojones es Suzanne Lombard, tío? No la conozco de nada.

Y así estuvo un buen rato.

La verdad era que Jenn prefería el *speed metal* a los gritos de Tate. Daban ganas de creerle. Sonaba inocente, sincero. Habría logrado conmoverla si no hubiera visto tantas veces aquella misma escena. Una sala de interrogatorios era la mejor escuela de teatro que se había inventado nunca. Los presos se aferraban a la mentira como si fuera un salvavidas. Resultaban tan convincentes que había veces que se preguntaba si no se habrían convencido ellos mismos de su inocencia. Pero, a la larga, daba igual. La única variable era cuánto tiempo tardaría él en darse cuenta también. Consultó el reloj y pulsó un botón de su consola. Al instante la celda de Tate se inundó de una luz blanca e hiriente. El preso encogió el cuerpo y abrió la boca para lanzar un chillido, como si aquella luz lo quemase.

Y empezó a sonar la música.

Jenn y Hendricks dejaron la celda de Tate y salieron al sol. Jenn bajó el portón del trastero. Se quitaron el mono y el pasamontañas. Allí dentro el ambiente estaba muy cargado y ambos estaban empapados en sudor. Jenn observó que Hendricks, vestido solo con los calzoncillos y las botas, se alejaba unos pasos para fumar. No estaba en situación de quejarse, dado que ella estaba en bragas y sujetador. Las cortesías y formalidades estaban de más.

Regresó al puesto de mando y sacó cuatro botellas de agua de una nevera. Buscó un sitio donde hubiera sombra, apoyó la espalda contra una pared y resbaló hasta el suelo. Cuando Hendricks volvió, le pasó una botella.

—¿Qué hora es? —preguntó él.

—A la mierda la hora, pregunta mejor qué día es.

Hendricks recuperó su móvil de la ropa y se lo plantó a Jenn delante de la cara.

—¿Cómo es que ya es jueves? —preguntó ella.

Llevaban ya cuatro días trabajándose a Tate. Habían avanzado despacio, y no estaban totalmente de acuerdo en que hubieran hecho muchos progresos. Hendricks opinaba que iban bien; Jenn, en cambio, estaba un poco sorprendida de que estuvieran tardando tanto. Esperaba que a aquellas alturas Tate ya se hubiera derrumbado. Aquel patético pederasta tenía más agallas de las que ella suponía. Lo que estaba claro era que Tate había aceptado el hecho de que su situación era desesperada. Había llegado al punto de considerarlos a ellos dos los dioses de su vida. Y en dicho punto su juego consistía en reconocer lo justo para contentarlos a ellos sin incriminarse: el típico paso intermedio. Hablaba en círculos, pero el círculo se iba estrechando cada día un poco más.

Durante los dos primeros días se aferró al cuento de que jamás en su vida había oído hablar de Suzanne Lombard ni de su secuestro. Era una mentira tonta y Hendricks lo presionó lo suficiente como para que el martes se rindiera del todo. Lo hicieron confesar toda la historia. Como mínimo, quedó claro que Tate era un seguidor del caso de Suzanne Lombard y se lo sabía al dedillo. Pero hasta el momento no les había contado nada que fuera de dominio público, y les juró una y otra vez que no tenía ni idea de todo aquello de hackear a Abe Consulting Group.

—¿Hasta dónde quieres presionarlo hoy? —preguntó Hendricks—. Necesita comer. Dormir. Está rozando ya la incoherencia.

Jenn asintió. Hendricks tenía razón: corrían el peligro de que Tate se derrumbara, pero no de manera productiva. Y además tenía que enviar un informe a George, y a este no iba a gustarle. Tenía a Calista subida a la chepa exigiéndole resultados y todos los días aumentaban las posibilidades de que alguien detectara su presencia. Eso no sería nada bueno, por decirlo suavemente. De nada importaba lo que hubiera hecho Tate. Si a Hendricks y a ella los pillaban allí con el pederasta, todos iban a pasar una buena temporada entre rejas.

De pronto a Hendricks le sonó el teléfono en la mano. Se lo quedó mirando, primero con gesto de desconcierto, pero luego preocupado y confuso.

—¿Qué ocurre? —preguntó Jenn.

—Es el virus de Vaughn.

—¿Qué le pasa?

—Que acaba de enviar una alarma.

Gibson, tendido boca arriba, observó a Jenn y a Hendricks despojarse del mono. Estaba en el tejado de un trastero situado al final de Grafton Storage que le ofrecía una visión sin obstáculos de todo lo que estaban haciendo Jenn y Hendricks. No sabía con exactitud lo que le estaría ocurriendo a Tate, pero se hacía una idea. El hecho de que para ello fuera necesario usar pasamontañas le revolvió un poco el estómago. Tate era un cerdo, de eso no había duda, pero ello no justificaba lo que estaba ocurriendo en aquel trastero, fuera lo que fuese.

Entonces, ¿por qué no había llamado a la policía? El reloj de su autoridad moral hacía ya mucho que se había parado. Tal vez él no hubiera estado en las trincheras con Jenn y Hendricks, pero a aquellas alturas ya era igual de culpable que ellos. ¿Hasta dónde estaba dispuesto a permitir que llegara aquella situación, si servía para averiguar lo que sabía Tate? ¿Dónde había que trazar la raya?

Notó que le vibraba el móvil y bajó los prismáticos. Estaba esperando una llamada de Abe Consulting. Había llamado el lunes para preguntar si podía quedarse el coche otra semana más, siguiendo con la estratagema de hacer creer que estaba de nuevo en la zona de Washington. El ayudante de George le había dicho que ya volvería a llamarlo, pero desde entonces no había sabido nada. Al parecer, Abe Consulting tenía otras cosas en mente.

Miró el teléfono; vio que estaba en parte en lo cierto. Era un mensaje de texto, y procedía de Abe Consulting, pero no tenía nada que ver con el coche. El virus baliza que había incrustado en los archivos de la empresa había emitido una alarma.

El texto era una larga retahíla de datos y finalizaba con unas coordenadas GPS. Las instrucciones originales de su virus consistían en que debía instalarse en la máquina del hácker, borrar sus huellas y servirse del GPS del *host* para telefonear a casa. Pero no había sucedido así. En vez de eso, el virus se había descargado y se había quedado latente. Por eso habían recurrido a poner la biblioteca bajo vigilancia.

De todas formas, el virus original había constituido una posibilidad remota, y Gibson no se sorprendió cuando vio que no obtenía ningún resultado. Habría sido necesario que el objetivo abriese archivos de Abe Consulting en un dispositivo que estuviera conectado a internet. Pero el hácker había hecho justo lo que habría hecho él: trasladar los archivos descargados hasta algún lugar seguro y echarles un vistazo desde un ordenador independiente.

Que hubiera emitido una alarma mientras Tate estaba encerrado confirmó las sospechas de Gibson. Su virus no podía activarse solo. Para que ahora hubiera telefoneado a casa, alguien tenía que haberlo conectado a internet de manera intencionada. Y estaba más claro que el agua que Tate no podía haber sido. Entonces, ¿quién? ¿Quién acababa de tocar el timbre?

Gibson enfocó los prismáticos en Jenn y Hendricks, que ahora estaban enzarzados en una acalorada discusión. Hendricks señalaba con gesto enfadado hacia el trastero en el que tenían encerrado a Tate. Jenn tenía las manos entrelazadas y apoyadas en la cabeza, en un gesto de incredulidad.

«No era el mensaje que estabais esperando vosotros tampoco, ¿verdad?»

Gibson intentó juntar todas las piezas. Si el virus había emitido una alarma ahora, ello quería decir que había un tercero implicado. Tate tenía un socio, alguien que sabía de ordenadores y que había activado el virus por error o a propósito. Apostaba a que había sido a propósito. Pero ¿por qué?

Si había sido a propósito, el socio sabía que habían atrapado a Tate. El hecho de activar el virus tal vez fuera una señal que tenía por finalidad apartarlos de Tate. El socio, poco dispuesto a correr el riesgo de llamar a la policía o no estando en disposición de llamarla, estaba haciendo lo mejor que podía hacer para desviar las sospechas de Tate y, de paso, salvarle la vida. Intentaba hacerlos creer que se habían equivocado de persona.

¿Y delatarse? Eso no tenía sentido. Ambos tenían que estar tremendamente unidos para que el socio asomara la cabeza de aquel modo, cuando podía simplemente abandonar a Tate y perderse de vista. A no ser que Tate no fuera en absoluto su socio, sino un simple peón. En cuyo caso, ¿a qué estaba jugando WR8TH?

Gibson renunció a seguir intentando calcular todas las ecuaciones y volvió a los prismáticos. Jenn y Hendricks habían acordado un plan. Dejaron por el momento el tema del preso y lo metieron en el trastero como si fuera una caja de ropa sucia. En el plazo de media hora, ambos estaban vestidos de nuevo con ropa de calle. Salieron de Grafton del modo habitual: Jenn saltó por encima de la tapia para abrir el candado de la verja y Hendricks sacó el coche.

Una vez se hubieron ido, Gibson se bajó del tejado y fue a la carrera hasta el trastero donde tenían prisionero a Tate. A este lo habían encerrado con llave, pero no habían cerrado con llave el trastero donde se alojaban ellos. Encontró las llaves colgadas de una escarpia, justo al otro lado del portón de la entrada. No lo sabía, pero esperaba que a Tate aún le quedara un poco de vida en el cuerpo para responder a sus preguntas.

Capítulo 25

Hendricks tomó la Pennsylvania Turnpike que iba hacia Pittsburgh. Jenn iba leyendo sus apuntes, en un intento de verle la lógica a lo que había sucedido y abrigando la esperanza de no lamentar haber decidido mandar a Gibson de vuelta a Washington. En este preciso momento le habría venido muy bien contar con su pericia. Mientras pensaba, se pasó la lengua por los dientes. Por una vez, Hendricks guardaba silencio; la posibilidad de que Tate no fuera el hombre que buscaban era demasiado horrible para tomarla en cuenta.

—Tate no es ningún angelito —dijo Hendricks.

Jenn no contestó y pasó otra página de su cuaderno.

Las coordenadas GPS que había proporcionado el virus de Gibson los condujeron a North Huntingdon, un barrio acomodado que había a las afueras de Pittsburgh. Las calles aparecían sombreadas por árboles maduros y señoriales, y los céspedes eran de un verde perfecto. En todas las casas se veían aparcados automóviles de lujo.

—Lo único que le falta a este sitio es un puesto de refrescos —comentó Hendricks.

Las coordenadas GPS los llevaron hasta el número 1.754 de Orange Lane, en donde se alzaba una amplia vivienda estilo Tudor con molduras blancas. Delante estaba aparcado un coche de policía, y Hendricks pasó de largo. Al llegar al final de la manzana, se detuvo junto al bordillo, ajustó el espejo retrovisor y se puso a observar.

—¿Esa es la casa? —preguntó.

—Si el virus de Gibson ha dado en el blanco —respondió Jenn. Llamó a Rilling y le pidió que consultara los datos fiscales de la vivienda.

Veinte minutos más tarde salió de la casa un agente seguido de un hombre y una mujer. El matrimonio aparentaba treinta y pocos años, e incluso desde lejos se les notaba que no estaban contentos. El hombre le estrechó la mano al policía mientras su esposa se aferraba a su brazo. Se quedaron de pie en el porche hasta que el policía se marchó; la mujer se despidió de él con la mano.

De pronto sonó el teléfono de Jenn. Era un mensaje de texto de Rilling. Aquella casa era propiedad de William y Katherine McKeogh. Se lo enseñó a Hendricks.

—¿Qué opinas?

Hendricks aguardó hasta que el matrimonio volvió a entrar en casa, entonces dio la vuelta al coche y fue a aparcar enfrente, al otro lado de la calle.

—Solo hay un modo de averiguarlo —dijo al tiempo que se apeaba.

Una anciana que estaba sentada en el porche de su casa bajó el libro y saludó a Jenn. Esta, muy educada, le devolvió el saludo. La gente de aquel vecindario era muy amistosa. Mantenía la guardia baja. Agradecía las visitas. Cruzó la calle detrás de Hendricks y subió los escalones del número 1.754 de Orange Lane. Hendricks llamó al timbre y se apartó de la puerta. Sacudió el cuello como si estuviera haciendo precalentamiento para una pelea. Cuando la mujer abrió, compuso una sonrisa cálida y amistosa que Jenn nunca le había visto.

—¿En qué puedo ayudarlos?

Katherine McKeogh tenía un rostro afable y unos ojos grandes de color castaño. Llevaba el cabello recogido con un lazo verde esmeralda.

Hendricks se sacó una tarjeta de visita del bolsillo de la chaqueta y se la entregó.

—Siento mucho molestarla en casa, señora. Me llamo Dan Hendricks y esta es mi socia Jenn Charles. Teníamos la esperanza de poder hacerles unas preguntas a su marido y a usted.

—¿Son detectives? —preguntó ella mirando la tarjeta.

—No, señora. Abe Consulting Group es una empresa privada. Nos han contratado para que colaboremos con la policía local y evaluemos sus procedimientos.

—Oh —respondió la mujer a la vez que le devolvía la tarjeta—. Pero si acaba de estar aquí un agente.

—Nosotros no somos la policía, señora. Estamos efectuando seguimientos. Forma parte de una iniciativa que abarca todo el condado, destinada a mejorar los servicios. Estábamos por la zona y hemos hecho un alto para ver si podíamos realizar un informe ahora que todavía tienen la visita fresca en la memoria.

—Ha sido muy amable. No quisiera causarle ningún problema.

Hendricks dibujó una sonrisa encantadora. Jenn estaba empezando a entender por qué su compañero tenía una de las tasas más altas de casos cerrados en el Departamento de Policía de Los Ángeles: su capacidad de transformación rayaba en lo inquietante.

—Lo comprendo perfectamente —repuso Hendricks—. Pero no se trata de él, ni de ningún agente, ya que vamos a eso. Solo estamos buscando una manera en que este condado pueda mejorar e incrementar su interacción con los vecinos.

—¿Kate? ¿Qué es lo que ocurre? —dijo una voz masculina desde el interior de la vivienda.

—Unos detectives que vienen a hacernos unas preguntas —contestó la mujer.

—No somos detectives, señora.

Un momento después salió a la puerta un hombre alto y delgado, vestido con un pantalón de algodón y un polo.

—¿Qué sucede?

—Bill, estas personas quieren habar con nosotros del policía que ha escrito el informe acerca del allanamiento —explicó la señora McKeogh.

Hendricks cruzó una mirada furtiva con Jenn mientras repetía el discurso de colaboración con la policía. Dejó bien claro que ellos, pese a la impresión que se había llevado su esposa, no eran detectives. A Jenn, los McKeogh no le parecieron precisamente unos pedófilos que se dedicaran a secuestrar niñas. Debían de tener veintipocos años cuando desapareció Suzanne.

Los McKeogh se mostraron más que deseosos de ayudar. Hendricks sacó un cuaderno y fue tomando apuntes mientras iba formulando una serie de preguntas sobre la actitud del agente, si fue de ayuda, si prestó atención a los detalles. Jenn le siguió el juego haciendo preguntas complementarias para sonsacarles datos concretos del allanamiento que habían sufrido. Al igual que ocurría con la mayoría de las víctimas de un delito menor, los McKeogh estaban ávidos de hablar de lo sucedido.

La señora McKeogh, al volver de la compra, se encontró forzada la puerta trasera de la casa. Llamó a la policía y también a su esposo, que estaba en la oficina, a solo diez minutos de allí. Estuvo esperando en la entrada hasta que llegó aquel agente (tan amable). El (servicial) agente confirmó que habían forzado la puerta trasera y efectuó un registro superficial del sótano y de la planta de arriba antes de permitirles que entrasen de nuevo en la vivienda. No parecía que faltara nada, aunque no hubo tiempo para mirar más detenidamente. Dentro de casa no tenían ni demasiado dinero ni joyas caras.

—El agente dijo que probablemente había sido obra de unos críos.

—¿Por qué? —quiso saber Jenn.

—Porque no habían causado daños en el interior de la casa —contestó el señor McKeogh—. Nos dijo que en la mayoría de los robos la preocupación principal es la rapidez y que, por lo tanto, habrían arrasado la casa. Según el agente, todo debería estar hecho un desastre: los cajones fuera y los cuadros en el suelo, porque habrían buscado objetos de valor. Por lo general suele haber cuantiosos daños materiales.

—¿Y están seguros de que no falta nada? —preguntó Hendricks.

—No, no lo sabemos con seguridad. Acabamos de empezar a mirarlo.

—El agente nos dio su tarjeta y nos dijo que lo llamáramos si viéramos que faltaba alguna cosa —dijo el señor McKeogh.

—¿Me permite verla? —pidió Jenn.

El señor McKeogh se la entregó. Jenn copió los datos del policía y se la devolvió.

—¿Y qué me dice de los aparatos electrónicos? ¿Hay algún ordenador en la casa?

—Tenemos un estéreo y un par de televisores. Mi mujer tiene un ordenador portátil, y también tenemos otro de sobremesa en el salón familiar, para los niños.

—No queremos que anden navegando por internet donde no podamos verlos nosotros —explicó la señora McKeogh.

—¿Así que sus ordenadores están protegidos por una contraseña? —preguntó Hendricks.

—El mío sí, pero el del salón no. ¿Por qué? —preguntó la señora McKeogh—. ¿Usted cree que podían estar buscando eso?

—Cualquier cosa es posible. Convendría que fueran a comprobar que no les ha pasado nada.

La señora McKeogh se metió en la casa y regresó al cabo de un minuto haciendo un gesto negativo con la cabeza. El ordenador parecía estar normal.

—¿Le importa que le eche yo un vistazo rápido? —solicitó Jenn.

El ordenador reposaba sobre un pequeño escritorio de madera instalado en el salón. Estaba equipado con un viejo monitor CRT. La torre estaba en el suelo, junto a la mesa, y tenía abierta la tapa del panel de contactos USB.

—¿Me permite? —pidió Jenn señalando el teclado.

El ordenador estaba en modo de hibernación. En cuanto Jenn pulsó la barra espaciadora, el disco duro volvió a la vida y la pantalla se iluminó. Alguien había abierto un documento en Word y había tecleado dos palabras: «Terrance Musgrove».

Los McKeogh se miraron el uno al otro.

—¿Saben quién es esa persona? —preguntó Jenn.

—No —respondió el señor McKeogh—. Bueno... no exactamente.

—Es la persona a la que le compramos la casa —dijo Kate McKeogh.

—La compramos del testamento —corrigió su marido.

—La casa formaba parte de los bienes de su testamento. Es bastante triste. No conocemos la historia en su totalidad.

—Era la segunda casa que habíamos visto. Hicimos una oferta por un precio mucho más bajo, calculando que ellos harían una contraoferta, pero aceptaron sin más. Fue un robo, para serles sincero. La venta se cerró en treinta días. No hay nada como un vendedor motivado.

—¿Tiene idea de por qué? —preguntó Jenn.

—Es un tema delicado en este vecindario. La verdad es que nadie habla de ello... —dijo la señora McKeogh—. Pero más adelante nos enteramos... A nadie le gusta pensar que está forrándose con la desgracia ajena. No conviene meter algo así dentro de casa, es energía negativa.

Jenn enarcó una ceja.

—Se suicidó —concluyó el señor McKeogh.

—¡William! —le dijo su mujer, escandalizada.

—En fin, es lo que sucedió. Dentro de la casa. Por eso hicimos tan buen negocio. Estaba muerta de risa mientras los hermanos pensaban qué debían hacer con ella.

—¿Qué fue lo que le ocurrió? —preguntó Hendricks.

El señor McKeogh se encogió de hombros.

—No sabría decírselo. No es algo de lo que les guste hablar a los vecinos. Simplemente fue una tragedia.

—Y yo no quiero saberlo —terció la señora McKeogh—: Es algo que ya pertenece al pasado. Quizá sucediera en una de las habitaciones de los niños. ¿Qué haría yo en ese caso? —La señora McKeogh apagó el ordenador—. Ya está. Así está mejor.

En aquel momento Jenn notó que le vibraba el móvil. Se apartó unos pasos para atenderlo. Era un mensaje de texto generado de manera automática, procedente de Abe Consulting, que decía que el virus de Gibson se había desconectado. Hizo un gesto con la cabeza a Hendricks, el cual se apresuró a finalizar la conversación con los McKeogh. Todos se estrecharon la mano en la puerta, y Hendricks y Jenn bajaron andando por el camino de entrada para coches. Jenn le enseñó a su compañero el mensaje que había recibido.

Al llegar al final del camino, Jenn se volvió hacia el matrimonio.

—Una última pregunta —dijo—. ¿Cuánto tiempo llevan ustedes viviendo en esta casa?

—En abril hará nueve años —contestó la señora McKeogh.

—¿Y cuánto tiempo llevaba vacía?

—Unos dos años —dijo el señor McKeogh.

—Ah, perfecto. Gracias por su tiempo. —Ya dentro del coche, Jenn se volvió hacia su compañero—. ¿No te parece de lo más extraño?

—¿El qué? ¿Que alguien allane un domicilio al azar del país de las maravillas para descargar un virus de Vaughn en el ordenador de un niño? ¿Y a plena luz del día?

—Sí, eso —dijo Jenn.

—Extrañísimo.

—Y sin embargo ellos no son sospechosos. ¿Estamos de acuerdo en eso?

—¿Esos dos? Sí.

—Entonces, ¿por qué lo han hecho? ¿Por qué aquí?

—Puede que alguien esté jugando con nosotros. Puede que esté haciéndonos saber que es demasiado inteligente para que lo atrapemos y pretenda desviarnos en otra dirección.

—¿Tú crees que está simplemente fanfarroneando?

—Lo cierto es que esto encaja con lo que entiendo yo por misión imposible.

—No sé. Implica mucho riesgo. Allanar un domicilio. En este vecindario. A plena luz del día. ¿Y para qué? ¿Para hacernos perder un par de horas? No veo que merezca la pena.

—A lo mejor está construyendo una coartada para Tate. Es posible que sean dos personas.

—Que nosotros sepamos. En dos horas se pueden hacer muchas cosas —señaló Jenn—. Deberíamos volver a Grafton.

—Coincido plenamente contigo. —Hendricks arrancó el motor, pero no quitó el freno de mano. Se quedó mirando a su compañera—. ¿Qué?

—Voy a hablar con la vecina.

—¿La anciana? —preguntó Hendricks—. ¿Para qué?

—Necesito saber qué tiene que ver Terrance Musgrove en todo esto.

Tardó cuarenta minutos en regresar al coche.

—¿Qué, te ha dado la receta para hacer galletas?

Jenn lo hizo callar levantando un dedo hacia él al tiempo que sacaba su móvil y llamaba a George. Mientras Hendricks escuchaba, le explicó la situación a George. Cuando terminó de informar, su interlocutor le preguntó qué necesitaban.

—Una consulta de los datos que existan sobre un tal Terrance Musgrove. —Le deletreó el nombre y le proporcionó la dirección de Orange Lane—. De hace diez años, aproximadamente.

Luego se volvió hacia Hendricks.

—¿En que condado nos encontramos? —le preguntó.

—En Westmoreland —contestó Hendricks.

George le dijo que iba a llamar para allanarle el camino con la policía local. Jenn se pasó la lengua por los dientes. O Tate tenía un socio o se habían equivocado de persona. Y si resultaba que Tate era inocente, ya podían rezar a todos los santos.

Capítulo 26

Gibson se coló en el interior del trastero de alquiler y bajó el portón. Lo saludó un calor sofocante y un olor a sudor rancio y a vómito. Oyó que algo se movía detrás de una valla metálica que cerraba una parte del espacio y se acercó con cautela, a oscuras.

Kirby Tate estaba encogido en una postura fetal, encima de un montón de paja. Pese al opresivo calor, estaba tiritando. Miró a Gibson con los ojos entornados y el recelo de un animal salvaje. Gibson intentó sonreírle y le tendió una botella de agua que resudaba a causa de la temperatura ambiente.

El preso distendió los labios agrietados.

—Tómala.

Tate se replegó hacia la pared, como si Gibson estuviera amenazándolo con un arma y no ofreciéndole algo de beber.

—Tómala —repitió—. No pasa nada.

Abrió la botella y la colocó al otro lado de la valla metálica. Pero se cayó y rodó por el suelo lentamente, describiendo un círculo y derramando agua sobre el hormigón. Tate la siguió con la mirada, calculando el riesgo, buscando la trampa que sin duda debía de haber. Luego, sin levantarse, se inclinó hacia delante, agarró la botella y se sentó en cuclillas para beber con ansia. Cuando ya no quedó más agua, volvió a replegarse hacia su nido de paja.

Gibson puso otra botella de agua donde Tate pudiera verla.
—¿Sigues teniendo sed?
Tate asintió con un gesto.
—Necesito hacerte unas preguntas.
Tate se quedó inmóvil.
—No voy a hacerte daño. Ni siquiera voy a entrar ahí. Pero acércate un poco para que yo pueda verte. Te daré agua y charlaremos un rato.
Tate cambió de postura, pero no se movió del sitio. Gibson lo intentó de nuevo. Persuasivo, tranquilizador. Puso la segunda botella de agua dentro de la improvisada celda y se sentó en el suelo, con la esperanza de que así resultase menos amenazante.
Poco a poco, Tate se aproximó al borde de la celda. Gibson necesitaba poder verle los ojos. Tate agarró la botella y se sentó con las piernas cruzadas en el suelo, frente a Gibson.
—¿De modo que los polis no llevan máscara? —dijo.
—¿Con quién trabajas? —le preguntó Gibson sin preámbulos.
—¿Qué?
—¿Quién es tu socio?
—Yo no tengo ningún socio, tío. No tengo ningún socio porque no he hecho nada. Como ya les he dicho a esos dos hijos de puta.
—¿De modo que has sido un angelito desde que encontraron a esa niña en el maletero de tu coche?
Por el semblante de Tate cruzó una expresión extraña. Era en parte vergüenza y en parte orgullo, y también algo más que hizo que a Gibson se le pusiera el vello de punta.
—Sí, tío, llevo una vida honrada y respetable. Aprendí la lección. Me asustaron y elegí el buen camino. —Esbozó una sonrisa torcida con la que pretendía decir que era un ciudadano de pro.
—¿Y la pornografía infantil que han encontrado en tu portátil?

Tate dejó de sonreír.

—Tío, eso no es nada. Venga. No son más que fotos. Para tener algo con que entretenerme. Así no me meto en líos.

—Algo para quitarte el mono, ¿no?

—Sí, tío, exactamente. El mono. Para que el maletero de mi coche siga estando vacío —añadió guiñando un ojo.

Gibson reprimió las ganas de vomitar.

—¿Te encuentras bien, tío? —Ahora Tate sonreía de oreja a oreja. Estaba jugando un poco con él.

Gibson se obligó a sí mismo a devolverle la sonrisa.

—Estoy bien. Vale, ya lo pillo. Lo responsable es quitarte el mono.

—Lo responsable, sí. Eso es —coincidió Tate.

—Lo haces por ellas, para protegerlas.

Tate afirmó vigorosamente.

—Exacto. Eso es exactamente lo que hago. No quiero volver a hacer daño a nadie más.

Tate estaba convencido de ser el bueno de la película. Veía pornografía infantil solo para impedir que lo dominasen sus bajos instintos. Lo hacía por los niños.

Bien.

Una de las verdades eternas de la condición humana era la de que nadie pensaba nunca que era mala persona. Por muy censurables que fueran sus acciones, la gente siempre se convencía de que estaban justificadas.

—¿Para eso estabas en la biblioteca?

—Sí. Un tío dijo que el viernes era el día en que la biblioteca borraba los servidores, así que ese día no había peligro. Nadie iba a enterarse.

—¿Que borraba sus servidores? —Aquello no tenía el menor sentido; nadie borraba los servidores todas las semanas, y menos aún una biblioteca pública.

—Sí. Es un profesional.

—¿Quién? —preguntó Gibson—. ¿A quién te refieres?

—No lo sé, tío. Un colega. Hace un año me escribió una carta. Bueno, no fue una carta, fue una nota pegada en la puerta de mi casa. Decía que era un «entusiasta» como yo. Que me había encontrado en internet, en no sé qué base de datos en la que se puede encontrar a exconvictos que han cumplido condena, como yo. Tenía mi foto y mi dirección. Me dijo que estaba poniéndose en contacto con todos los que había en la zona para ver si, entre todos, podíamos crear un pequeño círculo de «personas de ideas afines», así lo decía. Todo muy bonito y elegante. «Personas de ideas afines.»

—¿Para qué?

—Para poner en común nuestros... ya sabes... nuestros recursos.

—¿Intercambiar fotos?

—Fotos, vídeos... sí.

Gibson lo entendió. Alguien había convertido el Registro Nacional de Delincuentes Sexuales en una red social para pedófilos. Una *startup* para hijos de puta.

—¿Y te dijo que la biblioteca borraba sus servidores?

—Sí, me dijo que los viernes, durante la operación de borrado, todo era anónimo y uno podía descargarse todo lo que le diera la gana sin que se enterase nadie.

—Pero solo los viernes.

—Solo los viernes. Ese tío lo tenía todo pensado.

—¿Y quién es ese tío, Kirby?

—No lo sé, no lo he visto nunca en persona.

—Venga.

—No, en serio. Esa era la regla número uno, que todo el mundo debía ser anónimo, porque así no podríamos delatarnos unos a otros si el asunto se iba a pique.

—Pero él sabía quién eras tú.

—¿Qué?

—Él se puso en contacto contigo. De modo que sabe quién eres.

Se hizo obvio que a Tate no se le había ocurrido aquello.

—Sí, pero yo no sabía quién era él, así que...

Su estupidez se derrumbó sobre sí misma.

—Kirby, el anonimato solo existe si se mantiene en secreto la identidad de todos.

—Oh. Sí, vale, ya lo imagino. Pero es que era un tío genial, de verdad. —Tate tenía ya el cerebro funcionando a la velocidad normal—. Me ayudó mucho, no me dejó tirado.

—Y, sin embargo, aquí estás ahora.

Tate lo miró fijamente durante un minuto entero. Gibson se empeñó en no desviar la mirada y observó cómo iban casando muy despacio las piezas en su mente.

—Qué hijo de puta —escupió Tate.

Acto seguido se puso de pie y empezó a pasear por su celda en círculos, maldiciendo. Gibson le permitió que se desahogara un poco, hasta que por fin volvió a dejarse caer en el suelo, frente a él.

—¿Qué te ha dicho que he hecho? Porque de eso no hemos hablado nada.

—Ah, ¿no?

—No, tío. Al principio le estuve mandando cosas, pero él nunca tenía nada para mí, así que dejé de enviarle.

—¿Y qué me dices de los demás miembros del grupo?

—No había más miembros. Él seguía intentando reclutar a más gente, pero no consiguió convencer a nadie. A todos les daba miedo, dijo. Me dijo que nosotros dos éramos los únicos que teníamos una visión. Me ofrecí a ayudarlo a reclutar gente, pero me dijo que era más seguro que se ocupara solamente él.

—¿Cómo te comunicabas con él?

—Al principio con notas, como la que me encontré pegada en la puerta. Luego, cuando tuve ordenador, hablábamos por ahí. —De pronto se le ocurrió una idea—. Te ha dicho que yo secuestré a la hija de Lombard, ¿verdad? Por eso esos capullos me han traído en avión hasta este agujero de mierda. Porque él ha dicho que fui yo.

«¿En avión?» Gibson esperó que, con la oscuridad que reinaba allí, Tate no lograra ver su expresión de extrañeza. Ya le preguntaría por aquel misterioso trayecto en avión si llegaba el caso; por el momento, le siguió la corriente.

—Eso es lo que nos ha dicho.

—Pues es mentira.

—¿Tienes internet en casa?

—¿En casa? Qué va. En ese cuchitril no tengo nada.

—¿Por qué no?

—Porque no puedo permitirme ese lujo, tío. ¿Sabes cuánto gana actualmente un exconvicto por pederastia? Pues no mucho. No es precisamente que la gente se muera de ganas de darme trabajo. Hago algunas chapuzas para un tío mío. O acepto algún empleo de un solo día cuando me sale, pero esos jodidos mexicanos solo contratan a los suyos, ya sabes. No tengo dinero para comprarme una parabólica. Además, ¿para qué necesito tener internet? Para eso, lo único que tengo que hacer es ir a la biblioteca, y ya está.

—Internet sirve para más cosas, Kirby.

—No, tío. Hay que leer mucho. A la mierda. Me da dolor de cabeza.

—¿Y por qué estás protegiendo a ese tío?

—No lo estoy protegiendo. No sé quién es. No tengo nada que ver con él.

—Pero hackeaste Abe Consulting por él. ¿O lo hiciste tú solito?

—También me han estado preguntando eso los otros dos. Tío, yo no he hackeado nada de nada.

—Venga, Kirby. Estoy intentando ayudarte, pero tienes que darme algo. El viernes, en la biblioteca, descargaste como diez megabytes de datos de Abe Consulting.

—No, tío, no. Solo estuve descargando... ya sabes... fotos y demás.

—No me mientas. Te estábamos observando. Estaba en tu ordenador.

—Mira, la única razón por la que le compré el ordenador fue para poder bajarme fotos. Nada más.

Gibson hizo un alto.

—¿El ordenador te lo vendió él?

—Sí, yo iba a comprarme uno de segunda mano, pero él me dijo que no, que podía construirme uno nuevo. Que le haría unas modificaciones para que fuera seguro.

Gibson cerró los ojos. Tate no tenía un benefactor misterioso ni tampoco un socio. Lo que tenía era un titiritero. Era un plan brillante. Reclutar a un pedófilo para un grupo amante de la pornografía infantil que no existía, entregarle un ordenador modificado y hacerle creer una patraña acerca de lo que sucedía los viernes por la tarde.

—¿Qué? ¿Qué ocurre? —preguntó Tate.

Gibson no le hizo caso. WR8TH se había construido una puerta trasera por la que acceder al ordenador de Tate y había estado manipulándolo por control remoto, como si fuera un avioncito de juguete. WR8TH había estado descargando datos de Abe Consulting desde el ordenador de Tate, dejó una copia en el disco duro para que la encontrasen y se marchó sin dejar rastro. El auténtico WR8TH podía encontrarse a miles de kilómetros de allí, o quizá en aquel mismo parque, en la mesa de al lado.

Todo muy limpio. Pero Gibson seguía sin entender qué era lo que pretendía WR8TH. Suponía un riesgo muy grande, diez años después de haberse ido de rositas. ¿Qué sería aquello tan valioso, tanto como para que él estuviera dispuesto a arriesgarse a que lo capturasen?

Lo que sí que sabía era que WR8TH aún no lo había encontrado. Así acababa de demostrarlo el virus que fabricó él, emitiendo la alarma. No había sido algo accidental ni tampoco lo había hecho para proteger a Tate. Tate era un simple peón. Aquello significaba que WR8TH seguía queriendo jugar. Lo único que necesitaba Gibson era averiguar cómo devolverle la jugada.

Se levantó con la intención de marcharse.

—Venga, tío, estoy seguro de que has descubierto algo.

Gibson le pasó a Tate las provisiones que le quedaban: una botella de agua, una barrita energética y una manzana.

—Yo no he hecho nada, lo sabes perfectamente.

Gibson le dio la espalda.

—«Nada» es mucho decir.

Capítulo 27

La agente Patricia M. Daniels no se alegró especialmente de verlos. Miró a Jenn y a Hendricks de arriba abajo y, a continuación, regresó a su mesa y se puso a escribir en el teclado.

—Por lo general, estos asuntos los atendemos previa solicitud por escrito. ¿Lo sabían? Nos tomamos muy en serio el derecho a saber. Muy en serio —explicó Patricia sin levantar la vista—. Tenemos un portal de internet para que el público general, como ustedes, pueda presentar sus solicitudes.

—Lo comprendemos.

—Existe un sistema —continuó Patricia—. Accedo a las peticiones por orden. Aquí tengo un montón de solicitudes. Y así se lo he explicado también a ese tal señor Abe de ustedes. Sin embargo, el señor Abe tiene necesidad de que sea hoy mismo. Lo antes posible. Es una persona importante, de modo que le importa un comino que exista un sistema que respetar. Y así se lo he dicho. Pero ha estado hablando con Frank —añadió, señalando el despacho del sheriff, situado a su espalda— y a los cinco minutos lo tenía aquí diciéndome que lo dejara todo para atenderlos a ustedes.

—Y se lo agradecemos mucho —dijo Jenn.

Hendricks miró por la ventana.

—Servir y proteger —recitó Patricia.

El cuarto de archivo se encontraba en el sótano; la mesa de la agente, en cambio, estaba en el segundo piso.

—Intentaron ponerme abajo, con los archivos, pero lo que hay allí es polvo de la era prehistórica. No se puede estar —aseguró—. Se lo dije a Frank. Le dije que debería probarlo él mismo, a ver qué tal le sentaba a su asma.

Patricia sacó las llaves de un cajón y se levantó de la silla. No medía más de un metro cincuenta y tenía la constitución de la típica muñeca rusa: partía de una base ancha e iba estrechándose hacia la punta. Se ajustó el cinturón y se dirigió hacia el sótano con unos andares lentos y bamboleantes.

El cuarto de archivo del sótano estaba dividido en hileras por unas estanterías metálicas que se veían abarrotadas de cajas con etiquetas. Patricia no había mentido en lo del polvo: cubría todas las superficies. Todo estaba oscuro y las luces fluorescentes, también cubiertas de polvo, hacían muy poco por iluminar el espacio.

Patricia les explicó que todo lo que pertenecía a los cinco últimos años estaba archivado en formato electrónico. Existían planes de digitalizar los archivos en papel que quedaban, pero el condado no había liberado fondos para contratar a un equipo de administrativos que se encargara de ello. Abrió con llave la verja metálica y les dio paso a un pasillo. Tenía una hoja de papel donde había anotado la información y la utilizó a modo de mapa del tesoro para guiarse. Patricia realizaba su trabajo de manera muy ordenada. Todo estaba metido en cajas, etiquetado y organizado de forma profesional, así que le resultó fácil encontrar el archivo en cuestión.

—Trabajé veinte años para el Departamento de Policía de Los Ángeles. Y este es el mejor cuarto de archivo que he visto en mi vida —comentó Hendricks.

—Gracias —dijo Patricia con el rostro iluminado—. ¿Por qué no me ha dicho que había sido policía?

—Solo en mi caso. Mi compañera ha estado en la CIA —respondió a modo de explicación.

—¿En la CIA? Oh. Bueno, no se lo tendremos en cuenta —dijo Patricia al tiempo que le propinaba un codazo en el costado.

—Le agradecemos mucho su ayuda —dijo Hendricks.

—Bueno, me agrada poder ayudar. Antes estaba un poco enfadada porque, cuando llamó ese tal señor Abe de ustedes, oí la palabra «suicidio» y supuse que se refería al caso Furst. Y lo cierto es que un caso tan reciente no lo tendré archivado hasta dentro de un año, más o menos.

—¿Furst? —repitió Hendricks.

—Evelyn Furst —dijo Patricia y, al ver que con ello no aclaraba nada, añadió—: La doctora Evelyn Furst.

—Perdone, no somos de aquí —dijo Jenn.

—¿No les suena Evelyn Furst? ¿La decana de la Facultad de Medicina de la Universidad de Pittsburgh? —probó Patricia, sin éxito—. Pues ha salido muchísimo en los informativos. Vivía aquí cerca, e iba y venía todos los días. Una auténtica tragedia. Era una señora encantadora, hizo mucho bien. Así que cuando oí la palabra «suicidio» me imaginé que eran ustedes periodistas que pretendían ensuciar su imagen. En mi opinión estamos en un país libre y eso debería aplicarse también a la vida de cada cual. No es que yo vaya a suicidarme, pero esa es la idea.

—Totalmente de acuerdo —apuntó Hendricks.

—No, hemos venido solo para esto otro —dijo Jenn.

—Oiga, Patricia, ¿cree usted que podría conseguirnos una copia del expediente de Musgrove? —preguntó Hendricks.

—¿Entero?

—Me ayudaría mucho, sin duda.

Patricia puso cara de no estar muy segura.

—No sé. No debería.

Hendricks le apoyó una mano en el hombro para tranquilizarla.

—Lo entiendo —le dijo—, pero le doy mi palabra de que seremos discretos. Estaré en deuda con usted. Así me quitaría a mi jefe de encima. La verdad sea dicha, a veces se pone imposible.

Aquello último pareció tocar una fibra sensible de Patricia, porque accedió a regañadientes, pero solo después de exigirles varias veces que se lo prometieran de corazón. Luego los condujo al piso de arriba para hacer una copia del expediente y se lo entregó junto con una petición.

—Si necesitan algo más, llámenme directamente a mí. ¿De acuerdo? —También le entregó a Hendricks una tarjeta de visita—. En lo de su jefe tiene razón: ese tal señor Abe ha terminado poniendo a Frank de muy mal humor.

Le prometieron que así lo harían y se despidieron de ella.

—¿Piensas llamarla? —preguntó Jenn una vez que hubieron salido a la calle—. Me parece que le has gustado.

—Desde luego que sí. Justo después de que tú llames a Vaughn.

Aquello la dejó petrificada en el sitio.

—¿Cómo?

—Ya me has oído. —Le guiñó un ojo.

—Mira, hazme un favor y quédate aquí mismo. Tengo que sacar el arma del coche.

—Claro, cómo no, vaquera. —Agitó el expediente de Musgrove—. ¿Qué, te apetece comer y leer?

La única condición que puso Jenn fue no ir a una cafetería. Después de haber pasado una semana aguantando la obsesión que tenía Vaughn por las cafeterías tradicionales, le había quedado la sensación de tener los órganos internos fritos en grasa pura. Necesitaba algo que fuera fresco y verde.

Mientras se dirigían a un restaurante que había calle abajo, Jenn se imaginó a Vaughn sentado en aquella cafetería suya, el Nighthawk. Con dinero en el bolsillo y ya liberado de aquel embrollado asunto. La idea la hizo sonreír. Si hubiera visto lo que había hecho ella, no estaría nada tranquilo. A pesar de ser un tipo que la cagaba siempre, tenía una recia moralidad que ella admiraba. Sobre todo cuando veía a alguien a quien le había tocado perder, como quizá, solo quizá, fuera en aquel momento el caso de Kirby Tate. Hubo una época en la que a ella también la habría molestado algo así, pero ahora simplemente consideraba a Tate como el despojo que de manera inevitable rodeaba aquel tipo de operaciones. Ni siquiera la molestaba que no la molestara.

Ya en el restaurante, extendieron el expediente sobre la mesa y fueron leyendo mientras comían. La historia de Terrance Musgrove era triste. A todas luces, Musgrove era un miembro muy querido en su barrio, un chico que, gracias a su esfuerzo, logró entrar en la universidad y después en la Facultad de Veterinaria. Jenn revisó una pila de informes escritos que hablaban, cada uno a su manera, de la profunda entrega que mostraba siempre Musgrove cada vez que lo llamaban para atender a un animal enfermo. Su dedicación le había permitido ampliar su actividad profesional a lo largo de los años y llegó a tener cuatro consultas en diferentes sitios. Incluso se habló de franquiciar el negocio por todo el país, pero la cosa no fue más allá de la fase inicial de planificación. De todas formas, a él le fue magníficamente y, junto con su esposa Paula y su hija April, estuvo viviendo dieciocho años en Orange Road.

En resumidas cuentas, lo que se podía decir tras repasar la vida de Terrance Musgrove era que había sido una buena persona. Su esposa era autora de dos libros para niños y participaba con mucha frecuencia en obras benéficas. Su hija asistía a colegios privados y competía en natación, y ya tomó parte en los Junior Nationals cuando contaba once años. La familia se iba todos los años de vacaciones a esquiar a Wyoming y poseía una vivienda de verano situada a un par de horas del lago Erie.

Jenn dejó el fajo de papeles para picar un poco de ensalada.

—Dios, esto sí que es duro —exclamó Hendricks.

—¿Qué has encontrado?

—La hija, April, tenía catorce años. Ella y su madre estaban en la casa de verano. Las dos solas.

—La del lago Erie.

—Sí. Resulta que madre e hija están sentadas en su embarcadero y la niña decide darse un baño. Por eso la policía especula que se fue nadando en línea recta.

—¿Y?

—Y va y la atropella una moto acuática. Le golpeó la cabeza a base de bien.

—¿Lo suficiente para matarla?

—Lo suficiente para dejarla inconsciente. Con lo cual, se ahogó. Pero la cosa es todavía peor. A la madre le entra el pánico, se lanza al agua y se va nadando hasta su hija para salvarla, pero no nada tan bien como ella, y se ahoga en el intento.

—¿Musgrove tiene alguna coartada?

—Algo debemos de tener tú y yo en común, porque yo también me he preguntado eso antes de nada. Sí, el médico pasó el día entero en su consulta. Hay como un centenar de testigos. La policía estuvo husmeando por ahí pero no llegó a encontrar motivos para considerarlo sospechoso.

—¿Y el suicidio? ¿Cuándo tuvo lugar?

—Dos años después. Pero las personas de su entorno dijeron que sufría depresión y que bebía. Comentaron que al final ya estaba bastante mal. Tenía cambios de humor y de personalidad, y su actividad profesional se resintió.

Jenn se recostó en el asiento y reflexionó sobre todo aquello.

—Es una historia muy triste, pero sigo pensando que estamos en medio de una misión imposible. ¿Qué tenemos que ver nosotros con un veterinario?

—Fíjate en la fecha —dijo Jenn señalando el informe de la autopsia.

Hendricks la leyó y meneó la cabeza en un gesto negativo.

—¿Qué? ¿Que se mató un par de meses después de que desapareciera Suzanne? Es exagerar demasiado, ¿no te parece?

—Lo sería si no nos hubieran llevado hasta su antigua casa y no hubieran tecleado su nombre en un ordenador.

—¿Y cuál es tu teoría, entonces? ¿Que Musgrove se vuelve depresivo? ¿Que pierde el juicio y empieza a hablar con Suzanne por internet en un inútil intento de reemplazar a su hija; la conoce, la seduce y la secuestra; y sabe Dios qué más? ¿Que cuando se da cuenta de lo que ha hecho ya es demasiado tarde y se mata agobiado por el sentimiento de culpa?

—De hecho, esa hipótesis es mejor que la que tenía yo.

Hendricks puso los ojos en blanco.

—Venga.

—Las dos chicas tenían catorce años. ¿Por qué no?

—Pues porque, para empezar, si Terrance Musgrove raptó a Suzanne y está muerto, ¿qué pinta Kirby Tate en todo esto? Y, en segundo lugar, ¿quién ha allanado hoy el domicilio de los McKeogh?

—Ya, no lo sé —reconoció Jenn—. Tengo la sensación de estar jugando al póquer con solo tres cartas.

Hendricks afirmó con la cabeza.

—Con eso resulta difícil hacer una buena jugada.

—¿Qué nos estamos perdiendo? —preguntó Jenn sin dirigirse a nadie en particular.

Pagaron la cuenta y recogieron el expediente de Musgrove. De pronto, Jenn se fijó en una fotografía. Era una fotografía policial del suicidio de Musgrove. Terrance Musgrove se había ahorcado. Sintió un escalofrío que le recorría la espalda entre las paletillas. Hendricks vio que le cambiaba la expresión de la cara y miró la foto con gesto interrogante.

—¿Qué ocurre?

—No lo sé. Necesito volver a Grafton. Necesito mi portátil. Y...

Se miraron el uno al otro. Ninguno de los dos quería pronunciar el nombre de Kirby Tate.

—Entendido. ¿Quieres llamar tú a George, o lo llamo yo?

—Esto le va encantar, ¿a que sí? —dijo Jenn.

—Esa no es la palabra que utilizaría yo.

Capítulo 28

Gibson estaba sentado a una mesa, a la sombra de la biblioteca Carolyn Anthony. Suponía un alivio, después del trastero de alquiler. Además, abrigaba la esperanza de que el hecho de regresar a la escena del crimen lo ayudara a pensar, le ofreciera cierta claridad de ideas, pero aquella biblioteca era simplemente una biblioteca y no tenía nada útil que decirle. El parque se veía más tranquilo que el viernes, cuando permitió que lo engañaran. Cuando permitió que se la jugaran con mano experta y lo condujeran hacia Tate.

Con cuánta facilidad se la habían pegado.

Observó las coordenadas GPS que había enviado su virus a Abe Consulting como si fueran a hablarle. No le cabía duda de que Jenn y Hendricks habían seguido dichas coordenadas, adondequiera que llevasen. A lo mejor pillaban desprevenido a WR8TH, pero él lo dudaba. WR8TH era sumamente cuidadoso. Si su virus se había activado, era únicamente porque WR8TH lo había consentido. Pero ¿por qué había elegido descubrirse ahora? ¿Acaso al hacerlo no echaba por tierra todo su plan para incriminar a Tate? A no ser, claro está, que WR8TH no hubiera sido capaz de resistirse, que fuera tan arrogante como para no poder pasar sin hacer ver lo inteligente que era. Desde luego, él había conocido háckers así. Él mismo había sido un hácker así. Aquel movimiento era exactamente el mismo que habría hecho él... cuando tenía quince años.

De pronto su portátil emitió un pitido y en un ángulo de la pantalla se abrió una pequeña ventana de texto. A Gibson se le erizó el vello de los brazos.

```
WR8TH: M dicen ke andas buscándoM
```

Estaba escrito empleando aquel lenguaje simplificado que tanto gustaba en algunos rincones de internet. Sonaba a la típica pereza de un adolescente, pero Gibson no quiso hacer suposiciones; él conocía programadores ya cincuentones y con títulos universitarios que lo utilizaban siempre. Había webs en las que si uno empleaba la gramática correcta quedaba expulsado, por norma.

```
GVaughn: Ni siquiera sé quién eres.

WR8TH: cierto. pero sabes kien no soy, verdad???

GVaughn: No eres Kirby Tate.

WR8TH: oooh
```

Gibson notó que WR8TH se reía de él.

```
GVaughn: Vaya numerito has montado con él.

WR8TH: no sufras por esa escoria. tiene lo ke se
merecia

GVaughn: Menuda sangre fría.

WR8TH: vale, pero no fui yo el ke lo encerro en un
trastero
```

Gvaughn: Tú eres más bien el que mueve los hilos.

WR8TH: te jode ke descubriese tu programa?

Gvaughn: Cumplió su objetivo.

WR8TH: solo xq yo lo permiti

Gvaughn: ¿Por qué lo permitiste?

WR8TH: xq no te has ido como te ordenaron?

GVaughn: ¿Has estado espiándonos?

WR8TH: un poco. contesta, xq sigues aki?

GVaughn: Por Suzanne.

WR8TH: yo tb

Gibson se quedó mirando fijamente la última frase durante un minuto entero.

GVaughn: WR8TH. Imagino que tú debes de ser ese usuario, WR8TH.

WR8TH: *sonrojo*

GVaughn: No te creo. Pienso que eres algún admirador suyo que utiliza su antiguo alias.

WR8TH: no eres tan tonto. sabes ke soy yo

GVaughn: ¿Lo sé?

WR8TH: kien mas iba a tener esa foto???

GVaughn: Seguramente es falsa. Igual que tú.

WR8TH: deja de jugar. pierdes el tiempo

GVaughn: A lo mejor ahora me toca a mí perder el tiempo. Con todos tus jueguecitos, me han entrado ganas.

Siguió una larga pausa.

WR8TH: has terminado?

GVaughn: De momento, sí. De modo que fuiste tú. ¿Tú secuestraste a Suzanne?

WR8TH: + o -… es un poco mas complicado

GVaughn: ¿Qué quieres decir con «+ o -»?

WR8TH: no soy lo ke creen ke soy

GVaughn: ¿Qué creen que eres?

WR8TH: un pedofilo como tate. ke hice daño a suzanne

GVaughn: ¿Y no fue así?

WR8TH: no, yo la keria

GVaughn: Entenderás que estás enfermo.

WR8TH: no es lo ke tu crees

GVaughn: Vale, tú la querías, de acuerdo. ¿Y dónde está ahora, Romeo?

Otra larga pausa. Gibson temió haber aguijoneado demasiado a WR8TH. No pudo evitarlo; escuchar a aquel hijo de puta decir que quería a Osita era demasiado para aguantarlo. Pero necesitaba que continuara hablando.

GVaughn: ¿Tú eres capaz de sentirte mal por lo que le sucedió a Suzanne?

WR8TH: todos los dias, tio. todos los putos dias

GVaughn: Pues dime dónde está. Venga. Nos tienes a todos en vilo. Ya hemos jugado tu jueguecito, ya has demostrado lo inteligente que eres. Lo de Tate ha sido muy inteligente. Me quito el sombrero. Pero ya está bien de preliminares, ¿OK? Ha llegado el momento de la atracción principal. De la gran revelación. Porque todo este numerito es para eso, ¿no? Para confesar algo desagradable. Para desahogarte por fin.

WR8TH: no lo pillas

GVaughn: ¿O es que echas de menos ser el centro de atención? ¿Esperas causar un poco más de dolor a las personas que querían a Suzanne?

WR8TH: YO LA KERIA!!!

GVaughn: Pues entonces dime dónde está.

WR8TH: no lo se

GVaughn: Que te jodan, «WR8TH».

WR8TH: lo juro x dios. crei ke ya lo sabian

GVaughn: ¿Quiénes?

WR8TH: abe consulting group. xq crees que los he hackeado???

GVaughn: ¿Piensas que los de Abe Consulting saben dónde está Suzanne?

WR8TH: antes si

GVaughn: ¿Y ahora?

WR8TH: ahora ya no se

Gibson se recostó en su siento y miró fijamente la pantalla.

WR8TH: no pongas esa cara de sorpresa, gibson

Aquello sí que lo irritó; ya estaba harto de que jugaran con él. Se puso a teclear furibundo.

GVaughn: Ah, conque sabes cómo me llamo. Estupendo. Te ha debido de costar bastante trabajo averiguarlo entre todos los archivos de Abe Consulting que has robado.

WR8TH: es un chiste? se te conoce en todas partes. BrnChr0m. eres una leyenda. suzanne hablaba todo el tiempo de ti

Aquello lo conmocionó profundamente. Que Osita hablase de él a su secuestrador. Que lo tuviera a él en la mente en aquella época. Lo invadió una oleada de tristeza. Tristeza mezclada con una furia renovada.

GVaughn: No me digas. ¿Te habló de aquella época feliz que pasamos en la playa mientras tú la torturabas o le hacías sabe Dios qué putadas?

WR8TH: Y UNA MIERDA!!! yo la KERIA. pues si, hablaba mucho de ti. me conto ke tu la llamabas Osita y ke le leias libros

GVaughn: No quiero oírte a ti decir esto.

WR8TH: lo ke le hiciste a su padre. ke lo enfadaste

GVaughn: A la mierda con él.

WR8TH: al fin estamos de acuerdo en algo, jaja

A Gibson no se le ocurrió cómo responder a aquello. WR8TH tenía algo en mente.

WR8TH: xq sigues aki?

GVaughn: Para averiguar lo que le sucedió a Suzanne.

WR8TH: tus colegas han venido a matarme?

GVaughn: No lo sé.

```
WR8TH: kieres saber algo gracioso?

GVaughn: ¿Qué?

WR8TH: me fio de ti. ke tonteria, no?

GVaughn: Sí.
```

Aquel diálogo estaba siendo cada vez más rápido. Gibson golpeaba con fuerza las teclas y mandó la frase sin pensar. Apartó los dedos del teclado y se quedó mirando cómo parpadeaba el cursor, esperando una respuesta, pero no obtuvo ninguna. Maldijo para sus adentros.

```
GVaughn: ¿Sigues ahí?
```

Nada. Maldición. Vuelve, maldito cabrón.

«Espera un momento. ¿Qué...?»

Retrocedió en el diálogo y leyó de nuevo una frase que había escrito WR8TH: «no pongas esa cara de sorpresa, gibson». El muy hijo de puta podía verlo, estaba allí mismo, viéndolo a él igual que ellos habían estado viendo a Tate. Y ahora que se paraba a pensarlo, WR8TH debía de estar también en la red de la biblioteca. De no ser así, ¿cómo había abierto un chat en su portátil?

Miró a su alrededor para ver qué más personas había en el parque. Clavó la mirada en un individuo alto y desgarbado que estaba sentado frente a él, dos mesas más allá. No tendría más de veinticinco años. El término que emplearía él para describirlo sería «desaliñado». Tenía un pelo largo, rubio y rizado que le salía disparado en todas direcciones de tal forma que Gibson dudó que entre sus posesiones terrenales se contara un peine. Había hecho un fallido intento de dejarse crecer la barba y el resultado eran unas patillas largas y llenas de calvas y un bigote que se curvaba hacia abajo pero no lo suficiente para alcanzar la gruesa mata de pelo que tenía bajo el mentón. Vestía una camiseta negra de Slipknot, un grupo de *heavy metal* que él había oído hasta decir basta cuando estaba con los marines. Y llevaba unas modernas gafas de sol negras que no lograban ocultar sus ojos, unos ojos grandes y amistosos.

Que le sostuvieron la mirada a Gibson sin pestañear ni apartarse.

`GVaughn: ¿WR8TH?`

Lo tecleó despacio, creyendo que no podía tratarse de él. El individuo que estaba sentado allí enfrente debía de ser un crío cuando desapareció Suzanne.

El individuo bajó la vista a su portátil, después volvió a levantarla y asintió.

Capítulo 29

Hendricks redujo la velocidad al girar para entrar en Grafton Storage.

La verja estaba abierta de par en par.

Jenn también lo vio. Abrió la puerta del pasajero y se apeó mientras el Cherokee enfilaba hacia la entrada. Con el arma pegada a la pierna, avanzó al trote junto al Cherokee sirviéndose de la portezuela a modo de escudo. Alguien había solucionado el problema del candado con unas tenazas para cortar hierro.

—¿Qué opinas? —preguntó Jenn sin apartar la vista de la carretera—. ¿Habrá sido la policía?

—La policía no se anunciaría de esta forma. La verja estaría cerrada, como cebo para animarnos a entrar. Esto es otra cosa.

—Estoy de acuerdo. Vamos adentro.

Hendricks asintió con gesto grave. Jenn cerró la portezuela para poder maniobrar con mayor facilidad y se situó detrás del Cherokee.

Una vez que estuvieron dentro, Jenn cerró la verja. Por un lado, estaba encerrándose a sí misma y a Hendricks con unos huéspedes a los que no habían invitado; por el otro, estaba encerrando consigo a sus huéspedes. Seguro que no iban a tardar en averiguar cuál de las dos cosas era.

Dio un leve golpe en la trasera del Cherokee y Hendricks empezó a avanzar muy despacio. Jenn se colocó en ángulo, a fin de continuar estando a cubierto y al mismo tiempo contar con una línea de tiro cada vez que llegaban a la intersección entre un trastero y otro. Tampoco le venía mal tener el sol de media tarde a la espalda; ayudaría a contrarrestar la ventaja táctica de una emboscada que pretendiera tenderles el enemigo.

Continuaron hasta el trastero en el que habían dejado encerrado a Tate. Estaban avanzando muy lentamente, pero si aquello era una trampa, de aquel modo tendrían más posibilidades de descubrirla. Sin embargo, Jenn coincidía con Hendricks: si fuera una trampa, la verja habría estado cerrada y ellos no lo habrían sabido hasta que ya fuera demasiado tarde. Lo de la verja era un mensaje y, a medida que fueron aproximándose, al trastero de Tate se vio que el portón estaba levantado.

Hendricks pasó de largo y Jenn se separó del parachoques y corrió hacia la esquina más próxima. Hendricks levantó tres dedos y Jenn hizo un gesto afirmativo. Hendricks contó moviendo los labios: «Tres, dos, uno» y Jenn dobló la esquina agachada, con el arma en posición, para escrutar el interior del trastero. Hendricks la siguió medio paso por detrás, rápido y agresivo, y cada uno se repartió una mitad del espacio.

Pero no tardaron en detenerse bruscamente y dejaron caer las armas al costado. La puerta de la celda de Tate estaba abierta. Tate no estaba.

Jenn dio un paso al frente y pisó algo húmedo. Bajó la vista. Era un ancho reguero de sangre que partía de la celda de Tate. Alguien había estado sangrando en el interior de aquella celda. Estuviera Tate donde estuviera, no era allí.

—En fin, esto no es precisamente una situación ideal —comentó Hendricks al tiempo que enfundaba el arma.

Jenn lo miró con gesto pensativo.

—¿Dejaste la cámara grabando?

—Sí —contestó Hendricks.

—Pues rebobínala y échale un vistazo. Yo voy a llamar a George.

—¿No crees que quizá deberíamos hablar un momento de lo que está ocurriendo aquí?

—Ahora no. Examina la cinta.

—¿Y luego?

—Luego recogemos el campamento y nos largamos de aquí cagando leches. Y entonces hablaremos de lo que está ocurriendo.

Jenn salió al sol de la tarde y marcó el número de George. Le saltó el contestador, de modo que colgó y volvió a llamar. De nuevo el contestador. Arrugó el entrecejo. Colgó y llamó a la línea principal de Abe Consulting, pero también le saltó el contestador. Consultó el reloj. En recepción dejaban de trabajar a las cinco y media, y ya eran casi las seis. Por lo general siempre había alguien en la oficina. Probó con Rilling, pero le salió el contestador. ¿Dónde estaría todo el mundo? Volvió a llamar a George y le dejó un escueto mensaje de voz: «¡Llámame!». Era la clave para que enviase a la caballería. Contar con la caballería no estaría mal.

Oyó que Hendricks la llamaba a gritos. Lo encontró junto a los monitores.

—Esto no te va a gustar —le dijo Hendricks.

—Ya no me está gustando.

Hendricks pulsó el botón de reproducción. Se vio un plano estático de Tate dentro de su celda. Transcurrido un minuto, la celda se iluminó e inmediatamente volvió a quedar a oscuras, coincidiendo con el momento en que el portón se abrió y volvió a cerrarse. Y a continuación, en el plano entró Gibson Vaughn.

—Ah, tiene que ser una broma...

—Te lo he dicho.

—¿Esto ha sido obra de Vaughn? No me lo puedo creer.

—Tú observa —dijo Hendricks.

Vaughn se sentó junto a la jaula. Tate terminó levantándose para ir a sentarse cerca de él y ambos estuvieron hablando durante largo rato, hasta que Gibson se marchó. Jenn pagaría por saber de qué habían estado hablando, pero la cámara solo grababa vídeo. Las imágenes se veían con total nitidez.

Hendricks aceleró la cinta. La hora indicada avanzó noventa minutos. En la grabación se vio cómo se iluminaba otra vez la celda cuando se levantó el portón de nuevo. Hendricks volvió a hacer avanzar la cinta a la velocidad normal y Jenn se inclinó hacia delante. Tate se puso de pie y se aproximó a la entrada de la jaula. Daba la impresión de estar esperando que viniera alguien, y su rostro reflejó primero sorpresa y luego miedo. Quienquiera que estuviera allí, permanecía detrás de la cámara. Tate empezó a gesticular frenéticamente y a levantar las manos en un ademán de rendición y obediencia.

La primera bala lo alcanzó en el hombro, le atravesó la clavícula y lo empujó hacia atrás. Retrocedió dando traspiés, intentando mantenerse erguido, pero antes de poder recuperar el equilibrio recibió dos balazos más y se desplomó en el suelo. Aun así, el tirador continuó disparando. Jenn observó, horrorizada, el cuerpo de Tate siendo acribillado sin piedad. Contó por lo menos doce impactos. Se produjo una pausa, durante la cual el tirador metió un nuevo cargador en el arma y de nuevo lo vació en el cuerpo de Tate, ya inmóvil.

—Dios.

Transcurrió un minuto. Alguien puso un trozo de cinta negra en la cámara. Hendricks avanzó rápidamente y, veinte minutos más tarde, desapareció la cinta negra. Y, como por arte de magia, se vio la celda de Tate vacía y el cadáver ya no estaba.

Hendricks pulsó el botón de «Pausa» y los dos se quedaron mirando la imagen congelada.

—Pero qué mierda —dijo Hendricks—. ¿Tú crees que ha sido Vaughn? Podría haber allanado el domicilio de los McKeogh, haber enviado su virus para tendernos el cebo y haber vuelto aquí para encargarse de Tate.

—Ni hablar.

—Para él, el tema de Suzanne Lombard era de índole personal —dijo Hendricks—. Si creyera que la había secuestrado Tate, ¿no lo crees capaz de haber querido vengarse de él?

—Quizá. Pero si me preguntas si creo que Vaughn se dejó grabar por la cámara, volvió al cabo de noventa minutos, tapó el objetivo y mató a Tate, te contestaré que no.

Hendricks pasó unos instantes cavilando y luego asintió con un gruñido.

—Vamos a desear que haya sido Vaughn.

—Ya lo sé.

—¿Quién ha matado a Tate, entonces? ¿El verdadero WR8TH?

Jenn no tenía respuesta.

—¿Qué ha dicho George? —preguntó Hendricks.

—No ha cogido el teléfono.

—Perfecto. Y ahora, ¿qué?

—Lo desmantelamos todo, lavamos la celda con lejía y le prendemos fuego. Y borramos todo lo que ha grabado la cámara.

—¿Y si lo necesitáramos más adelante?

—Es un riesgo que tenemos que asumir.

Capítulo 30

George Abe apretó un botón del volante y puso fin a la llamada. Al cabo de un momento, comenzó a sonar una grabación pirateada de los Rolling Stones en directo en el Forum ’75 que llenó el interior del coche. Jagger rugía recitando una letra que hablaba de una reina del bar empapada en ginebra. Era la primera gira que hacían los Stones sin Mick Taylor, y Ronnie Wood, aunque no era mal sustituto, seguía siendo muy suyo e insistía en dejar su propia huella en los acordes escritos por otro. George lo consideraba uno de sus temas favoritos, pero ahora necesitaba pensar. Así que apagó el estéreo y continuó conduciendo en silencio.

La conversación telefónica con Calista no había sido agradable. Ella se había mostrado impaciente, nerviosa y cada vez más frustrada ante el hecho de que en Somerset las cosas no estuvieran avanzando más deprisa. Aquello era una parte, pero la muerte de su hermana mayor la había dejado profundamente conmocionada, así que cabía decir, como mínimo, que no se encontraba precisamente en su mejor momento.

Calista estaba muy unida a su hermana y en muchos sentidos Evelyn Furst era el último miembro de la familia del cual se podía decir eso. Evelyn compartía la misma pasión que sentía Calista por el legado familiar y el estatus de que disfrutaban en el mundo. Su carrera de médica y de decana de la Facultad de Medicina de la Universidad de Pittsburgh era algo que Calista celebraba. Evelyn había sido una pionera para las mujeres, había abierto camino, y para Calista aquello representaba claramente la esencia de ser una Dauplaise.

Decir que nadie lo había visto venir era un eufemismo. Él conocía a Evelyn desde hacía varios años y, cuando estuvo hablando con ella en el cumpleaños de Catherine, le pareció que estaba perfectamente bien. Acaso un poquito ensimismada, pero desde luego no con pensamientos de suicidio. Naturalmente, era imposible predecir cómo iba a afectar a una persona la pérdida de un cónyuge. La nota de suicidio de Evelyn era profunda y muy triste.

Calista, de forma más bien dramática, había empezado a decir que se había «quedado sola en el mundo». Era difícil estar sola en el mundo cuando uno tenía treinta invitados, como le ocurrió a ella en el funeral, pero es que Calista siempre había hecho distinción entre los que apoyaban su manera de entender los valores de los Dauplaise y los que se fugaban a Florida. Para ella, su hermana Evelyn era una de las últimas personas que habían portado la antorcha. Una auténtica Dauplaise. A ella solo le interesaban los resultados y no quería saber nada del tiempo que requerían aquellas cuestiones. Y estaba claro que en Pensilvania las cosas se habían complicado sobremanera.

Además, la irritaba que hubiera llevado a Gibson Vaughn a su casa. De entrada, no quería verlo allí; ahora, en cambio, estaba actuando como si la presencia de Vaughn fuera lo que explicaba que las cosas estuvieran retrasándose tanto. Continuó expresando las dudas que albergaba respecto de la competencia de Jenn y Dan, y lo presionó para que se hiciera cargo él personalmente de lo que estaba ocurriendo en Somerset.

George la entendía, en principio. Calista estaba agarrándose a un clavo ardiendo, intentaba imponer el orden en una situación que aún contenía muchas variables. Aquel no era su mundo y buscando a Suzanne de aquel modo se estaba exponiendo a un riesgo considerable. El mismo al que se exponían todos. A él le estaba suponiendo una pesada carga. Había sancionado aquellas tácticas cuando Kirby Tate era una mera abstracción; pero ahora Tate era una persona y él tenía que cuestionar la moralidad de pedirle a su gente que actuara de aquella forma. Jenn y Dan eran leales; sabía que, cuando todo aquello terminase, iba a haber un ajuste de cuentas.

De improviso le vibró el teléfono; un mensaje de voz de Jenn. Lo había llamado dos veces mientras él hablaba con Calista. A aquellas alturas, Dan y ella ya habrían tenido tiempo para digerir el expediente de Musgrove. Había decidido no mencionarle lo de Musgrove a Calista hasta que supiera mejor cómo encajaba en la investigación. Era muy posible que ella reaccionara exageradamente ante semejante giro inesperado.

De repente lo adelantó un veloz monovolumen de color negro que se le colocó delante, con un gesto agresivo. George pisó los frenos al ver que el monovolumen aminoraba y sacaba unas luces estroboscópicas de color rojo y azul. Entonces se le acercó por detrás un segundo monovolumen y George quedó encajonado entre los dos. El vehículo de delante emitió un breve toque de sirena y le hizo una seña a George para que se detuviera. George siguió sus instrucciones y apretó un botón del volante. El coche preguntó a qué número deseaba llamar.

—Jenn Charles —dijo pronunciando con claridad.

El teléfono empezó a sonar al tiempo que el pequeño convoy se detenía en el arcén. Cuando saltó el contestador, George dijo una sola palabra: «Meiji».

Colgó al ver que un agente de gran estatura y trajeado de negro daba unos golpecitos en la ventanilla. Un segundo agente se situó junto a la puerta del pasajero. El monovolumen de atrás tenía las puertas abiertas, pero no se había apeado ningún agente. George bajó el cristal apenas unos centímetros.

—FBI. ¿Es usted George Abe?

—Sí.

—Necesito que nos acompañe, señor.

—¿Qué ocurre?

—Pensilvania, señor. Por favor, bájese del coche. —Probó la puerta, pero estaba bloqueada—. Desbloquee la puerta, señor.

—¿Estoy detenido?

—Preferiríamos evitarlo, si es posible.

George sopesó sus alternativas.

—Bájese del coche, señor.

—Concédame un minuto —pidió.

—Bájese del coche, señor —repitió el agente, esta vez con un leve tono de amenaza.

Ahora sí se habían apeado los agentes del otro vehículo. George sintió que la situación estaba escapándosele rápidamente de las manos. Desbloqueó la puerta y el agente la abrió. Se bajó y permitió que el agente lo cacheara.

—Está limpio —dijo el agente a su compañero situado al otro lado del coche.

Acto seguido, el agente lo instó a que echara a andar en la dirección del primer monovolumen. Su compañero pasó entre los parachoques de ambos vehículos y fue con ellos. George se fijó en la considerable abolladura que tenía el monovolumen en el faldón trasero. El FBI estaba en decadencia. En otra época, si a un vehículo del FBI le aparecía una abolladura, en un plazo de veinticuatro horas lo sacaban de la circulación y lo llevaban al taller. George observó también la matrícula y entonces su sonrisa se esfumó. No era una matrícula del gobierno, y tampoco era de Washington ni de Virginia, sino de Tennessee... Había estado demasiado ocupado llamando a Jenn para fijarse en ella cuando lo hicieron parar. Además, el agente no le había mostrado ninguna credencial. Quienesquiera que fueran aquellos tipos, no pertenecían al FBI. Habría dado una pequeña fortuna por el arma que llevaba guardada en la guantera, pero ya la tenía muy lejos.

Caminó más despacio y se palpó los bolsillos del pantalón deportivo, como si hubiera olvidado algo.

—Me he dejado el teléfono en el coche —declaró, y empezó a dar media vuelta.

—Usted suba al coche, señor. —El agente lo agarró del brazo para hacerlo volver.

Esperaba una cierta resistencia; sin embargo, George no ofreció ninguna. Pero se sirvió de aquel leve tirón para volverse contra él. Le lanzó un puñetazo que lo alcanzó bajo la barbilla. Fue un golpe de martillo y, si le hubiera acertado en el cuello como pretendía, le habría aplastado la laringe. Pero se le resbalaron ligeramente los pies en la grava y no dio del todo en el blanco.

El agente echó la cabeza hacia atrás por efecto del golpe y dejó escapar un gruñido de dolor. George no podía salir corriendo y, aunque lograse abatir a aquellos dos individuos en la distancia corta, los otros dos que estaban en el vehículo trasero lo abatirían a él. Así que, en vez de eso, decidió hacerse con el arma del agente. Su única posibilidad radicaba en poder quitársela antes de que lo alcanzase el compañero. Encontró la culata de la pistola y la desenfundó, y en el mismo movimiento se giró de costado para separarse un poco del compañero, que ya estaba casi a su lado. Intentó alzar la pistola, pero esta se trabó en el forro de la chaqueta del agente. Consiguió liberarla, pero, para entonces, ya tenía al compañero encima.

Sintió cómo explotaba en su sistema nervioso central la descarga eléctrica de una pistola Taser.

Jenn se acomodó en el asiento del pasajero del Cherokee. Sobre el salpicadero descansaba la fotografía de la escena del crimen correspondiente al suicidio de Terrance Musgrove. Conmocionada tras descubrir el asesinato de Tate, se había olvidado completamente de ella. Volvió a acordarse al pensar qué podría estar haciendo Vaughn otra vez en Pensilvania.

Abrió su ordenador portátil y hojeó el informe de antecedentes de Gibson que había compilado antes de que George le propusiera aquel trabajo. Abrió la carpeta que llevaba por nombre «Duke Vaughn» y examinó su contenido hasta que dio con la foto. Observó alternativamente una y otra.

—¿Cómo es posible? —expresó en voz alta.

Era algo muy pequeño, un detalle sin importancia que había en el ángulo inferior de cada una de las instantáneas. Imperceptible a no ser que uno contemplase las dos a la vez. Había creído que su memoria le estaba jugando malas pasadas o, como mucho, que se trataba de una similitud fortuita. Aquello, sin embargo, era otra cosa. Aquello era igual. Exactamente igual. ¿Cómo era posible?

Se lo enseñó a Hendricks.

—¿Cómo es posible? —dijo él también.

No lo sabía, pero aquello vinculaba a Duke Vaughn con lo que estaba sucediendo en Somerset. Con el secuestro de Suzanne Lombard.

Hendricks la miró con gesto serio.

—Esto se queda entre nosotros hasta que sepamos qué significa.

—¿Ni siquiera se lo decimos a Vaughn?

—Sobre todo a Vaughn.

Volvieron al trabajo, porque resultaba paralizante pensar demasiado en ello y no podían permitirse el lujo de pasar en aquel lugar un segundo más de lo necesario. Eso funcionó durante un rato, hasta que Jenn se sobresaltó al oír a Hendricks lanzar una maldición. Creía estar bien versada en todos los tonos de voz que utilizaba su compañero, pero esta vez percibió un tono distinto: de pánico. Lo encontró subido de pie encima del petate de las armas.

—¿Qué ocurre? —le preguntó.

—Falta una.

—¿Qué falta? ¿Una pistola?

—Una de las Glocks. —Su voz había pasado a ser un susurro—. Y también faltan dos cartuchos.

—¿Algo más?

—No es necesario que falte nada más.

—¿De qué estás hablando?

—De que me tiene pillado por los huevos, de eso estoy hablando. No entendía por qué el tipo ese se llevó el cadáver de Tate en vez de endosárnoslo a nosotros, pero ahora sí lo veo.

—Mierda.

—Exacto. Mierda. Yo he disparado esa pistola un millar de veces. He manipulado esos cartuchos, he limpiado todas esas armas. Hay huellas mías en todas las piezas móviles, en todos los casquillos.

—Y no ha dejado ningún casquillo...

—No, ninguno. Lo he comprobado dos veces. Se los ha llevado todos. Lo cual quiere decir que puede deshacerse del cadáver, utilizar la pistola como prueba para incriminarme y acusarme de asesinato cuando se le antoje. Así que, como digo, me tiene pillado por los huevos.

—¿Quién?

—Quien sea. Gibson. WR8TH. Qué más da.

Hendricks la miró expectante, como un niño que solo desea recibir una palabra de consuelo. Jenn no encontró ninguna. Los dos creían que iban dos pasos por delante cuando lo cierto era que estaban muy por detrás. Le gustaría saber qué haría George en aquella situación. Los callejones sin salida como aquel eran su especialidad y, sin embargo, no aparecía por ninguna parte. De manera que en realidad la pregunta era qué haría ella.

—Ese muchacho y yo vamos a tener unas palabritas —dijo Hendricks.

—No ha sido Gibson.

—Convénceme.

—¿Esto? —dijo Jenn señalando la sangre que aún estaba sin limpiar en el trastero que había ocupado Tate—. Esto no es propio de él.

—Entonces, ¿por qué no está en su casa, que es donde debería estar? ¿Por qué nos ha mentido? ¿A qué vino esa chorrada de quedarse unos días más con el coche? Ha estado aquí todo el tiempo —aseguró—. Y ese numerito en el domicilio de los McKeogh con el ordenador. ¿Eso no te parece propio de él?

—Así que, según tú, Gibson activó el virus para alejarnos a nosotros y de ese modo poder tener un cara a cara con Tate. Justo delante de la cámara, ojo. Después, una hora y media más tarde, regresó para matarlo, pero esta vez tuvo cuidado de que la cámara no lo captase. Y, por si acaso, se llevó el cadáver y nos robó una de las armas. ¿A ti te parece plausible todo eso?

—Puede que no lo sea, pero desde luego tengo la intención de averiguarlo.

Capítulo 31

WR8TH se sentó frente a Gibson. El pedófilo más buscado del mundo, en carne y hueso.

Visto de cerca, WR8TH parecía más joven aún. Fácilmente podría pasar por un estudiante universitario. Poseía una energía juvenil y le costaba trabajo quedarse quieto. En sus ojos, hundidos y de color castaño, brillaba una inteligencia traviesa. Sin embargo, aparecían rodeados de profundas arrugas de preocupación y en su cabellera había un mechón incongruente, de color gris. Jugueteaba nervioso con sus gafas, pero dejó que Gibson lo observara sin pestañear. Sacó un paquete de cigarrillos, extrajo uno a medias y volvió a meterlo dentro.

—Es mejor que no —dijo—. La señora M es capaz de llamar a la policía y eso tendría gracia.

—¿La señora M?

—La señora Miller. —WR8TH señaló la biblioteca con el dedo pulgar—. La bibliotecaria, una mujer muy simpática. En su despacho se mama hasta las cejas, pero que no se le ocurra a nadie fumarse un cigarrillo aquí fuera.

—Dios, tú eres el administrador de la red de la biblioteca —dijo Gibson.

—Culpable.

—Sabía que la protección era demasiado buena para una biblioteca pública tan pequeña como esta. ¿Trabajas para el condado?

—Sí, me ha costado no pasarme.

—No, lo has hecho genial. Me engañaste.

—Gracias. —WR8TH estaba sinceramente complacido por el elogio—. Me llamo Billy Casper —dijo a modo de presentación.

Gibson le estrechó la mano con gesto mecánico. Aquel nombre le sonó ligeramente de algo.

—¿Cómo es posible? ¿Cómo puedes ser tú WR8TH? Quiero decir... ¿cuántos años tenías? ¿Diecisiete? ¿Dieciocho?

—Dieciséis años y cinco meses.

—¿Y cinco meses?

—Sí, acababa de sacarme el carné de conducir.

—¿Y me estás diciendo así, a la cara, que eres la persona que todo el mundo ha estado buscando durante todos estos años?

—Créeme, estuve esperando a que el FBI se me echara encima y me arruinara la vida. Durante los dos primeros años estuve totalmente paranoico, pensaba que nos habían pinchado los teléfonos. Era el alumno de instituto más estresado que había. Mis padres me llevaron a un loquero porque creían que era esquizofrénico o algo así. Con el nombrecito de WR8TH, no iba a costar mucho establecer la relación[3]. Pero nunca lo hicieron. Imagino que no estaban buscando a un chico de dieciséis años.

—¿Dónde está Suzanne?

—No lo sé.

---

[3] El alias «WR8TH» es una abreviación de *wraith* y se pronuncia igual. Tanto *wraith* como Casper significan «espectro», «fantasma». *(N. de la T.)*

—¿Dónde está?

—No. Lo. Sé.

—Si me estás mintiendo...

—¿Qué? ¿Vas a matarme?

—Sí —contestó Gibson, sorprendido de la certeza con que lo dijo.

Billy sonrió.

—Bien. De lo contrario, yo no estaría aquí.

—¿De verdad la secuestraste?

—Joder, tío, no la «secuestré». La cosa no fue así. Es más complicado.

—¿Te importaría descomplicarlo?

—Sí, por qué no. ¿Te importaría dar un paseo en coche?

—¿Adónde?

—Ya te lo enseñaré. No voy a decírtelo, así que no preguntes. No puedo arriesgarme a que les digas a tus compañeros dónde estoy.

—Pensaba que te fiabas de mí y, de todas formas, ya no son mis compañeros.

—Y una mierda. Te he dicho cómo me llamo y dónde trabajo. No voy a decirte nada más de momento —explotó Billy, enfadado—. Me gustaría ver algún gesto por tu parte, ¿vale? Tú no sabes de lo que son capaces esos tíos.

—Lo cierto es que sí lo sé.

—No, lo cierto es que no lo sabes —insistió Billy.

Gibson salió de Somerset y tomó la carretera en dirección norte. Billy dio muestras de relajarse en cuanto se alejaron de la biblioteca.

—Tengo una pistola. He pensado que debía decírtelo —comentó Billy.

Gibson lo miró de soslayo.

—Tranqui, no voy a utilizarla. A no ser que me pongas furioso, ¿de acuerdo?

—Pues si no es así, no me apuntes con ella, ¿de acuerdo?

—¿Tú tienes alguna? ¿En tu bolsa o donde sea?

—No. La verdad es que no me gustan las armas.

—¿Qué? ¡Pero si estuviste con los marines, tío!

—No por gusto.

—Cierto —repuso Billy simplemente. Miró por la ventanilla y sonrió.

Gibson volvió a mirarlo.

—¿Por qué sonríes?

—Es un alivio, ¿sabes? Tú no sabes lo que es tener que llevar este secreto encima durante diez años. Te va minando. Hay días en los que uno solo quiere abandonar. No sabes cuántas veces he pensado en publicar la foto de Suzanne en Reddit y sentarme a ver cómo se volvía loco todo el mundo. —Billy señaló a la derecha—. Gira aquí, en el semáforo.

—¿Y por qué no lo hiciste?

—¿Por qué no hice qué?

—Publicarla. Salir a la luz de forma anónima.

—Por culpa del señor Musgrave.

—¿Quién diablos es el señor Musgrave?

—El vecino que tenía de pequeño.

Gibson esperó a que se explicara un poco más, pero Billy se refugió en negros pensamientos.

Avanzaron en dirección norte en absoluto silencio. Gibson continuaba incitando a Billy a que le dijera adónde iban, pero este le contestaba que ya lo vería por él mismo. Preguntó si podía fumar: Gibson respondió que el coche no era suyo, pero, no obstante, Billy bajó un poco la ventanilla y fue expulsando el humo por ella con cuidado.

Billy Casper podía ser muchas cosas —secuestrador, mentiroso compulsivo, esquizofrénico—, pero, desde luego, le pareció un chico decente. Comprendió que Osita se fiara lo suficiente para reunirse con él en Breezewood. Lo suficiente para subirse a su coche. A Gibson le caía bien Billy Casper, pero si le había hecho algo a Osita, eso no iba a salvarlo.

Circularon varias horas en dirección norte. Cuando ya estaban acercándose a su destino, Billy volvió a ponerse nervioso. Gibson lo oyó gemir levemente para sus adentros, como si en su interior hubiera dos placas tectónicas rozando la una contra la otra. Al parecer, no se daba cuenta de ello.

—Odio volver aquí —comentó.

Giraron para tomar una carretera estrecha y sin arcén que discurría paralela al lago Erie. Estaba bordeada por bosques en ambos lados, pero, a través de los árboles y al final de largos senderos sin asfaltar, Gibson distinguió carísimas viviendas edificadas junto a la playa y el reflejo del sol en el lago. Aquella era una parte del mundo bella y tranquila, rústica sin pretenderlo. Se asombró de que existiera un lugar así a menos de una hora del domicilio de Kirby Tate.

La mayoría de las fincas no tenían buzón de correos y carecían de otra señalización. Habría sido fácil perderse, pero Billy sabía con total exactitud por dónde iban.

—Bien, ahora es la siguiente a mano izquierda. No, esta no; la siguiente.

—¿Qué es lo que hay a mano izquierda? ¿Qué sitio es este? —preguntó Gibson.

—La propiedad del señor Musgrove. Bueno, ya no, pero antes sí lo era. Ahora es de su hermana, que vive en San Luis. En junio estuvo aquí dos semanas. Seguramente ya no volveré a verla hasta el año que viene.

—¿Y tú cómo sabes todo esto?

—Porque soy el que le cuida la finca.

—¿Cuántos trabajos tienes?

Gibson aminoró y se metió por un camino sin asfaltar lleno de socavones y falto de mantenimiento. Al igual que muchas de aquellas fincas, esta tenía una cadena tendida entre dos postes que cerraba el paso. Billy se apeó de un salto, soltó la cadena, la apartó a un lado y volvió a subirse al coche. A ambos lados crecían árboles muy altos, y apenas había espacio para pasar.

—A partir de aquí ve despacio. Hay una piedra grande en medio del camino —advirtió Billy señalando al frente.

Cuatrocientos metros más adelante salieron de los árboles y llegaron a una casa de gran tamaño, de dos plantas, forrada de madera. Contaba con un porche amplio y llamativo que recorría la totalidad del perímetro, sostenido por columnas blancas. El sendero sin asfaltar daba paso a un camino de piedras blancas de forma circular en cuyo centro se elevaba un olmo. A ambos costados de la casa se veía un césped recortado que bajaba hacia el borde del agua. A la izquierda había plazas de aparcamiento, pero Gibson se detuvo delante mismo de la escalera que conducía al porche.

—¿Dónde estamos, Billy?

—Aquí es donde escondí a Suzanne. Creo que por eso murió el señor Musgrave, por mi culpa.

El semblante de Billy reflejaba una profunda angustia. Se apeó del coche y echó a andar, cabizbajo, en dirección al lago. Gibson se fijó en que agitaba los hombros de forma incontrolada. Estaba llorando, sollozando más bien. Le dejó marchar, a fin de concederle un poco de espacio, y luego fue tras él.

Billy se había sentado en un poste de madera que había al final del embarcadero. Gibson se sentó frente a él. Dos veces dio la impresión de que Billy lograba rehacerse, pero de repente le venía a la memoria algún recuerdo reprimido durante mucho tiempo y volvían a brotarle las lágrimas.

—La verdad es que no soy de los que lloran mucho —dijo, medio llorando, medio riendo. Se pasó las manos por la cara y añadió—: Impresiona, ¿a que sí?

—Hay cosas que no son fáciles de decir la primera vez.

Billy levantó la vista hacia él, agradecido, y asintió.

—¿Quién es el señor Musgrove?

—Joder, tío, la persona más amable que he conocido nunca. Te habría caído genial. Le hablaba a todo el mundo como a un igual, incluso a los niños. Conmigo charlaba de diseño de videojuegos, de informática, cosas así. Pero me trataba como una persona adulta, ¿me entiendes? Sabía un poco de todo. Todo le interesaba. Nosotros vivíamos un par de casas más allá. Mis padres tenían mucha amistad con ellos. Mi madre salía a correr con la señora Musgrove un par de veces por semana. Ginny y mi hermana eran como uña y carne. —Cruzó dos dedos con fuerza—. Es decir, antes del accidente.

Señaló el lago y le contó a Gibson que una lancha golpeó a Ginny Musgrove y que su madre se ahogó intentando salvarla. Le contó lo destrozado que se quedó Terrance Musgrove, y como se hundió más tarde en la bebida y en la rabia. Una familia hecha trizas en cuestión de unos minutos.

—A partir de ahí, solo vino por aquí en una ocasión, nada más tener lugar el accidente, acompañando a la policía. Después de eso, fue como si este lugar hubiera dejado de existir.

—¿Por qué no lo vendió?

—No lo sé. Seguramente porque era más fácil continuar pagando la hipoteca que enfrentarse a eso, supongo. Era un desastre. Pero cerró la casa. Cortó el teléfono, la electricidad, todo excepto el gas y el agua.

—¿Y te contrató a ti para que se la cuidaras?

—Sí. Al principio tuvo a otro tío, pero no le funcionó bien. Organizó aquí una fiesta o no sé qué, así que el señor Musgrove lo despidió. Cuando yo me saqué el carné de conducir, el señor Musgrove me contrató a mí. Yo no era muy de montar fiestas, ¿sabes? Me pagaba para que viniera aquí una vez al mes y comprobara que todo estaba en orden. Decía que él era incapaz de hacerlo. Por eso pensé que sería un buen sitio para ocultar a Suzanne. Aquí nunca venía nadie más que yo.

—¿Y sigues ocupándote de ello?

—Sí. Cuando él falleció, a su hermana le resultaba más fácil seguir conmigo.

—¿Cómo murió?

—Se suicidó. Como tu padre.

La mención de su padre le escoció. Billy lo dijo de manera natural, inesperada. Como lo diría un viejo amigo. Aquello reforzó su impresión de que Billy Casper tenía el convencimiento de que estaban relacionados en todo aquello a través de Suzanne.

—No quiero hablar de mi padre.

—Oh, lo siento.

—No pasa nada. Pero si el señor Musgrove se suicidó, ¿por qué dices que murió por tu culpa?

—Porque no creo que se suicidara.

Emprendieron el regreso a la casa. Billy abrió con su llave la puerta de atrás y entró en la cocina. Era una estancia amplia y luminosa, del color de los melones amarillos. Contaba con una isleta provista de doble fregadero y un lavavajillas. Billy le señaló con un gesto una mesa de madera situada junto a la ventana.

—¿La reconoces?

Gibson observó la mesa. En la foto de Osita aparecía difuminada, pero era la misma.

—¿Es esa? —preguntó.

—Esa. En aquella época estaba apoyada contra esa pared. Suze estaba sentada justo ahí, en esa silla —dijo Billy—. Exactamente esa silla. Tomé la foto la noche en que llegamos aquí. Ella no quería, estaba muy cansada. Pero también se sentía aliviada, ¿sabes? En las últimas semanas no había estado comiendo muy bien. Estaba tan delgada que costaba creerlo. Pero de todas formas seguía estando muy guapa. Y yo me sentía feliz de tenerla aquí, ¿sabes? Por fin estábamos juntos.

Gibson captó el tono dolorido en la voz de Billy e intentó reconstruir mentalmente el momento. Osita allí sentada. Agotada. Billy emocionado, como un cachorrito, tomándole una foto. Probó a contemplar la escena, a ver si era capaz de creérsela. ¿Sería cierto que Billy Casper, un chico de dieciséis años, había organizado el secuestro más famoso de toda la historia de Estados Unidos? ¿Todo se reducía a que dos adolescentes se habían escondido en una casa junto a un lago?

—¿Cuánto tiempo estuvo aquí Suzanne?

—Seis meses, dos semanas y un día —respondió Billy—. Estuvimos jugando mucho a los Colonos de Catán.

—¿Los Colonos de qué?

—De Catán, tío. ¿Tú no has jugado nunca? Es un juego de mesa. Es genial. A Suze la encantaba. Se le daba mucho mejor que a mí, siempre me daba una paliza.

Verlo para creerlo. Dos críos escondidos en aquella casa, jugando a juegos de mesa, mientras el FBI ponía el país entero patas arriba buscándolos. Pero claro, es que las autoridades habían hecho suposiciones erróneas y habían buscado donde no estaban. Una cosa era segura: si la historia que contaba Billy no era verídica, era un mentiroso de primera categoría o un lunático chiflado. Pero, por más que se esforzó, no consiguió detectar en él ni una sola nota falsa.

Capítulo 32

—La hermana del señor Musgrove ha renovado la pintura de la casa —dijo Billy—, pero nada más. Empaquetó todos los objetos personales del señor Musgrove, todas las cosas de la familia, y lo subió todo al desván. Por eso resulta tan inquietante venir aquí. No sé, los muebles son los mismos, pero las fotos son de otras personas. Es como si sus vidas fueran simplemente una capa de polvo y alguien hubiera cogido un paño y lo hubiera limpiado. Pero así es la vida, ¿no crees? Uno piensa que un lugar le pertenece, pero no es verdad. Lo único que hace es esperar que le llegue su hora. Porque llegará un momento en el que alguien también le archivará todas sus cosas, como si nunca hubiera estado aquí. Tío, cómo odio venir a este lugar.

—¿Y por qué sigues viniendo? Podrías dejar el trabajo.

—No puedo dejarlo —replicó Billy—. Aquí es donde perdí a Suzanne.

Aquello, a Gibson le resultó lógico. Estaban de pie en la cocina mientras Billy contaba una historia que llevaba diez años deseando contar. Había estado dando vueltas al tema desde que se conocieron en la biblioteca, pero ahora lo soltó todo impulsivamente.

Billy Casper, también conocido como WR8TH, había conocido a Suzanne en un foro de internet. Hasta allí era cierto.

Salvo que él en realidad tenía dieciséis años y no era ningún pedófilo de mediana edad, como había supuesto el FBI. Se habían hecho amigos y confidentes. Según Billy, todas las noches se pasaban horas hablando. Había noches que él se quedaba dormido ante el ordenador. Suzanne se mostraba tímida a la hora de decir quién era, y solo mencionaba que su padre era importante y que el hecho de que Billy la ayudara representaba un peligro.

—Ni siquiera supe cuál era su apellido hasta que llegó aquí. Lo juro.

—¿La habrías ayudado de todas maneras?

—Sin la menor duda —respondió Billy sin titubear. Después de pensarlo un segundo, afirmó con énfasis, de acuerdo consigo mismo—. Sin la menor duda.

Una vez que hubieron decidido seguir adelante con el plan, pasaron varias semanas trazando una ruta que eludiera zonas de máxima seguridad en las que había demasiadas cámaras y personas vigilando. Él la enseñó a evitar llamar la atención de la policía y le explicó lo que debía decir si alguien sentía curiosidad por el hecho de que una niña de catorce años viajara sola.

—Además, Suze tenía casi quince años —añadió Billy a la defensiva—. Cuando empezamos a hablar, yo ya los tenía. Nos llevábamos solo un año. Así que lo nuestro no era nada retorcido, ¿comprendes? Nunca tuvimos relaciones sexuales ni nada. Nos besamos un par de veces, pero nada más. Suzanne era amiga mía.

—También era amiga mía.

—Lo sé —replicó Billy—. Por eso estás aquí.

—¿Y qué fue lo que sucedió en la gasolinera?

—Ah, ya. Lo de enseñar la cara a la cámara. ¿Qué diablos fue eso?

—¿Es que tú no sabías que iba a hacerlo?

—Por supuesto que no. Hasta que salió en los informativos.

—¿Le preguntaste por qué lo había hecho?

—¿Estás de broma? No discutíamos de otra cosa. Ella decía que había sido algo accidental, pero era una trola de mucho cuidado. Sabía lo que hacía.

—¿Y qué hacía?

—Enviar un mensaje, tío.

—¿A quién?

—No me preguntes. Lo único que sé es que no era un mensaje amistoso. ¿Le viste la mirada? Miró directamente a la cámara y estuvo a punto de sacarle el dedo. Ojalá no hubiera esperado a estar en mi área. Puso Pensilvania en el radar de los federales. Cuando hicieron pública la grabación de la cámara de seguridad, no me quedó la menor duda de que la pareja que estaba poniendo gasolina había visto mi coche. Cada vez que alguien llamaba a la puerta, pensaba que eran los federales que venían a registrar mi casa y llevarse a toda mi familia esposada. ¿Te lo imaginas?

—No llamarían a la puerta.

—En fin, lo peor fue que mi madre estaba obsesionada con el caso —prosiguió Billy—. En la televisión se hablaba de ello a todas horas y ella se pasaba el día entero viéndola. Yo estaba sentado con ella cuando lo emitieron la primera vez. Mostraron el vídeo de la cámara de seguridad y la imagen fija de la cara de Suzanne. Me dio un puto infarto. El refresco que me estaba tomando se me cayó por toda la moqueta. Mi madre creyó que era por lo que le había ocurrido a mi hermana, y yo decía: «Sí, sí, es por eso». Mi madre se echó a llorar y empezó a decirme que no pasaba nada, que no había sido culpa mía. Y me dio un superabrazo. Yo me sentía como una mierda, pero no quería que supiera que el tío del que hablaban en las noticias era yo.

—¿Qué le sucedió a tu hermana?

Billy hizo una mueca de desagrado, como si prefiriera no mencionar aquella parte.

—¿Por qué crees que os conduje hasta Kirby Tate?

Gibson se echó hacia atrás y se tapó la boca con el dorso de la mano.

—¿Casper? ¿La niña del maletero era tu hermana? ¿Trish Casper es tu hermana?

Billy afirmó con la cabeza y lo invadió una oleada de rabia semejante a una nube tóxica.

—Trish y yo estábamos en la puerta del supermercado, esperando a mi madre, que se le había olvidado el maíz. A mi madre siempre se le olvidaban tres cosas o así. Tate, el muy hijo de puta, vino hasta nosotros, agarró de la mano a Trish y se la llevó sin más. ¿Sabes lo que me dijo?

Gibson hizo un gesto negativo.

—Que enseguida la traía de nuevo. Y lo dijo acompañándolo con una sonrisita, como si aquel fuera un secreto entre nosotros. Y al ver que yo no le entendía, me dijo: «Tu madre ha dicho que no pasa nada». Y me quedé allí de pie, como un idiota, y permití que se la llevara.

—Bueno, no eras más que un niño.

—Vale, sí, pero ya no lo soy. Y lo que dicen de la venganza es cierto. Si esperas diez años, ni siquiera te ven venir. Resultó facilísimo, Tate es un capullo de lo más inocente.

—Joder, Billy.

—Es igual, tío. Que se joda. Por culpa de él, mi hermana todavía toma medicamentos para la ansiedad. Sufre fobias que todavía no tienen nombre. No puede salir a la calle. No es capaz de hablar con desconocidos. No puede ir a comprar sola. El año pasado, se me rompió un vaso en la cocina y ella se pasó cinco minutos llorando sin parar. Nunca ha tenido un empleo estable. —Se quedó unos instantes con la mirada perdida—. Sí, Tate debería haberse quedado dentro de la cárcel… donde estaba a salvo.

Gibson lo miró fijamente. Hasta aquel momento le había costado trabajo creer que Billy Casper pudiera ser el causante de la desaparición de Suzanne o el hácker de Abe Consulting. Se lo veía demasiado cordial, un tanto simple. Pero ahora, al oír cómo hablaba de Kirby Tate, lo comprendió. Vio la rabia y la inteligencia calculadora que acechaban detrás de aquellos ojos de mirada amable.

—¿Cuánto tiempo has dicho que tuviste retenida aquí a Suzanne?

—No la tuve retenida en ninguna parte. ¿Cómo tengo que decírtelo? Se quedó seis meses, por voluntad propia. Yo venía los fines de semana y también después de las clases, si es que se me ocurría alguna excusa. Pero era un viaje bastante largo en coche, así que se me hacía incómodo quedarme demasiado tiempo. Me inventé un trabajo, y amigos falsos. Sólo para poder seguir con la mentira. Pero durante la mayor parte del tiempo Suzanne estaba aquí sola. A mí me dolía pensar que estaba sola, pero a ella parecía gustarle. Leía mucho. Creo que en cierto modo lo necesitaba. Necesitaba tiempo para pensar. Siempre se alegraba de verme, pero tampoco tuve nunca la impresión de que le diera pena cuando me marchaba otra vez, ¿sabes?

Gibson afirmó con un gesto.

—Te juro por Dios que tenía la sensación de pasarme media vida dentro de un coche. No podía ir todas las veces al mismo supermercado ni a la misma farmacia. —Rio al recordar—. Tenía que recorrerme Pensilvania entera en coche para que la gente no se extrañara de que un chico de dieciséis años anduviera comprando vitaminas de las que se toman durante el embarazo.

De improviso, Gibson agarró a Billy por el cuello y lo empujó contra la encimera de la cocina. Aquella era la mentira que estaba esperando.

—¿No has dicho que no tuvisteis relaciones sexuales?

—¿Qué? ¡No, tío! No las tuvimos nunca —contestó Billy entre toses cuando Gibson apretó con más fuerza—. ¡Cuando vino aquí ya estaba embarazada! ¿Por qué crees que se había fugado?

Aquello fue una bomba que a Gibson le costó trabajo asimilar. Fue como arrojar sin contemplaciones por la borda todo lo que había supuesto hasta aquel momento y quedarse a mirar cómo le pasaba un camión por encima. Fue comprender lo equivocado que estaba respecto de Suzanne. Soltó a Billy y dio un paso atrás.

—Lo siento —le dijo—. Necesito una copa.

Billy se frotó el cuello, pero no se movió.

Seguramente aún habrá cervezas en la nevera.

Gibson encontró al fondo un paquete de seis Iron City. Sacó dos y le ofreció una a Billy. Pero Billy no la quiso. Gibson abrió las dos botellas y repitió el ofrecimiento.

—Lo siento —dijo otra vez.

A Billy le relampaguearon los ojos un instante y después se calmaron. Aceptó la cerveza y los dos hombres bebieron en silencio, de pie en la cocina.

—¿Quién era el padre?

—Según ella, un chico de su barrio que se llamaba Tom.

—¿Qué te contó de él?

—No gran cosa, solo generalidades. Siempre cambiaba rápidamente de tema. Sinceramente, al principio pensé que el padre eras tú.

—¿Yo?

—Sí. Por la forma en que hablaba de ti todo el tiempo. Supuse que lo de aquel novio se lo había inventado para protegerte a ti.

—Pues no fui yo.

—Ya lo sé. Tú ya estabas en la cárcel. Las cuentas no cuadraban.

—¿Quieres que te cuente algo muy gracioso?

—¿Qué?

—Las autoridades creyeron que tú podrías ser Tom B.

—Ojalá —susurró Billy para sí mismo.

Se hizo un silencio fúnebre entre ambos.

—¿Osita estaba... enfadada conmigo? —preguntó Gibson por fin.

—¿Estás de broma? No dejaba de buscar maneras de ponerse en contacto contigo. Yo le decía: «¿Te has vuelto loca? Van a llevarlo a juicio. ¿Tienes a todo el mundo buscándote y quieres arriesgarte enviando mensajes secretos a una persona que está en el calabozo?» —Billy levantó las manos—. Sin ánimo de ofender.

Gibson hizo un gesto para quitarle importancia.

—No me ofendo.

—¿Por qué iba a estar enfadada contigo?

—Porque fui contra su padre.

—Qué va, tío. Te quería mucho. Yo te tenía envidia. Era como... en fin, se veía a las claras. Y de todas formas, Suzanne no era lo que se dice muy fan de su papaíto.

—¿En serio? —Aquello no era en absoluto lo que Vaughn recordaba—. ¿Tú crees que Lombard sabía que su hija estaba embarazada?

—No, me parece que no. Cuando se fugó, no se le notaba nada. Pero sé que le daba mucho miedo lo que podía hacer su padre si se enterase. Se pondría furioso. Por lo visto, ese tipo tiene muy mal carácter. Suze decía que lo único que le importaba era su carrera, hablaba de lo que era capaz de obligarla a hacer con el niño si se enterase. Por eso tuvo que huir de él.

Gibson iba reproduciendo mentalmente la historia. Osita se queda embarazada de su novio, el misterioso Tom B., y decide fugarse porque tiene miedo de lo que pueda hacerle Lombard si lo descubre. Hasta ahí, todo resultaba plausible. Pero ¿por qué pidió ayuda a Billy y no a su novio Tom B.?

¿Sabía Tom siquiera que iba a ser padre? ¿O fue precisamente esa la razón por la que no quiso dar la cara?

—¿Y dónde están actualmente? ¿Dónde están Suzanne y el niño?

—No lo sé.

—Venga. Billy. Hasta aquí la historia es genial, pero necesitas un desenlace mejor.

Billy fue al frigorífico, sacó otra cerveza y se la bebió, de espaldas a Gibson, sin respirar. Gibson observó cómo dejaba la botella vacía sobre la encimera y sacaba otra. Después se volvió hacia Gibson y lo miró con los ojos otra vez centelleantes.

—Escucha, si yo supiera qué ha sido de Suze, ¿crees que estarías tú aquí ahora? ¿Para qué iba a necesitarte? No me he arriesgado a dar la cara, no he arriesgado la vida hackeando Abe Consulting para que tú y yo pudiéramos compartir este tierno momento. Lo he hecho porque no sé qué le ha ocurrido y eso me está matando. Yo la quería, tío, pero le fallé. No supe cuidar de ella tal como le prometí. El embarazo... había algo que no iba bien. Durante el último mes se sentía muy incómoda. Procuraba disimularlo, pero sangraba. Pero no podía salir de aquí, ¿comprendes? Yo no sabía cómo ayudarla. Me angustiaba dejarla aquí sola. Quería llevarla a un hospital, se lo supliqué muchas veces, pero ella era muy cabezota.

Billy ya estaba sollozando.

—Le compré un teléfono de usar y tirar para que me llamase en caso de producirse una emergencia. Una noche recibí un mensaje. —Billy calló unos instantes para intentar dominarse, y su tono de voz casi se convirtió en un susurro—. Con voz muy suave, me dijo que me quería y me pidió perdón. Me dijo que le habían prometido ayudarla. Eso fue todo. Yo la llamé, pero el teléfono sonó y sonó sin que nadie lo atendiera. ¿No lo entiendes? Como yo no podía ayudarla, llamó a otra persona que sí pudiera. Y esa persona vino a buscarla y se la llevó. Pero no la llevó de vuelta a casa, ¿vale? Yo esperaba ver en los informativos la noticia de «joven desaparecida regresa con su familia», pero ya han pasado diez años y aún no he visto nada. Por eso, el que quisiera saber dónde está soy yo.

—¿Pensaste que se la llevó George Abe?

—Pensé que existía esa posibilidad. Aunque también puede ser que llamase a su padre y que él hiciera venir a sus secuaces a resolver la situación. A hacer control de daños. Evitar que su hija lo pusiera en evidencia. Mira, ya sé que suena fatal, pero alucinarías si supieras todas las paranoias que he imaginado en estos diez años.

—Es que todo esto es bastante paranoico.

—Voy a darte un caramelito: La noche en que me llamó Suze fue la misma noche en que el señor Musgrove se «suicidó». En cuanto recibí el mensaje, vine aquí, pero Suze ya no estaba. Cuando volví a casa, como cinco horas después de haberme marchado, mi calle estaba llena de coches de policía, un camión de bomberos y una ambulancia. Estaban sacando al señor Musgrave en una bolsa.

—¿Y tú crees que ambas cosas están relacionadas?

—Lo que pienso es que Suze no quiso delatarme. Creo que ellos supusieron que la había raptado el señor Musgrave, dado que la casa era suya.

—¿Estás diciendo que Benjamin Lombard hizo asesinar a tu vecino para evitar un escándalo político? Vamos, Billy. Has visto demasiadas películas.

—¿Tú crees?

—¿Y además crees que George Abe era los misteriosos «ellos»?

Billy se encogió de hombros.

—¿De modo que hackeaste Abe Consulting para ver si George estaba ocultando algo?

—Era el sitio más fácil por donde empezar. Ni siquiera yo estoy tan loco como para hackear al vicepresidente.

—En aquella época no era el vicepresidente.

—Ya lo sé. Te estaba tomando el pelo. Pero sí, fui a por Abe Consulting. Zarandeé la jaula para ver qué caía. Por lo menos, algo que me orientase en la dirección acertada. Pero George Abe no sabe más de lo que sabemos nosotros. Está buscando a Suzanne, como hacemos todos. Debería haber dejado el asunto en aquel momento. Ya lo sabía. Al final acabarían por enviar a alguien que daría conmigo.

—No dimos contigo, Billy. Tú mismo te plantaste delante de nosotros.

—Sí, pero fuiste tú.

—¿Qué quieres decir?

—Que tú eras como una señal, o algo así. Te reconocí inmediatamente. ¿Te acuerdas del día en que saliste a correr por la zona de la biblioteca? Yo estaba allí mismo dentro de mi coche, utilizando la wi-fi de la biblioteca. Levanté la vista y allí estabas tú, Gibson Vaughn. BrnChr0m. La leyenda.

Gibson levantó una mano.

—Dame un respiro.

Billy esbozó una media sonrisa para hacer ver que estaba presumiendo de listillo.

—No sé… Te vi allí y tuve la impresión de que ibas a conseguirlo.

—No me conoces.

—No, pero Suzanne sí te conocía. Ella confiaba en ti, y eso para mí ya era suficiente.

—Basarse en una fama de diez años atrás es arriesgarse mucho.

—Puede ser. Pero es que ya estoy cansado, tío. Estoy cansado de esconderme. Cansado de tener miedo. De un modo u otro, esto tiene que terminar.

—Todavía la quieres —dijo Gibson.

—¿Acaso tú no?

—De la misma forma que tú, no. Pero sí. No es una chica a la que uno pueda dejar de querer.

—Amén —respondió Billy—. Ven, quiero enseñarte una cosa.

Capítulo 33

«Meiji.»

Jenn reprodujo el mensaje de voz de George para que lo oyera Hendricks. Se miraron. Jenn lo reprodujo otra vez, con el fin de captar el matiz que se le había escapado en las cinco ocasiones anteriores. No había ninguno, pero el mensaje resultaba inequívoco: decía que George se encontraba en apuros y ellos también. Decía: poneos a salvo y guardad discreción. No seáis héroes. No vengáis a buscarme y no intentéis establecer contacto conmigo. Esperad a que todo esto se despeje.

—¿Qué opinas? —preguntó Jenn.

—Que odio Pensilvania.

—¿Y de George?

—Que a él seguramente le encanta.

—Hendricks. ¿Qué hacemos?

—¿Qué tenía de malo la idea de largarnos de aquí?

No le faltaba razón.

Les llevó el resto del día y la noche borrar todas las huellas de su presencia en Grafton Storage. Hendricks fregó con lejía el trastero en que habían tenido encerrado a Tate. Jenn volvió a hacer inventario del equipo, por si acaso el tipo que les había aguado la fiesta se hubiera llevado más de una pistola.

Los trasteros de alquiler vacíos rara vez se incendian, de modo que necesitaban ofrecer una imagen que fuera creíble.

Si a los bomberos se les daba una razón realmente buena, no inspeccionarían demasiado el lugar. Hendricks lo preparó todo de manera que diese la sensación de que en aquel trastero se había refugiado un vagabundo y que, el muy tonto, había intentado hacer fuego dentro de él. Cuando quedó satisfecho, prendió la cerilla y contempló cómo su minucioso montaje de incendio provocado era pasto de las llamas.

Cuando se subió al monovolumen, Jenn ya estaba sentada al volante.

—Antes me gustaban los viernes —comentó.

Jenn tardó unos segundos en hacer el cálculo.

—Hoy es viernes, ¿no? Menuda semana de mierda.

—¿Has recibido algo más de George?

Jenn respondió con un gesto negativo de cabeza.

—Maldición.

—Pero hay más. No va a gustarte.

—¿Qué?

—Los teléfonos de Abe Consulting están desconectados.

—Jenn... ese no es el protocolo.

—Lo sé.

—Espera. ¿Todos?

—Todos.

—¿También nuestras líneas directas?

—Todos.

—No me gusta.

—Te lo advertí.

Hendricks permaneció unos instantes en silencio, asimilando las implicaciones. Jenn observó cómo cavilaba. Habían secuestrado a un hombre en su domicilio, lo habían interrogado agresivamente en un trastero de alquiler abandonado y ahora aquel hombre estaba muerto. El pistolero se había tomado la molestia de incriminar a Hendricks con una de sus propias armas. George Abe se encontraba en una situación lo bastante apurada como para pulsar el botón del pánico. Ah, y en algún momento de las últimas veinticuatro horas se habían desconectado todos los teléfonos de Abe Consulting.

Caminaban por un territorio desconocido.

Ahora había mucho más en juego que un empleo. Hendricks iba a tener que decidir por sí mismo y ella iba a tener que permitírselo. Ya había tomado una decisión.

—Seguir adelante o huir —dijo Hendricks—. Esa es la cuestión.

—Efectivamente.

—Lo de huir tiene sentido.

—Coincido contigo.

—Ya estoy un poco mayor para salir corriendo —comentó Hendricks—. Tendría que comprarme esas zapatillas tan horribles y esos pantaloncitos de deporte. No soy uno de esos negros que hacen esas gilipolleces.

—Sí, tienes las piernas huesudas.

Cada uno miró por una ventanilla.

—Bueno, ¿adónde? —preguntó Hendricks.

—A Gibson Vaughn.

—Sí, precisamente tenía la intención de buscarlo —repuso Hendricks—. ¿Dónde está?

Jenn se lo enseñó en el mapa.

—¿Cómo es que conozco esa dirección?

—Si te lo dijera, no me creerías.

—A estas alturas, te creería aunque me dijeras que se trataba del búnker de Hitler.

—Es la antigua casa de la playa de Terrance Musgrave.

—Perfecto —replicó Hendricks—. Pero que conste que prefería lo que había pensado yo.

—Ya, yo también —contestó Jenn.

George recuperó la consciencia sentado en una silla de madera, con la cabeza apoyada sobre una basta mesa metálica. Tenía las muñecas esposadas a una recia barra de metal insertada en el centro de la mesa. Notaba la superficie fría al tacto, pero se incorporó de mala gana y, al hacerlo, la silla se tambaleó como si alguien le hubiera quitado intencionadamente un tornillo para aflojar las patas.

No había mucho más que ver; la estancia era una sala normal de interrogatorios, de dos metros y medio por tres y de paredes de cemento. El zumbido del fluorescente le estaba provocando un dolor de cabeza igual que si un dentista cruel le estuviera taladrando un diente. Sentía la garganta seca y dolorida, y la espalda agarrotada y contusa. A juzgar por la sensación de hambre, llevaba fuera de casa al menos doce horas, de modo que debía de ser… no sé… ¿viernes por la mañana?

Se miró en el ancho espejo que cubría la pared. A pesar de todo, su aspecto no había empeorado tanto. No se había roto ninguna costilla por el camino. Gracias, amable anfitrión. Tenía la corbata torcida y lo molestaba no poder enderezarla.

A su izquierda se abrió una puerta. Entró un hombre que se sentó frente a él. Puso sobre la mesa un vaso y una jarra de agua, tan fría que aparecía empañada por la condensación.

George le echó una ojeada por encima. Era un esclavo de pelo recortadito y traje adquirido en un supermercado. Se miraron el uno al otro como dos antiguos amigos que se tropiezan por casualidad en la calle al doblar una esquina. Aquella era la parte en la que se suponía que él debía gritar de indignación, exigir la presencia de un abogado y lanzar amenazas rimbombantes del tipo: «No sabe con quién está usted hablando». Tenía sed, pero no pidió que le dieran nada de beber. Tenía preguntas, pero el traje que vestía aquel tipo era demasiado barato para tener las respuestas.

—¿Podemos saltarnos los preliminares? ¿Está Titus aquí? —George hizo un gesto con la cabeza indicando el espejo.

Esta vez la frente del esclavo se contrajo ligeramente. George levantó la vista hacia el espejo.

—Titus. ¿De verdad es necesaria tanta pompa y boato?

El esclavo bajó la mirada hacia la mesa mientras escuchaba instrucciones a través del audífono. A continuación, se puso de pie y salió de la sala sin pronunciar palabra.

George esperó.

Se abrió la puerta y entró un individuo bajo y corpulento. Tenía solo unos pocos años más que George, pero dichos años los había pasado al aire libre, en varios de los lugares más duros del planeta. El sol y los elementos le habían curtido la piel, y su rostro de acero aparecía surcado de unas profundas arrugas. Lucía una mata de pelo ralo y de color ceniza. Tenía una llamativa cicatriz que le partía de la oreja izquierda, discurría por el mentón y se perdía bajo el cuello de la camisa. Un recuerdo de Tikrit. En la mano izquierda le faltaban el meñique y el dedo anular. Diferían los cálculos de cuántas veces le habían disparado, y George estaba convencido de que Titus lo prefería así. El coronel Titus Stonewall Eskridge Jr., fundador y presidente ejecutivo de Cold Harbor, se dedicaba a forjar mitos.

—George —saludó Titus al tiempo que tomaba asiento en la silla que acababa de quedar libre.

—Titus.

Se miraron detenidamente. Los lazos que los vinculaban databan de hacía décadas. Ya por aquel entonces a George no le caía bien Eskridge, y en los años siguientes no había oído contar nada que le hiciera rectificar dicha opinión.

Cold Harbor era una empresa militar privada de tamaño mediano situada al este de Mechanicsville, en Virginia. Era famosa por una batalla unilateral de la guerra de Secesión, particularmente desagradable, que había infligido terribles bajas en las fuerzas de Ulysses S. Grant. Como no podía competir con los grandes por los principales contratos, Cold Harbor prosperó forjándose la reputación de ser una empresa que siempre terminaba el trabajo... el trabajo que fuera.

En ocasiones, la crueldad valía más que el tamaño.

Titus sonrió de oreja a oreja.

—Muy bien, tengo que saberlo. ¿Cómo has sabido que yo había regresado? Espantaste a mi equipo, Obi-Wan. ¿Fue uno de mis chicos? ¿Estuvieron hablando cuando deberían estar escuchando?

—No —respondió George—. Ha sido una suposición acertada.

—Perdona mis modales. Debes de tener mucha sed —dijo Titus, y acto seguido llenó un vaso de agua y lo colocó a unos centímetros de los dedos de George—. ¿Fue uno de mis chicos?

—No. Cosa sorprendente, no tengo muchos enemigos.

—Yo no soy tu enemigo —replicó Titus.

—No eras —lo corrigió George.

—No era.

—¿Quién fue el principal contribuyente de las campañas del senador Lombard?

Titus no respondió.

—¿Quién luchó por Cold Harbor para que obtuviera contratos de defensa por encima de los grandes como Blackwater y KBR? No es tan difícil. Si Lombard necesita que se secuestre a alguien, ¿a qué otro va a llamar?

—Supongo que para eso estoy yo aquí. —Titus le obsequió con su afable sonrisa de buen chico. Eran un par de amigos pasando el rato—. No has estado mal, George. Siempre has sido un tío agudo. Práctico no, pero agudo sí. Has mandado a mi chico al hospital.

—Creía que había fallado el golpe.

—Pues no, va a pasar una temporada con dificultades para hablar. No has perdido del todo tu toque, a pesar de llevar tanto tiempo sentado en una oficina.

—Muy generoso por tu parte, pero ya que solo uno de tus chicos se encuentra en el hospital y que yo estoy encadenado a esta mesa, diría más bien que mi toque está en tela de juicio.

—Admiro a un hombre que reconoce sus fallos.

Titus le acercó otro poco más el vaso de agua. George no pidió que le quitaran las esposas para que pudiera beber. Ni tampoco estaba por la labor de ponerse a dar lengüetazos al vaso como si fuera un perro.

—¿Has pensado lo que significa que Lombard te llamara a ti en vez de al FBI?

—Me da igual —dijo Titus encogiéndose de hombros—. Ese tío va a ser presidente.

—En cuyo caso, tú ganarás una fortuna.

—Otra fortuna —corrigió Titus con una sonrisa ladeada—. La primera empieza a sentirse muy sola.

—¿Está aquí?

—¿El vicepresidente? ¿Rodeado del Servicio Secreto? Venga ya.

—Ser funcionario puede resultar incómodo —comentó George.

—Nunca he comprendido qué tiene de atractivo.

—¿Qué es lo que quiere?

—Quiere ser presidente. Pero en este momento lo que quiere es saber lo que has hecho tú con Abe Consulting.

—¿De qué me hablas?

—No —dijo Titus con voz cansada—. No juegues conmigo a ese juego, George. Me refiero a dónde ha ido.

Mike Rilling llevaba doce horas en el paro. Junto con el resto de los empleados del Abe Consulting Group, le habían rescindido el contrato por medio de un correo electrónico enviado a las once de la noche del jueves. Sin avisar. Sin una reunión de despedida. Sin nada. Una masacre. La empresa entera había sido puesta de patitas en la calle sin previo aviso. Todos los trabajadores habían recibido el mismo correo, en el que se les explicaba que diversos contratiempos económicos del todo imprevistos habían obligado a la compañía a cerrar sus puertas con carácter permanente.

Era una traición. No por parte de la empresa, que a Mike le importaba un comino, sino por parte de Abe personalmente. ¿Qué había pasado con todas aquellas conversaciones que habían tenido de hombre a hombre acerca de la integridad y de hacer las cosas como Dios manda? El hecho de que George Abe lo pisoteara de aquella forma solo demostraba que era tan hipócrita como los demás.

Ello daba validez a su decisión de canalizar información hacia el vicepresidente. Al fin y al cabo, se trataba de su hija. A su modo de ver, Benjamin Lombard tenía derecho a ser informado. Lo cierto era que él no veía la necesidad de mantener tanto secretismo. Dar con el capullo que había secuestrado a su hija era algo bueno y el vicepresidente se sentiría agradecido.

Jenn Charles se enfadaría sobremanera. Bueno, ella tendría que aguardar su turno. Antes tenía unas cuantas cosas que decirle a George Abe.

Lo sorprendió la ferocidad de sus sentimientos. Jamás lo reconocería, ni siquiera a sí mismo, pero sentía una cierta gratitud y lealtad hacia George. Lo admiraba. Así que, después de siete u ocho cervezas, reunió valor y llamó a George para decirle lo que pensaba. Pero George no contestó al teléfono, ni en aquella ocasión ni en ninguna de las veces que volvió a intentarlo.

«Cobarde.»

Muy bien, pues George no iba a salirse tan fácilmente con la suya. Mike agradecía el finiquito —que era generoso—, pero aquello no tenía que ver con el dinero, sino con el hecho en sí. Él había estado allí desde el principio, y a una persona no se la echa a la calle después de siete años sin darle alguna explicación.

Cuando tomó el ascensor para subir a su planta, su resolución ya flaqueaba. La noche anterior tenía preparado un buen sermón para san George Abe; ahora, en cambio, la idea de enfrentarse a su exjefe lo intimidaba un poco. George poseía aquella calma imperturbable, tan depurada, que enseguida lo ponía nervioso.

Salió del ascensor y echó a andar por el pasillo en dirección a Abe Consulting. Las puertas estaban abiertas y sujetas con topes, lo cual no era habitual.

La recepción se hallaba vacía. Mike se detuvo en seco. No vacía de gente, sino vacía del todo. Había desaparecido todo: los sofás, las sillas, las mesas, las lámparas, los cuadros... todo. Hasta la moqueta y las placas identificativas. Fue revisando una sala tras otra, y en todas encontró lo mismo. Hasta el despacho de George aparecía completamente desnudo. Resultaba increíble. La tarde anterior a las siete, cuando se marchó, todo estaba normal. Y ahora era como si Abe Consulting, igual que una tribu de gitanos, hubiera levantado el campamento durante la noche y se hubiera marchado de allí sin dejar la menor huella de su presencia.

De repente le sonó el móvil. Buscó tres veces el número entrante, pero no figuraba ninguno. Y tampoco estaba bloqueado. Simplemente, la pantalla aparecía en blanco. Aquellas llamadas siempre lo atemorizaban un poco, porque era como si no procedieran de ninguna parte. Se oyó una voz conocida al otro lado de la línea, dura y mecánica.

—No lo sé —respondió Mike—. No. Ya no está... Sí, estoy aquí mismo. Me lo he encontrado todo vacío... ¡No lo sé! ¿Qué quiere que le diga? No es que me cuente a mí esas cosas, precisamente.

En el otro extremo de la línea se produjo una pausa. Cuando volvió a oírse la voz, fue para recitar una serie de instrucciones. Mike colgó y se percató de que estaba sudando. Le daba miedo decir que no y no sabía muy bien lo que sucedería en tal caso.

Ojalá estuviera George allí para decirle cuál era el mejor modo de proceder.

Capítulo 34

Gibson durmió hasta que el sol de la mañana empezó a proyectarse sobre el suelo y le llegó a los ojos. Rodó de costado y se incorporó a medias en el sofá. Billy estaba en la planta de arriba, en uno de los dormitorios. Habían estado largo rato hablando sin llegar a ninguna conclusión, hasta que decidieron dejarlo para el día siguiente. Su teléfono decía que eran más de las diez. ¿Cuánto tiempo hacía que no dormía hasta tan tarde? Y en un sofá. Pero después de pasar cuatro días en el asiento trasero de un coche, un sofá le resultó un auténtico lujo.

No cabía duda acerca de la historia que había contado Billy. Ya no.

Billy no bromeaba cuando le dijo que el desván de aquella casa era un altar erigido en honor de la familia de Terrance Musgrove. La noche anterior se lo enseñó. Las paredes estaban cubiertas de filas y filas de cajas cuidadosamente apiladas, cada una provista de una etiqueta: «Fotos del salón», «Oficina 1», «Oficina 2», «Artículos del baño principal», etcétera. Era como si los Musgrove fueran a regresar y necesitaran encontrar con facilidad su champú.

Billy fue directamente a una serie de cajas que llevaban la etiqueta de «Habitación de Ginny».

—Suzanne se quedaba en la habitación de Ginny. Como todavía estaba llena de cosas de niña, supongo que así se sentía más cómoda. Yo pensé que a lo mejor le daba un poco de miedo dormir en la habitación de una niña que había muerto, pero ella me dijo que no le importaba.

A continuación se puso a rebuscar en la caja, sacó la mochila de Hello Kitty y se la dio.

—¿Me estás tomando el pelo? —le preguntó Gibson.

—Ya te he dicho que tenía una cosa que enseñarte.

—¿La hermana de Musgrove no se ha extrañado de ver esto aquí?

—¿Una mochila de niña en la habitación de una niña? En absoluto. Ocultarse a la vista de todo el mundo tiene sus ventajas.

—¿Y ha estado aquí todo este tiempo?

—¿Se te ocurre un sitio mejor que este para que un tío de veintitantos años esconda la mochila de una niña?

La bajaron al piso de abajo y Billy observó a Gibson mientras la abría e iba depositando todo su contenido sobre la mesa del salón: un estuche de maquillaje, un cepillo para el pelo, un joyero, un iPod antiguo de primera generación, unos auriculares, un par de camisetas y varias mudas, unos vaqueros. La edición en tapa dura de *La Comunidad del Anillo* que Gibson le había leído tantos años atrás. Y también una manoseada gorra de béisbol de los Phillies de Filadelfia.

Se pasó una mano por la cara para despejarse y cogió la gorra con delicadeza, como si fuera una reliquia de otra época. Aquel objeto le causaba escalofríos, incluso más que la mochila. Le dio la vuelta y, por enésima vez desde la noche anterior, miró el forro. Escritas con un rotulador negro ya muy desvaído aparecían las iniciales «S. D. L.», es decir, Suzanne Davis Lombard. La L mostraba el trazo característico de Suzanne. Aquella gorra era suya. La gorra.

¿Qué querría decir?

Ahora, bajo el luminoso sol matinal, de repente se le ocurrió una idea en relación con el forro. Por regla general, con el tiempo el forro de las gorras de béisbol terminaba decolorándose por efecto del sudor, sobre todo en la zona de la frente. Sin embargo, el de Osita apenas se veía desgastado, a pesar de que el resto de la gorra estaba hecho un desastre. El logo de los Phillies estaba rozado y deshilachado, las costuras de los seis orificios de ventilación empezaban a aflojarse y el botón de la coronilla se había caído. ¿Cómo era posible que una gorra hubiera sufrido aquellos desperfectos sin que nadie la usase?

Luego estaba la fotografía Polaroid. Billy se la había mostrado la noche anterior, pero seguía sin parecerle auténtica. Tal vez fuera porque él no quería que lo fuera. En ella se veía a Osita tumbada en el mismo sofá en que acababa de dormir él. Envuelta en un albornoz azul y con un libro abierto sobre el vientre. Y menudo vientre, porque en aquella foto estaba muy embarazada. Tenía cara de cansada, pero se la notaba más contenta que en la foto que le hizo Billy la noche en que llegó. A Gibson le costó trabajo mirarla durante largo rato; al ver su embarazo con sus propios ojos, la foto le pareció real.

Billy bajó la escalera con cara de sueño y se dirigió a la cocina a tomar un vaso de agua.

—Me vuelvo a la cama —anunció al regresar.

—Oye, una pregunta. ¿Tú alguna vez viste a Suzanne llevando esta gorra puesta?

—¿Aparte de la noche en que la recogí? No, nunca. La verdad es que no era de esas chicas que llevan una gorra de béisbol.

—Entonces, ¿tienes idea de por qué está tan usada?

—Ah, Suze era así. Se pasaba el rato tirando de las costuras, como si fuera una obsesión. ¿Has visto alguna vez a un perro ensañándose con un peluche? Pues eso hacía Suze.

Y acto seguido Billy lo dejó a solas con sus pensamientos.

Gibson arrugó la frente. «¿Cuál es la historia, Osita?» Una chica que, según sus padres, odiaba el béisbol, ¿qué hacía con una gorra de los Phillies que ambos juraban que no le pertenecía? Supuestamente la había comprado en la carretera, para ocultar la cara. Lo cual tenía sentido, dado que, por lo visto, no se la había puesto nunca. Pero si solo se la puso en aquella única ocasión, ¿por qué se tomó la molestia de escribir sus iniciales en el forro? Esas cosas se hacen con algo que uno no quiere que se le extravíe.

¿Qué había dicho Billy de las imágenes del vídeo de seguridad de la gasolinera? Que la forma en que miró Osita a la cámara... era como diciendo: «Que te jodan». ¿Formaría parte del mensaje aquella gorra? Gibson llevaba tanto tiempo intrigado por aquello que había abrigado la esperanza de que, al verla y tocarla, descubriría algo. Pero seguía teniendo la mente en blanco.

Con aquellas preguntas revoloteando por su cerebro, se incorporó del todo, recogió la gorra de béisbol y el libro y se dispuso a saquear la cocina. No había mucho donde elegir, de modo que se vio obligado a conformarse con dos latas viejas de melocotón en almíbar. Después se sentó en el porche trasero con el libro de Osita, la fruta y un tenedor. Aquella mañana el agua de lago aparecía picada y, pensando en Osita, estuvo contemplando cómo venían las olas hacia la orilla en sentido diagonal.

Osita en su banco, leyendo. Tomando el té como su madre, sosteniendo la taza con las manos y soplando suavemente al tiempo que miraba por la ventana. Se acercó el libro a la nariz, con la esperanza de percibir un aroma que lo transportara de nuevo a su infancia, pero era simplemente un libro viejo. Pasó varias hojas mientras iba comiendo melocotón directamente de la lata.

De principio a fin, los márgenes estaban abarrotados de anotaciones que habían sido escritas después de que él terminara de leérselo a Osita. Billy se las había mostrado la noche anterior; reconoció que una noche en que se emborrachó juró que leería el libro y las anotaciones, por si acaso encontraba en ellas alguna pista que le permitiera deducir qué había ocurrido. Pero abandonó al llegar a la página cincuenta. Según dijo, eran simplemente cosas de críos.

—Algunas notas van dirigidas al espacio exterior y cosas así. No sé. Demasiado profundo para mí.

Gibson volvió al principio y empezó a leer.

Las anotaciones de Suzanne estaban escritas con una letra precisa y microscópica, y no guardaban ningún orden particular ni ninguna cronología discernible. Según pudo ver, se habían escrito a lo largo de varios años, pues tenían diferentes colores de tinta y unas estaban más difuminadas que otras. Algunas, efectivamente, se referían a *La Comunidad del Anillo,* pero estaban en clara minoría. Casi todas eran fragmentos de letras de canciones, frases tomadas de películas, listas de cosas que le gustaban o no le gustaban, observaciones al azar. Representaban los coloridos pensamientos de una joven precoz. Ya se imaginó a Ellie haciendo algo similar dentro de unos años, aunque, teniendo en cuenta su letra, iba a necesitar márgenes mucho más anchos.

Estuvo leyendo varias páginas despacio; luego le entró la impaciencia y empezó a pasar las páginas con rapidez y dejó que sus ojos rastreasen el texto en busca de algo que fuera significativo. Avanzó diez páginas, y después veinte. Hasta el momento no había visto más que grandes extensiones de tinta: azul rosa, verde, roja. De pronto se detuvo.

Anaranjado.

Aquello le trajo a la memoria algo que hizo que el estómago le diera un vuelco. Era algo que Osita había escrito mucho tiempo atrás. Él se encontraba en Pamsrest, en la cocina. La señora Lombard le estaba preparando un sándwich de queso caliente y él estaba leyendo un cómic. De improviso apareció junto a él Osita, con la respiración agitada.

—Gib-Son. Gib-Son.

—Qué —respondió él con gesto distraído.

—¡Son! Tengo que preguntarte una cosa.

Gibson dejó de leer y la miró.

—¿Qué ocurre?

—¿Cuál es tu color favorito?

Le respondió que el anaranjado, por el equipo de los Orioles.

—Muy bien —dijo Osita con cara seria—. Así que tu color es el anaranjado, ¿no?

Como si él debiera saber qué significaba aquello.

—Sí, vale, ese es mi color.

—Que no se te olvide —le advirtió ella medio susurrando.

¿Qué edad podían tener por aquel entonces? No se acordaba. Retrocedió varias páginas hasta que vio algo escrito con tinta anaranjada.

«Sol.» El anaranjado era su color[4]. De pronto lo invadió una fuerte oleada de emociones. Arrepentimiento. Culpa. Nostalgia. Hundió la cabeza entre las rodillas y rompió a llorar. Dios, cuánto la echaba de menos.

Pasó la siguiente hora volviendo atrás y leyendo todas las anotaciones que pudo encontrar escritas con tinta anaranjada. La mayoría eran los pensamientos de una niña.

Sol, ¿te gusta el zumo de uva? A mí, sí.

Sol, ojalá se fuera a casa todo el mundo menos tú.

Sol, enséñame a eructar.

---

[4] «Son» se pronuncia igual que *sun*, que significa sol. De ahí el color anaranjado. *(N. de la T.)*

Y cosas así. Algunas eran graciosas, otras eran tristes. De pronto, enterrada en mitad del libro, encontró una anotación distinta de las demás dirigidas a él: más larga y con una letra más madura.

Sol, hoy ha sido el funeral. Lo siento muchísimo, espero que estés bien. No me han dejado asistir, pero yo quería estar presente, por ti. ¿Seguimos siendo amigos? Si no puede ser, lo entenderé, pero te echo de menos. (389)

Con un sentimiento parecido al miedo, fue hasta la página 389. En los márgenes no había nada, salvo una única anotación escrita con dos bolígrafos anaranjados distintos y, si no se equivocaba, con varios años de diferencia.

Sol, lamento haberte estropeado el partido. No te enfades conmigo.

A continuación, con el otro bolígrafo y sabe Dios cuánto tiempo más tarde, decía:

Debería habértelo contado después del partido. Debería habértelo contado cien veces. Estaba muy enfadada contigo porque no te diste cuenta. Perdóname. Quisiera contártelo ahora. Aquí hay un lago. No es tan bonito como Pamsrest, pero podríamos sentarnos en la orilla y yo te lo contaría todo. Es lo que más deseo en el mundo. Ojalá no te hubieras marchado. Espero que no me eches la culpa.

Cerró el libro de golpe. ¿De qué tenía que echarle la culpa? De las profundidades comenzó a ascender un recuerdo, y su abominable y reptiliana espina dorsal estuvo a punto de aflorar a la superficie, pero volvió a hundirse con un fuerte coletazo. Gibson cerró los ojos, temiendo que volviera a aparecer, pero sabiendo que debía traerlo de nuevo a su consciencia.

El partido. ¿Qué pasaba con él? Duke lo había llevado a un centenar de partidos. ¿Los había acompañado Osita en alguna ocasión? ¿Podía ser? Tenía una imagen borrosa; lo único que recordaba era que Osita se pasó el día entero de lo más traviesa, algo que no era nada habitual en ella. Pero no, hubo algo más. Por fin emergió el recuerdo, con sus ojillos fríos e insensibles, y se lo quedó mirando fijamente, desafiándolo a que parpadease.

Fue un día que hicieron un viaje para ir a ver a los Orioles. No recordó contra quién jugaban… ¿los Red Sox? Sí, seguramente sí. En principio iban a ir solo su padre y él, pero el senador se enteró, se autoinvitó y se trajo a Osita. La esposa de Lombard se encontraba de viaje, así que la cosa consistió en dos amigos que llevaban a sus hijos a ver un partido… con un equipo de guardaespaldas que los seguían desde una distancia prudencial. Fue medio excursión familiar y medio teatro político. Pero, al llegar al estadio, Osita se desmadró y se perdió casi todo el partido.

No, aquello no era cierto. La cosa empezó antes.

Ahora que lo pensaba más detenidamente, recordó que Osita ya llevaba una temporada de mal humor. Encerrada en sí misma. Y durante el trayecto a Baltimore estuvo realmente imposible. Hostil con todo el mundo. Dando patadas contra el asiento del pasajero. Mirando con el ceño fruncido a todo el que se volvía hacia ella. No era en absoluto la niña pizpireta que él había conocido. Cuando él le preguntaba qué le ocurría, ella no le contestaba. Eso no había pasado nunca. Duke, que siempre sabía hacerla sonreír, no recibía de ella más que un hosco silencio.

Gibson recordó lo frustrado que se sentía Lombard y lo empeñado que estaba en que lo pasaran bien. A mitad de camino Duke sugirió que se dieran media vuelta, pero el senador no quiso. El trayecto en coche fue una pantomima de charla animada, y todos notaron la falsedad y la tensión que causaba el hecho de poner buena cara a regañadientes.

Para cuando llegaron al estadio, nadie estaba de humor para ver un partido de béisbol. Candem Yards estaba lleno a reventar, así que hasta que ocuparon sus asientos no se dio cuenta de que Osita estaba llorando. En aquella época creyó ver simplemente a una niña revoltosa que no se había salido con la suya, pero ahora comprendió que estaba algo más que alterada: estaba aterrorizada.

Estaba muy enfadada contigo porque no te diste cuenta.

¿De qué no se había dado cuenta?

En cuanto ocuparon sus asientos, una jugada en el campo hizo que todos los espectadores se pusieran de pie. Gibson, que estaba sentado junto al pasillo, se volvió para mirar y, cuando se giró de nuevo hacia Osita, vio que estaba sollozando. Duke se había arrodillado para consolarla, pero ella se zafó de un tirón y continuó gimoteando descontroladamente.

Gibson sintió un peso en el estómago al rememorar lo que sucedió a continuación.

Lombard tomó a su hija de la mano y se la llevó fuera de las gradas. Duke se quedó allí de pie, mirándolos, con el semblante serio y preocupado. ¿Qué había ocurrido allí? ¿Qué se estaba perdiendo él? Durante todos aquellos años, Gibson había creído que su padre se había suicidado porque lo habían sorprendido malversando fondos para Lombard. Sintió un gran alivio cuando Calista Dauplaise le reveló que había sido el propio Lombard; sin embargo, ello planteó una pregunta inquietante: ¿qué había llevado a Duke Vaughn a suicidarse?

De pronto le vibró el teléfono. Lo atendió rápidamente, contento de poder pensar en otra cosa. Miró el número antes de contestar.

—Hola, Jenn.

—Gibson. ¿Qué tal por Virginia?

—Maravilloso. ¡Los Hoos al poder! Deberías venir un día.

—Yo estaba pensando lo mismo.

—¿Qué, me echas de menos?

—Has estado ocupado.

—Tú también.

—Tenemos que hablar. Nos has dejado en una situación comprometida.

—No me digas. ¿Os he hecho cómplices del secuestro y la tortura de un ciudadano de los Estados Unidos? Porque si no es así, que os jodan a vosotros y a vuestra situación.

—Tate ha muerto, Gibson. Lo han asesinado.

Gibson bajó el teléfono, se lo apretó contra la pierna y soltó una obscenidad. Le pitaban los oídos. Tate había muerto. Aquel iba a ser el primer asesinato. ¿En Pensilvania ejecutaban a la gente? Volvió a ponerse el teléfono en la oreja.

—¿Tenéis idea de quién ha sido?

—Sí. Por eso te digo que tenemos que hablar.

—¿Algún trastero en mente?

—Mira, ya habrá tiempo para eso más tarde. Puede que estés en lo cierto. Pero ahora, no. Ahora necesitamos compartir la información porque está ocurriendo algo. Y, sea lo que sea, nosotros estamos abajo del todo.

—No sé, Jenn. A una parte de mí le apetece dejaros a Hendricks y a ti que lo averigüéis solitos. Para ver qué se siente.

—Vale, de acuerdo. Pero estamos aquí, y vas a hablar con nosotros. Preferiría que fuera en tono amistoso.

—¿A qué te refieres con que estáis aquí?

—Estamos en el domicilio de los Musgrove, al final del camino de entrada. Quería darte un aviso. No pretendemos acosarte, solo queremos hablar.

Gibson ya estaba en pie.

—No creo que sea tan buena idea.

—Pues lo sea o no, vamos para allá. No nos obligues a ir corriendo detrás de ti —dijo Jenn, y seguidamente colgó.

Capítulo 35

—¿Quién anda ahí? —preguntó Billy en la puerta de la casa, detrás de Gibson. La pistola que llevaba en la mano temblaba—. ¿Les has dicho dónde estamos?

—No, pero nos han encontrado.

Gibson dio un paso hacia él y la pistola le bloqueó el paso. Se detuvo bruscamente y levantó las manos.

—No sé cómo han dado con nosotros. Solo quieren hablar.

—Ya, claro... hablar.

Los dos oyeron a la vez el coche que subía por el camino de entrada a la casa. Billy, con mirada felina, volvió la cabeza a un lado y al otro igual que un animal que ha olfateado una pista.

—¡Billy, no!

Pero Billy no estaba por la labor de hacer caso. Dio media vuelta y echó a correr hacia el interior de la casa. Gibson fue tras él, pero dobló a la izquierda y, esquivando muebles y manteniéndose agachado, salió disparado por el porche delantero. Allá al frente, el Cherokee emergió de entre los árboles y empezó a girar por la curva que describía el camino de grava.

Billy salió como una exhalación por la puerta principal. Llevaba la pistola en alto y apuntando al Cherokee, el cual frenó en seco. Loco como iba de miedo y de furia, no hizo el menor esfuerzo por ponerse a cubierto. Vociferaba y les decía que dieran marcha atrás, que se fueran y lo dejaran en paz. Hendricks le gritaba a su vez que bajase el arma, pero su voz se disipó en medio de la babel enloquecida de Billy.

En eso apareció Gibson por la esquina de la casa. Tenía que llevarse a Billy antes de que alguien resultara herido. En un instante de lucidez a cámara lenta, se dio cuenta de que creía a Billy. Se había creído toda su absurda historia. Y más aún: se preocupaba por él. No soportaba la idea de que pudiera sufrir algún daño.

Jenn y Hendricks cerraron el paso y se situaron a tan solo cinco metros del porche. Todo el mundo chillaba. Hendricks se desplazó hacia la izquierda, en un intento de atraer la atención de Billy. Billy estaba cada vez más desaforado y apuntaba con la pistola a sus dos adversarios alternativamente. Escupía saliva al hablar.

Gibson dio dos pasos y embistió de lleno contra Billy. Los dos cayeron juntos sobre un sillón de mimbre. La pistola se soltó y resbaló por el porche. Billy forcejeó un momento, pero Gibson era mucho más fuerte, de modo que se quedó debajo de él, jadeando.

—Cálmate, Billy. Cálmate. Todo va a salir bien.

Billy se debatió débilmente, nada convencido.

—¡Gibson! Lanza tu pistola por encima de la barandilla —ordenó la voz de Jenn.

—No tengo pistola, idiota. Y tengo las manos más bien ocupadas. ¿Os importa a alguno echarme una mano?

Benjamin Lombard escribió unas anotaciones en el margen de su discurso de aceptación. Faltaban varias semanas para la convención, y el resultado de la carrera distaba mucho de estar decidido, pero hacer pequeñas modificaciones en el discurso lo ayudaba a distraerse de lo que estaba sucediendo en Virginia y en Pensilvania. Aquel hijoputa de George Abe estaba librando su propia cruzada, como de costumbre.

El muy capullo se las había ingeniado para desmantelar su empresa en cuestión de minutos, después de que lo capturasen. Para cuando la gente de Titus se presentó allí, no quedaba ni un tornillo ni un mísero lápiz. Abe Consulting había sido borrada de la faz de la tierra. Aquel era exactamente el estilo de Abe. Como si lo estuviera negando. De manera muy convincente, había fingido estar tan desconcertado como los demás. Incluso después de que uno de sus muchachos le hubiera dado una paliza.

Lombard levantó la vista hacia el monitor. George seguía derrumbado sobre la mesa de interrogatorios de Cold Harbor. Titus era un malvado pitbull, de eso no cabía duda, pero Lombard estaba empezando a dudar de su capacidad para conseguir un avance importante en el momento adecuado. Si algo tenía claro respecto de George, era que iba a hacer falta algo más que romperle unas cuantas costillas para obligarlo a que traicionara a su gente.

Por suerte, Lombard contaba con una persona dentro de Abe Consulting que los había mantenido al tanto de todo, así que estaban enterados de la operación que estaba teniendo lugar en Pensilvania. Aun así, quiso estar allí presente para oír en persona lo que George tuviera que decir. Por supuesto, tal cosa era imposible. Toda la actividad de Titus era de lo más ilegal, lo cual quería decir que él había tenido que quedarse en el banquillo, viendo lo que estaba ocurriendo en un monitor de veintisiete pulgadas. Maldito George Abe. Tal vez debería haber llamado a los federales, pero no se fiaba de que aquel sureño pueblerino e inculto de Brant lo mantuviera en secreto. En fin, lo hecho hecho estaba, y de todas formas ya casi era hora de que George pasara otro ratito con el muchachote de Titus.

De repente llamaron a la puerta de su estudio. Lombard apagó el monitor y dijo que podían pasar. Entró Leland Reed, con cara de tener úlcera de estómago y un teléfono en la mano. A Lombard no le gustó que Reed mostrara su ansiedad de manera tan visible; un hombre que desempeñaba aquel trabajo tenía que saber poner cara de póquer. Le preguntó qué quería.

—Le llama una tal Calista Dauplaise.

Lombard asintió con tranquilidad, como si estuviera esperando aquella llamada. Pero no era así. No se habría sorprendido más si Reed le hubiera dicho que a quien tenía en línea era Abraham Lincoln. ¿Calista Dauplaise? Era rarísimo que aquella vieja bruja lo llamara.

—¿No es una de las personas que contribuyeron a su campaña en la época de Virginia? —preguntó Reed—. Da la impresión de estar deseando volver a la cama con nosotros, pero antes quiere hablar directamente con usted. —Reed estaba lo bastante al corriente de las cosas para saber quién era Calista, pero era lo bastante astuto para hacerse el tonto—. ¿Quiere que le diga que no puede?

Ya durante las primarias había recibido llamadas de donantes inesperados que deseaban tantear el terreno, pero aquello era completamente distinto. Calista no le daría un centavo ni para usar el cuarto de baño del infierno, y menos aquel día. Le gustaría saber hasta qué punto estaba involucrada con Abe Consulting.

Chasqueó los dedos con impaciencia para que Reed le pasara el teléfono y acto seguido le hizo una seña para que saliera.

—Hola, Calista.

—Benjamin.

—Leland me ha dicho que has encontrado a Jesús y que quieres ayudar a América a elegir al hombre adecuado.

—Sí, supongo que así es.

Intercambiaron unas risitas sobre aquello, pero sería una equivocación creer que a Calista le resultaba gracioso. Igual que sería una equivocación pensar que una hiena sonríe solo para enseñar los dientes.

—¿Qué es lo que quieres?

—¿Cómo se encuentra George? —preguntó Calista.

—No sé de qué me hablas.

—Benjamin, tienes a George. Y probablemente también a Mike Rilling.

—Esas son acusaciones muy serias.

—Cállate y escúchame con atención, si es que aspiras a ser presidente.

A Benjamin Lombard no lo habían mandado callar desde que estaba en el segundo año de carrera en la universidad. De hecho, desde los catorce años jamás se había callado cuando se lo ordenaron. Pero en cuanto Calista comenzó a hablar, cerró la boca de golpe y la dejó así hasta que ella hubo terminado.

Hendricks esposó a Billy a un inodoro, con los brazos alrededor de la taza como si le tuviera afecto. Le advirtió que si hacía el menor ruido, le metería la cabeza dentro.

—Y para sacarla vas a necesitar un fontanero.

Por lo demás, de momento Billy no había sufrido ningún daño. Gibson intentó razonar diciendo que todo aquello no era necesario, pero Hendricks no estaba de humor para andarse con miramientos.

—Estás a punto de ir a hacerle compañía.

Gibson trajo un cojín del salón para que Billy se recostara contra él. Billy lo aceptó sin decir nada; no había pronunciado palabra desde que Gibson le puso las esposas, se limitaba a contemplar con gesto pensativo el suelo del cuarto de baño.

Gibson dejó a Billy en el baño y se reunió con sus antiguos colegas en la cocina. Se sentaron en torno a la mesa y se miraron sin pestañear los unos a los otros. No fue precisamente el más cálido de los reencuentros, pero tampoco había nadie apuntando a Gibson con una pistola, de modo que este decidió que la partida quedaba en tablas. De los dos, Jenn parecía la más amistosa. Hendricks, sin embargo, estaba tan duro como el cemento seco.

—¿Por qué habéis vuelto? —preguntó Jenn a Gibson.

—¿Por qué me mandasteis vosotros a casa?

—¿Por qué? —repitió Jenn en un tono más afilado.

—Porque tenía mis dudas.

—¿Sobre qué?

—Sobre vosotros. Y sobre Tate. Él no era el tipo que buscábamos.

—Sí, bueno, ya es tarde para eso.

Hendricks contó cómo se habían encontrado el trastero de alquiler tras regresar de perseguir el virus de Gibson en la casa de Musgrove. La sangre, la desaparición del cadáver. Hendricks volvió la mirada hacia donde se encontraba Billy y Gibson se percató. Se notaba a las claras que Hendricks estaba sopesando mentalmente quién era Billy, intentando averiguar si era él quien había matado a Tate.

—No ha sido él —le dijo Gibson.

—¿No? De acuerdo, pues entonces solo quedas tú.

—¿Pensáis que a Tate lo he matado yo?

—¿Vas a negar que estuviste allí?

—No. ¿Creéis que lo he matado yo?

Hendricks lo miró largo y tendido.

—No, no lo creemos —dijo Jenn—. Pero ya no nos quedan demasiados sospechosos posibles.

—Aparte de nuestro amigo, el que está en el cuarto de baño —replicó Hendricks—, el cual ha reconocido que nos distrajo con el numerito del virus en la casa de Musgrove. Y, mientras nosotros estábamos haciendo el gilipollas en la casa de Musgrove, a Kirby lo mataron. Tú, en cambio opinas que él no tuvo nada que ver.

—No fue él, podría jurarlo.

Gibson hizo todo lo que estaba en su mano para defender a Billy y les contó la mayor parte de lo que había descubierto. Que diez años atrás Billy había hecho un gran esfuerzo para ayudar a proteger a Suzanne. Ellos escucharon sin decir nada cuando él les mostró la mochila de Hello Kitty y vació su contenido sobre la mesa de la cocina. Hendricks examinó con cuidado la gorra de béisbol. Gibson no estaba todavía dispuesto a revelar las dudas que albergaba respecto de ella. Vio cómo Jenn tomaba el libro y lo hojeaba por encima.

—¿Qué son todas estas anotaciones?

Gibson se encogió de hombros.

—Cosas de adolescentes.

—De acuerdo, ¿qué es lo que sabes de verdad acerca de este tipo? —preguntó Hendricks—. Tiene la mochila y la gorra. Y envió la foto a Abe Consulting. De modo que yo estoy dispuesto a creerme que Suzanne estuvo aquí. Pero ¿tiene nuestro Romeo alguna prueba de que Suzanne estuviera embarazada?

Gibson les mostró la foto. Hendricks no pareció conmoverse y prosiguió con el interrogatorio; Jenn, en cambio, la miró fijamente.

—¿Y tiene alguna prueba de que el niño no era suyo? —continuó Hendricks.

—No —respondió Gibson.

—¿O de que lo de Musgrave no fue un suicidio?

—Tampoco.

Jenn carraspeó. Hendricks le dirigió una mirada que Gibson no supo interpretar.

—Y, sin embargo, de todos modos, le crees —dijo Hendricks—. Crees que ayudó a Suzanne por su bondadoso corazón. Ayudó a una joven a la que otro tipo había dejado preñada. Y luego vino alguien, se la llevó a ella y mató al vecino. Tú te crees esa fantasía, pero en cambio no te crees que el tipo que hackeó Abe Consulting, que nos ha guiado hasta aquí, que nos entregó a Tate en bandeja porque secuestró a su hermana, que ha hecho todo eso, tenga absolutamente nada que ver con los litros de sangre que estuve yo limpiando ayer.

—Venga, Hendricks. ¿Te parece que tenga pinta de ser un tipo capaz de asesinar a una persona a sangre fría?

—¿Y qué pinta tiene un tipo que es capaz de eso?

—No ha sido él.

Hendricks torció el labio en una media sonrisa.

—Pues si no ha sido él, ha sido tú. Que haya sido él no puedo probarlo, pero sé que tú estuviste en el sitio.

—Y tú también —replicó Gibson.

Los dos hombres se contemplaron mutuamente con gesto inexpresivo, Gibson más inmóvil que en toda su vida. Así transcurrió un rato, y después, sin más, Hendricks lanzó un bufido y desvió la mirada.

—¿George piensa que he sido yo? —preguntó Gibson.

Jenn y Hendricks se miraron el uno al otro.

—¿Qué?

—¿Le decimos lo de Meiji? —dijo Hendricks.

—¿Qué diablos es Meiji?

Jenn estaba sentada sola en la cocina mientras Hendricks se echaba una siesta en la habitación contigua. Le daba envidia la capacidad que tenía para separar las cosas en la cabeza. Ninguno de los dos había dormido más de una hora en los dos últimos días, pero ella no lograba mantener los ojos cerrados. Había demasiadas variables y muy pocas constantes. Sabía que no iba a poder mantener mucho tiempo a raya a Hendricks. Pese a los esfuerzos de Gibson, su compañero seguía pensando que el autor del asesinato de Tate era Billy Casper y le estaba costando trabajo elaborar una teoría alternativa que no involucrara a Gibson.

De pronto le sonó el teléfono. Era Mike Rilling.

—¿Mike?

—Jenn, ¿eres tú?

—¿Y quién voy a ser, si no?

—No sé, todo esto es una locura, la verdad.

La voz de Mike sonaba rara. Siempre había sido un poco un niño gimoteante, pero ahora hablaba como un adolescente de secundaria.

—Todo saldrá bien. ¿Estás en la oficina? ¿Por qué están desconectados los teléfonos?

Mike se lo explicó.

—¿Qué quieres decir con que Abe Consulting ya no está?

—Que ya no está. Ha desaparecido. De la noche a la mañana. —Describió cómo había encontrado las oficinas—. Se lo han llevado todo, hasta los suelos.

—¿Dónde está George?

—Detenido. Lo tienen los federales. Es un verdadero desastre.

De modo que había sido el FBI. Al menos ahora sabía por qué George había lanzado la alarma. ¿Meiji habría servido también para desmantelar las oficinas? En tal caso, aquello le resultaba nuevo.

—¿Dónde lo tienen retenido?

—No lo sé con seguridad. Y tampoco estoy seguro de que lo sepa George, para serte sincero. Acabo de hablar por teléfono con él.

—¿Has hablado con él? —Jenn se inclinó hacia delante.

—Sí, los federales le han dejado hacer una llamada. No me ha parecido que estuviera muy bien. Los federales quieren que les entreguemos hoy mismo todo lo que tengamos acerca de Suzanne Lombard o, de lo contrario, se cargarán a George.

—Dios.

—Va a volver a llamarme dentro de una hora. ¿Qué es lo que tenemos?

Jenn se pasó la lengua por los dientes, pensando.

—¿Tienes algo para escribir?

Capítulo 36

Gibson estaba sentado en el borde de la bañera, dando de comer a Billy atún de una lata. Hendricks se había negado a quitarle las esposas, así que estaba siendo una operación lenta y sucia. Billy aún no había pedido ir al lavabo, pero Gibson no era muy optimista respecto de lo que podía ocurrir. Billy estaba procurando colaborar, pero se notaba a las claras que seguía asustado y enfadado. El hecho de estar esposado a una bañera no contribuía precisamente a subirle la moral a nadie.

—Me siento como si fuera un niño —se quejó.

—Ya, pero eso me convierte a mí en tu padre, y eso no me hace ninguna gracia.

Billy esbozó una media sonrisa y después se puso serio.

—¿Van a matarme?

—Antes tendrán que matarme a mí.

—¿Que tú vayas a morir unos segundos antes que yo debería servir para que me sienta mejor?

Esta vez le tocó a Gibson el turno de sonreír.

—¿Tú crees que eso cuenta para algo?

Su humor negro no estaba surtiendo efecto.

—Tío, sácame de aquí.

—Estoy en ello.

—¿Sí? Pues ve más deprisa, ¿vale? Estoy esposado a un puto váter.

Gibson no había hablado con Jenn ni con Hendricks desde la reunión informativa de aquella mañana. En conjunto, todos estaban muertos de cansancio, de modo que pareció sensato darse un poco de espacio durante unas horas. Además, el hecho de tener pendiendo sobre su cabeza el asesinato de Kirby Tate tampoco estaba obrando maravillas en la actitud de Hendricks y, por una vez, Gibson fue capaz de empatizar con él. Un poco. Pero si a Hendricks se le ocurría ponerle una mano encima a Billy, iban a encontrarse en una encrucijada. Aún estaba muy vívido el recuerdo de la celda de Kirby Tate.

Pero, por el momento, Jenn y Hendricks llevaban todo el mediodía ocupados con Mike Rilling, que se encontraba en Washington. Al parecer, George estaba bajo la custodia de los federales y estaban intentando llegar a un trato para que fuera liberado: información a cambio de inmunidad.

Para aislarse de todo aquello, Gibson se había refugiado en el dormitorio de Ginny Musgrove, donde Osita había pasado gran parte del tiempo. Se sentó con la espalda apoyada en la puerta y se puso a leer más anotaciones de *La Comunidad del Anillo,* en busca de una pistola humeante que proporcionara alguna pista respecto de su padre, pero al mismo tiempo con miedo de encontrarla. ¿Fue de Duke de quien había huido Osita? ¿Fue por ese motivo por el que él se quitó la vida? No sabía si iba a poder sobrevivir a la verdad.

Estudió el rostro de Billy. Sus ojos juveniles, las prematuras patas de gallo, el mechón de color gris que le crecía en medio de aquella mata de pelo rubio que parecía un nido de ratas. Nadie era perfecto, pero en lo relativo a Suzanne, Billy Casper se le acercaba mucho. Había hecho un gran esfuerzo por ella, y lo había repetido. Había corrido grandes riesgos para encontrarla. Había apostado por una absurda, remota probabilidad hackeando a Abe Consulting. Él no había hecho nada así en su vida y eso le resultaba anonadante.

—¿Puedo hacerte una pregunta?

—Dispara —contestó Billy apoyando la cabeza en el cojín.

—¿Durante cuánto tiempo estuviste hablando con Suzanne a través de internet?

—Casi un año.

—¿Y cuándo empezó ella a hablar de querer fugarse?

—Desde el principio, tío.

—¿Por qué?

—Por lo del niño, ya te lo he dicho.

—No. Me has dicho que cuando llegó aquí no se le notaba el embarazo. Lo cual quiere decir que estaría de unos dos meses. Entonces, ¿por qué quería fugarse?

Billy respondió que no lo sabía, que en realidad no lo había pensado.

Gibson abrió el libro de Osita y leyó de nuevo el pasaje del partido de béisbol.

—¿Qué es eso? —preguntó Billy.

Los había interrumpido el motor de un vehículo que subía por el camino de entrada de la casa. Gibson dejó el libro en el lavabo y se levantó para asomarse por la ventana pequeña y redonda del cuarto de baño. Billy lo contemplaba con los ojos muy abiertos.

Unos potentes focos perforaban la oscuridad de los árboles, Gibson voceó en dirección a la cocina para avisar de que tenían compañía, pero Jenn y Hendricks ya habían entrado en acción. Jenn iba apagando las luces conforme avanzaba. Asomó la cabeza al interior del cuarto de baño.

—¿Qué tenemos? —preguntó.

—Unos faros. ¿Es este el acuerdo al que has llegado con los del FBI?

—No —respondió Jenn—. Quédate con Casper y llámanos si ves cualquier cosa.

Acto seguido apagó la luz del baño y los dejó a oscuras.

Un enorme monovolumen de color negro salió de la línea de los árboles, torció ligeramente hacia la izquierda y se detuvo. Junto a él se detuvo un segundo monovolumen, que iba sin luces. Entre los dos bloquearon la salida hacia la carretera principal. Gibson se lo fue comunicando todo a Jenn igual que un locutor de deportes que va comentando las jugadas.

De repente, los dos monovolúmenes encendieron los faros a un tiempo y perforaron la oscuridad con una cegadora luz blanca. Gibson tuvo que apartar la vista, pero no antes de observar cómo las luces estroboscópicas rojas y azules de ambos vehículos rebotaban en el follaje de los árboles. Pues menudo acuerdo habían pactado.

Por encima del ronco zumbido de los dos motores al ralentí, se oyó que se abrían las portezuelas, pero que no volvían a cerrarse. Después, unas pisadas sobre la grava. Gibson atisbó con precaución por el borde de la ventana. Se acercaban dos figuras recortadas contra los faros de los automóviles, que proyectaban sombras alargadas y distorsionadas. Detrás, junto a los vehículos, aguardaban más hombres, pero Gibson no logró distinguir cuántos eran.

De improviso, una voz áspera como un papel de lija anunció que eran del FBI. Se le notaba un leve acento de Kentucky.

—¡Jenn Charles! ¡Daniel Hendricks! Salgan de la casa. Traemos órdenes de detención.

Transcurrió un minuto sin que sucediera nada. Se oyó a Jenn y a Hendricks hablando en susurros. Billy estaba dándose golpecitos con la cabeza contra la taza del váter. Gibson se agachó, le apoyó una mano en la nuca a Billy para que dejara de moverse. El agente voceó de nuevo sus instrucciones.

Con menos cariño todavía, si es que eso era posible.

Una mano retiró la capucha y George Abe se vio de rodillas sobre un escarpado orientado hacia un valle que discurría hacia el sur. La noche estaba cuajada de estrellas. Era sorprendente la cantidad de cielo que se perdía uno viviendo en una ciudad. ¿Por qué tan solo en momentos como aquel nos dábamos cuenta de aquellas cosas?

Giró la cabeza para aliviar los agarrotados músculos del cuello. Tenía las manos esposadas a la espalda y los brazos amarrados a la altura del codo, lo cual lo obligaba a echar los hombros hacia atrás de manera forzada y dolorosa. Por más que lo intentó, no consiguió encontrar una postura que le aliviase la tensión de la espalda, y empezaba a perder la sensibilidad en los brazos.

Su interrogador le había hecho solo dos preguntas: dónde estaban Charles y Hendricks y qué había ocurrido con Abe Consulting Group. Se las formuló de muchas maneras distintas, pero el resultado fue el mismo. A la primera George no quiso contestar. En ninguna circunstancia. Antes muerto que traicionar a su gente. Y respecto de la segunda, George desconocía de qué le estaban hablando. Decían algo así como que sus oficinas habían sido cerradas y desmanteladas. Sonaba demencial, lo más probable era que se tratara de un ardid para obligarlo a hablar. En medio del dolor y de la sangre, luchó por conservar la mente despejada.

En la segunda ronda de «interrogatorios» se incluyó una paliza de especial brutalidad. El gorila a sueldo de Titus lo dejó fino. George sintió que el ojo izquierdo le bailaba dentro de la órbita y que la nariz se le había roto del todo. Tenía la barbilla y la pechera de la camisa manchadas de sangre seca. El gorila que le atizó era diestro, de modo que eran las costillas del costado izquierdo las que notaba húmedas y pulverizadas por debajo del músculo.

Cuando vinieron a por él la tercera vez, ya estaba preparado para que las cosas se tornaran serias; sin embargo, le pusieron una capucha por la cabeza y lo trasladaron a donde se encontraba ahora.

Lo habían transportado en la trasera de una camioneta vieja. Lo arrojaron al interior de la cabina como si fuera un trozo de carne y lo llevaron por una carretera plagada de curvas y socavones. Al llegar a su destino, lo sacaron a rastras y lo obligaron a arrodillarse allí, en mitad de la oscuridad. Francamente, el cambio de escenario le supuso un alivio, aunque tampoco se hacía ilusiones de que su situación fuese a mejorar.

Titus debía de haber obtenido lo que buscaba de otra manera, lo cual era una mala noticia para Jenn y Dan. Por lo menos Gibson Vaughn se encontraba a salvo fuera de todo aquello, aunque no sabía si eso iba a servirle de algo; estaba claro que Benjamin pretendía arrasar.

De repente le pusieron al lado a otra figura encapuchada. Cuando retiraron la capucha vio que se trataba de Mike Rilling, aterrorizado. Estaba esposado, pero por lo demás no parecía haber sufrido ningún daño.

Mike miró largamente a George a la luz de la luna.

—¿George?

—¿Qué estás haciendo tú aquí?

Mike, aturdido, hizo un gesto negativo con la cabeza.

—Michael. ¿Qué estás haciendo aquí? ¿Qué les has dicho?

—No pasa nada —respondió Mike sin mucha certeza—. Me he encargado de ello.

—Michael, ¿qué es lo que has hecho?

—Solo querían hablar con Jenn y Dan, resolver esto de forma pacífica.

—¿A ti parece que lo mío es pacífico?

Mike no pudo sostenerle la mirada.

—Te he preguntado que qué les has dicho —exigió George.

Mike no tuvo oportunidad de contestar. Un único disparo interrumpió la conversación y se perdió reverberando por el valle. Mike se derrumbó en tierra y se quedó inmóvil. George observó cómo le manaba sangre de la cabeza entre espasmos finales.

Lanzó un profundo rugido y se puso en pie. Su captor le golpeó en la cabeza con el cañón de su pistola y lo dejó quieto apoyándole la mano en el hombro con fuerza. George expulsó el aire despacio y levantó la vista hacia el cielo estrellado, sabiendo que no iba a oír el disparo que acabaría con su vida.

—Ridge, ¿cuál es tu situación? Cambio —crujió una radio.

La boquilla del arma se apartó de su cráneo.

—Uno de dos. Cambio.

—¿Quién? Cambio.

—Rilling. Cambio.

—De acuerdo, espera al relevo. Recibido. Cambio.

—De acuerdo, espero. Recibido.

Los dos hombres dejaron a George arrodillado en tierra. Inclinó la cabeza y los observó con el rabillo del ojo. Volvieron a la camioneta y se apoyaron contra el parachoques delantero, con la naturalidad de asesinos expertos. Sobre el capó tenían una radio que emitía algo demasiado lejano para distinguirlo con nitidez, pero se oía con la cadencia entrecortada y la estática de un escáner de la policía. Los dos hablaban a base de gruñidos monosilábicos y seguían la radio igual que otras personas seguirían un partido de fútbol.

Al cabo de un rato llegó otro vehículo por la carretera. Cuando se detuvo, se abrió una portezuela y volvió a cerrarse. Tras una breve conversación, el recién llegado ordenó a los dos hombres que se fueran. George oyó varios escuetos «Sí, señor». Era la voz de Titus.

Cuando la camioneta se hubo marchado y el ruido del motor dejó de oírse, se abrió y cerró otra portezuela. George percibió que Titus estaba hablando con una mujer. Miró con desesperación a Mike Rilling, cuya sangre ya estaba difuminándose entre la tierra. Pobre idiota.

De pronto se puso en tensión al captar unas pisadas. Frente a él apareció Titus, el cual, sin pronunciar palabra y sin mirarlo, colocó una silla plegable y volvió a desaparecer.

—Que sea breve —dijo.

—Será como a mí me apetezca, señor Eskridge. —La persona que tomó asiento en la silla era Calista Dauplaise—. Hola, George.

Jenn abrió mínimamente la puerta principal y salió al porche. Se protegió los ojos con la mano. Cómo brillaban aquellos faros. Hendricks se quedó dentro, justo al otro lado de la puerta, con el arma desenfundada.

—¡Al suelo! —ladró el agente—. Con las manos detrás de la cabeza.

—¡Muéstreme una placa! —gritó Jenn a su vez.

—Salga del porche y podremos hablar.

—Hasta que vea su placa, no.

Los dos agentes conferenciaron durante unos instantes y luego se aproximaron muy despacio. El que iba más retrasado llevaba la chaqueta del traje echada hacia atrás a la altura del cinturón. Uno de los instructores de Jenn decía que aquellos momentos suponían una «situación de fragilidad» que tenía la desagradable costumbre de descontrolarse a la mínima.

El agente que iba delante llevaba una tarjeta identificativa colgada del cuello y la agitó frente a Jenn al tiempo que iba a acercándose. Como si ella fuera a verla a aquella distancia. Lo único que pretendía era atraer la atención hacia él y no hacia su compañero, que caminaba a su costado derecho, ligeramente por detrás. Se creía un prestidigitador: hacía que el público se fijara en una mano mientras con la otra hacía otra cosa. Si el otro agente desenfundara la pistola, Jenn tendría bloqueada la línea de visión y él contaría con ventaja para abalanzarse sobre ella.

Los ojos de Jenn se habían adaptado lo bastante al fuerte resplandor para poder distinguir los contornos de por lo menos otros cinco agentes, apostados de pie tras las portezuelas abiertas de los monovolúmenes. Otro más se había desplazado hacia su izquierda y se había situado a unos cincuenta metros, la distancia límite para alcanzarlo con una bala de pistola, con lo cual le iba a convenir empezar a aproximarse para acortarla. A no ser que los individuos del fondo llevaran rifles, en cuyo caso, si la cosa se torcía, aquella mansión no iba a ser nada más que una galería de tiro y ellos acabarían convertidos en meros blancos de papel hechos trizas.

Una situación de gran fragilidad.

El agente que iba delante llegó al automóvil de Gibson, que seguía bloqueando el acceso a las escaleras de entrada que conducían al porche. No lo rodeó, y levantó la tarjeta en alto para que la viera Jenn. Si era una falsificación, desde luego era muy buena. Jenn se tocó la parte posterior de la pierna y oyó a Hendricks maldecir en voz baja.

—¿Satisfecha? —dijo el agente—. Bien, ¿es usted Jenn Charles?

Jenn afirmó con la cabeza.

—¿Está con usted Dan Hendricks? ¿Está él dentro de la casa?

Jenn iba a afirmar de nuevo cuando, de improviso, advirtió un destello metálico. La chaqueta del agente se había abierto un momento al bajar de nuevo la tarjeta identificativa. Se trataba de una segunda arma, y el color no era el que debía.

Jenn avanzó muy despacio, bajó los escalones, se dirigió hacia el agente... al tiempo que desenfundaba su pistola con un movimiento rápido. Al pisar el tercer escalón ya la tenía apuntada. El agente desenfundó a toda prisa, pero se quedó paralizado a mitad de camino, con el arma apuntando inútilmente hacia el suelo y la mirada fija en el cañón de la que empuñaba Jenn. Se miraron por encima del capó del coche de Gibson.

El segundo agente dio un paso para situarse a la izquierda de Jenn, con la intención de obtener un buen ángulo para apuntarla. Ella dio un paso a la derecha para contrarrestarlo. Ahora iba a tener que disparar por encima del techo del automóvil y eso no le favorecía demasiado. Jenn rezó para que, si llegaran a eso, Hendricks le cubriera la jugada y dispusiera de una buena línea de tiro.

Los agentes de los monovolúmenes sacaron rifles y apuntaron hacia la casa.

—Diga a sus chicos que se tranquilicen —le dijo Jenn al primero—. Porque en caso contrario, usted se perderá toda la acción.

El agente asintió con un gesto y dijo a los de atrás que se quedasen donde estaban.

—No es la primera vez que le apuntan con un arma, ¿verdad?

El agente negó con la cabeza.

—Se le nota. La mayoría de la gente, cuando tiene un arma apuntándole al pecho, se caga de miedo. Usted, en cambio, no. Usted está de lo más tranquilo. Y eso es de admirar. En serio. Así que, ¿por qué no me dice quiénes son en realidad, para que esta vez no sea la última?

—Somos del FBI, señora. Baje el arma.

—No, esta arma me gusta. Llevo disparando con ella, o con una igual, desde que tenía ocho años. De modo que pruebe otra vez.

—FBI —insistió el agente, tozudo.

—¿Eso que tiene en la mano es una Glock 23, «agente»?

El otro bajó la vista para comprobarlo. Cuando volvió a levantarla estaba nervioso por primera vez.

—No —respondió Jenn por él—. Se parece mucho a una Colt 1911 cromada.

El agente asintió con gesto taciturno.

—¿Sabe quiénes llevan encima ese tipo de arma? Los tíos que tienen la polla pequeña y un complejo muy grande. ¿Y sabe quiénes no la llevan? Los agentes del FBI. Nunca la han llevado y nunca la llevarán. De modo que vuelva a decirme quiénes son ustedes y, si vuelve a repetir que son del FBI, le hago un agujero en esa tarjeta suya como si estuviera picando un billete de tren.

Capítulo 37

Cuando George Abe tenía catorce años, su padre empezó a llevarlo a reuniones de trabajo. Se sentaba en un rincón, en silencio, y escuchaba. Después, su padre le tomaba la lección. George tenía permiso para formular preguntas y su padre le explicaba sus tácticas. De aquel modo, George fue aprendiendo los principios de la negociación y el arte de interpretar las situaciones. Uno de dichos principios era el de no formular nunca una pregunta a menos que fuera absolutamente necesaria.

—Espera —le previno su padre—. Jamás hagas una pregunta mientras estés sorprendido, pues no conseguirás más que delatarte. Espera. Piensa. Con frecuencia las respuestas vendrán a ti.

George observó a Calista mientras trataba de deducir a qué se debía su presencia en aquel lugar. Contemplando hasta dónde llegaba su traición y cuándo se había iniciado. Disimulando su rabia y el profundo miedo que sentía por su gente, que ya sabía que estaba corriendo un terrible peligro. No pensaba consentir que a causa de su preocupación resultase más fácil amenazarle.

—Oh, George, ahórrate esa actitud de samurái meditabundo. No tenemos tiempo.

—¿Para qué tenemos tiempo?

—Para unas pocas preguntas, quizá.

—Entonces hazlas.

Calista sonrió.

—Eso es lo que admiro de ti. Has adoptado la inescrutabilidad de los asiáticos y la luces como una medalla de honor.

—Es obvio que aún tengo mucho que aprender de ti.

—Sí, supongo que sí.

—Por lo menos, ahora sé lo que ha ocurrido con mis oficinas.

—Sí, bueno, ya. Tras consultar a mis abogados, decidimos que lo más prudente era liquidar Abe Consulting Group y declararlo en quiebra. Por motivos fiscales, ya sabes.

—Sí, ya sé. Y estoy impresionado. Has debido de planificarlo cuidadosamente.

—Me ha llevado años —afirmó Calista.

«¿Años?» ¿Cómo podía ser? ¿Qué era exactamente lo que venía planeando Calista?

—Bueno, ¿cómo está Benjamin? —le preguntó él.

A Calista se le iluminó la cara igual que a una actriz que se ha olvidado de la frase que tenía que decir y de repente se la soplan.

—En estas últimas horas, Benjamin y yo hemos llegado a un entendimiento.

—¿Respecto de Suzanne?

—Respecto de muchas cosas.

—¿Y te parece sensato?

—Esta vez las cosas van a ser diferentes. Ahora nos entendemos, él y yo.

George la miró con detenimiento.

—¿Qué es lo que quieres?

—Que Benjamin sea presidente.

—¿Y qué ganas tú con ello?

—Todo lo que ha ganado mi familia.

—¿Y yo? ¿Voy a terminar como Michael? ¿Eso es lo que he ganado?

—¿Quién demonios es Michael?

—¡El hombre que está aquí en el suelo! —escupió George con una rabia que finalmente acabó por eclipsar su voluntad—. El que acaban de asesinar tus socios.

Calista bajó la vista hacia el cadáver, como si fuera la primera vez que se fijaba en que allí había un muerto.

—Ha sido inevitable.

—¿Y Jenn Charles? ¿Y Dan Hendricks? ¿Y Gibson Vaughn? ¿También es «inevitable» asesinarlos a ellos?

—El mundo no es perfecto, George. Bien lo entendió Evelyn.

¿Evelyn Furst? ¿Tan profundamente malvada era aquella mujer?

—¿Qué es lo que has hecho?

Calista desvió la mirada.

—Ha sido necesario hacer ciertos sacrificios.

—Dios mío. Tu propia hermana. ¿Y qué pasa con lo de Pensilvania, y con lo de Suzanne?

—Suzanne no se encuentra en Pensilvania.

Por un instante, George se tomó aquella frase como derrotismo. Como un indicio de que Calista había renunciado a seguir buscando a Suzanne. Pero eso no era en absoluto lo que había querido decir.

—¿Y dónde está?

En aquel momento regresó Titus del coche y susurró algo a Calista al oído. Calista escuchó, pero sin despegar los ojos de George.

—Me temo que se nos ha acabado el tiempo —dijo.

—¿Dónde está Suzanne? —vociferó George—. ¡Contéstame!

—¡Basta! —exclamó ella tajante, pero luego recuperó su aplomo—. Ya basta. Creo que hemos terminado aquí.

George la miró desde su postura arrodillada.

—Entiendo. Soy tu último cabo suelto.

—Casi —respondió Calista y extendió una mano. Titus le entregó una radio. Ella subió el volumen y se la apoyó en la rodilla. Era el canal de comunicaciones para hablar con un equipo táctico de Cold Harbor.

—¡Jenn Charles! ¡Daniel Hendricks! Salgan de la casa. Traemos órdenes de detención —ladró una voz por la radio.

—Tenemos a una mujer blanca en el porche —dijo un miembro del equipo.

—¿Es Charles? —preguntó otro.

—Espere.

George contuvo la respiración. Las voces hablaban entre sí.

—Contacto positivo. Confirmación visual. Es Charles.

Calista volvió a mirar a George.

—Casi, casi.

Fred Tinsley, oculto entre la vegetación y con una rodilla en tierra, contemplaba cada vez más irritado el enfrentamiento que estaba teniendo lugar entre Charles y los siete individuos de los monovolúmenes negros. Llevaba todo el día esperando a que se hiciera de noche para colarse en la casa. Habría sido sencillo, conocía su distribución desde la vez anterior.

Y de repente, como si les hubieran dado pie, aquellos tipos se habían lanzado de cabeza, ciegamente, armados hasta los dientes y haciendo un ruido infernal. Charles no se creyó que fueran del FBI. A él le daba lo mismo quiénes fueran, no se les podía permitir que mataran a ninguno de los ocupantes de la casa; necesitaba vivo a uno de los tres. Provisionalmente. Había preguntas que necesitaban una respuesta. Gibson Vaughn, si fuera posible; parecía haberse situado por delante de los otros dos, y él quería saber el motivo.

Estudió el campo de batalla. En un intercambio directo de disparos con armas pequeñas, él acabaría muerto. Era indiscutible. Su Sig Sauer era una buena pistola, pero no tenía nada que hacer frente a siete hombres entrenados, cinco de ellos empuñando rifles de asalto.

No obstante, conocía la manera de neutralizar su ventaja.

Salió de las sombras, echó a andar arrimado a la línea de los árboles y emergió unos pocos metros antes de llegar al último monovolumen. A cada lado del vehículo había un hombre apostado, detrás de la portezuela abierta. El motor estaba en marcha, lo cual amortiguó sus pisadas sobre la grava del camino. También lo favoreció el hecho de que todos estuvieran con la vista y las armas totalmente centradas en la confrontación con Charles.

Al primero de los dos hombres lo abatió de un único navajazo, perfeccionado a base de práctica. La sangre salpicó la ventanilla. Lo bajó hasta sentarlo el suelo y lo dejó morir.

A continuación, a través de las puertas abiertas del vehículo, miró al otro individuo, el cual se giró hacia él de manera instantánea. Durante un momento se miraron a los ojos, luego el otro individuo se volvió e intentó apuntarlo con el rifle, pero resultó difícil de manejar en el estrecho espacio que quedaba entre el coche y la puerta.

Tinsley bajó la navaja y preguntó qué hora era.

—¿Qué? —respondió el otro como si no lo hubiera oído bien.

Era una pregunta de lo más rara, dadas las circunstancias, y el efecto fue que el otro redujo la velocidad una fracción de segundo. Fue suficiente. Tinsley le disparó en el cuello, el silenciador produjo un estampido hueco en el interior del monovolumen y el individuo se desplomó aferrándose con la mano lo que le quedaba de garganta.

Tinsley hizo una comprobación para ver si el disparo había atraído alguna mirada que no convenía, pero todos los ojos estaban fijos en lo que estaba sucediendo en el porche. Era una confrontación tensa, igual que la paja sin arder. Sólo se necesitaba una chispa para prenderle fuego. Tinsley se apoderó del rifle del muerto y disparó varias veces por encima de la cabeza de Jenn Charles.

El efecto fue instantáneo.

La primera en reaccionar fue Charles. Se desplazó hacia su izquierda y se arrojó a tierra al tiempo que disparaba dos veces contra el individuo que afirmaba ser del FBI. Este cayó de espaldas y no volvió a levantarse. Su compañero respondió al fuego, pero Charles se había ocultado tras un vehículo. También salieron disparos de la puerta de la casa, y el segundo individuo se arrojó al suelo y se acercó reptando a su compañero caído.

Por todas partes explotó un tiroteo de armas automáticas. Todos los rifles iban equipados con silenciador y, a juzgar por el ruido, llevaban munición subsónica. Charles no se había equivocado: aquellos tipos no eran del FBI.

El coche tras el que se ocultaba Charles reventó en un estallido de fuegos artificiales de cristales rotos y fragmentos de chapa. La fachada de la casa recibió varios balazos que destrozaron la puerta y la dejaron abierta de par en par. Tinsley oyó que dentro alguien lanzaba un grito de dolor.

El compañero del hombre que había sido derribado rodeó el vehículo, agarró a su colega por el cuello de la chaqueta y lo llevó a rastras hasta detrás de un olmo gigantesco que se elevaba en el centro del camino para coches. Charles devolvía los disparos lo mejor que podía, pero estaba aprisionada. En la casa no se produjo ningún movimiento más. Tinsley se preguntó si Charles se habría sacrificado para dar tiempo a sus compatriotas de huir por la parte de atrás.

No sería lo ideal.

De pronto hubo un movimiento que atrajo a Tinsley. El individuo situado al costado de Charles lo había descubierto. Silbaron las balas, y Tinsley se arrojó dentro del monovolumen y se refugió agachado entre los asientos mientras el blindaje de la carrocería absorbía una rociada de proyectiles. Se quedó inmóvil al captar el ruido del motor. Se metió debajo del salpicadero, metió la velocidad y pisó con fuerza el acelerador. El monovolumen dio un salto adelante. Nuevos balazos se incrustaron en el bloque del motor. Cuando vio aparecer en el parabrisas unos círculos de color blanco, semejantes a quemaduras de cigarrillo, pisó el acelerador a fondo.

El monovolumen arrolló de lleno al pistolero con un impacto sordo y lo arrastró hasta la vegetación circundante. Chocó simultáneamente contra dos árboles, el eje trasero se levantó del suelo de resultas del topetazo y finalmente quedó inmóvil.

Sangrando por la nariz y con una herida en la rodilla derecha, Tinsley se perdió entre los árboles antes de que terminara de deshincharse el *airbag*.

Las balas iban abriendo agujeros en las paredes y volaban por encima de la cabeza de Gibson. Este retrocedió y cayó al suelo, y corrió a ponerse a salvo detrás de la bañera.

Billy estaba petrificado, abrazado al inodoro como si fuera un salvavidas. Gibson se acercó a él y le dio un empujón para situarlo detrás del inodoro. Eso y la bañera les proporcionarían algo de protección a corto plazo, pero necesitaba sacar a Billy de allí.

Billy le suplicó que no lo abandonase.

—Enseguida vuelvo —le prometió Gibson.

Se agachó y salió del cuarto de baño. El pasillo estaba cubierto de escombros y cristales rotos. Fue rápidamente hasta la puerta de la calle. Se encontró con Hendricks tumbado en el suelo; al parecer, la puerta lo había golpeado en la frente y le había abierto una brecha desde el puente de la nariz hasta el nacimiento del cabello. La herida sangraba profusamente. Le buscó el pulso, y lo sintió fuerte y regular.

Retiró a Hendricks de la puerta y lo cacheó. En el bolsillo de la cadera llevaba un grueso manojo de llaves. Las cogió, se apoderó también de la pistola y regresó agachado al cuarto de baño. Una vez allí, manoteó con las llaves hasta dar con la que buscaba, abrió las esposas de Billy y le hizo un gesto para que lo siguiera.

Juntos recorrieron el pasillo hasta donde estaba Hendricks. El fuego de armas automáticas había cesado y ahora era más lento. De repente se oyó un tremendo choque en el exterior de la casa y saltó un claxon. Gibson tardó un instante en comprender que el estruendo había interrumpido momentáneamente el tiroteo. Le hizo una seña a Billy para indicarle que se llevase a Hendricks más hacia el interior de la casa.

Gibson se asomó por la puerta y escudriñó la oscuridad, pero al momento pasó una bala rozándole la oreja. Uno de los monovolúmenes se había metido entre los árboles, y el otro había apagado las luces. Distinguió a Jenn acuclillada detrás del coche, pero a nadie más. Billy, que estaba a su espalda, le dijo algo.

—¿Qué?

—Los focos —repitió Billy.

Gibson apuntó hacia un panel de luces que había en la pared y Billy asintió para confirmar.

No era mala idea. Dio unos golpecitos en el marco de la puerta para llamar la atención de Jenn y establecieron contacto visual. Gibson le mostró el arma, le indicó con una seña que viniera hacia él y levantó tres dedos. Cuando ella hubo afirmado con la cabeza, inició la cuenta atrás. Al llegar al cero, accionó todos los interruptores a la vez. Unos potentes halógenos iluminaron el camino de entrada como si fueran el sol de mediodía. Gracias a eso, vio que había dos individuos junto al monovolumen y otro escondido detrás del olmo del centro, arrodillado junto a un cuerpo.

¿Dónde estaban los demás?

Cuando se encendieron los focos, Jenn ya estaba en pie y moviéndose con rapidez. Gibson vació el cargador de Hendricks para cubrirla. Jenn se coló dentro de la casa y él cerró la puerta de una patada.

Los individuos situados delante empezaron a disparar a los focos hasta que consiguieron apagarlos.

Se internaron en la relativa seguridad que les proporcionaba la casa, los tres apiñados en torno a Hendricks, y se reagruparon. Jenn socorrió a su compañero, lo incorporó a medias y lo zarandeó suavemente cuando recobró el sentido. Y, mientras él se esforzaba por despejarse la cabeza y limpiarse la sangre de los ojos, lo puso al tanto de la situación. Gibson le devolvió su pistola.

De repente se oyeron unas pisadas en el porche y el ruido que hacía un objeto macizo al rebotar contra el suelo del salón. Jenn supo de inmediato lo que era.

—¡Abrid la boca y tapaos los oídos y los ojos! —ordenó.

Hendricks reaccionó automáticamente. Gibson y Jenn ya estaban metiendo la cabeza entre las rodillas. Gibson le chilló a Billy que hiciera lo mismo, pero él no hacía otra cosa que mirarlos boquiabierto y sin entender.

El fogonazo de la granada aturdidora tuvo lugar en el pasillo, pero aun así Gibson sintió en el cráneo el cambio que se operó en la presión del aire. Fue como si le hubieran metido por los oídos la alarma de un coche. Veía y oía, pero a duras penas. Lo peor se lo había llevado Billy y, para cuando empezó el tiroteo, ya se había hecho un ovillo.

El tiroteo se transmitió a través de la radio. Titus, de pie y con las manos en las caderas, miraba el aparato con el ceño fruncido, como si viera lo que estaba pasando. Calista, también con la frente arrugada, no dejaba de preguntar: «¿Qué está ocurriendo? ¿Qué está ocurriendo?».

Pero nadie le respondía.

A George le estaba costando trabajo descifrarlo. Varios de los efectivos de Cold Harbor habían sido abatidos, de eso estaba seguro. Uno de ellos estaba lanzando gritos incoherentes, rogando que le dejaran vivir. Menudo caos. Sonrió con tristeza para sus adentros. Jenn Charles y Dan Hendricks no se habían andado con miramientos.

—Entren —dijo una voz con claridad por encima de la algarabía.

Se produjeron dos detonaciones al mismo tiempo. Calista palideció.

—Granadas aturdidoras. —Titus empezó a pasear nervioso de un lado para otro y a maldecir en voz baja mientras la batalla pasaba a librarse en el interior de la casa.

Cold Harbor estaba perdiendo.

—¡Aquí hay otro hombre! ¡Disparadle! ¡Disparadle! ¿Pero qué...? —La voz quedó ahogada en un gorgoteo y ya no volvió a oírse nada coherente.

—Tinsley —susurró Calista para sí—. Oh, santo cielo.

Sacó su teléfono y se puso a teclear frenéticamente.

Titus agarró la radio y exigió que alguien le dijera qué había sucedido.

—¿Cuál es el estado de la información? ¡Informad! ¡Cambio!

Titus advirtió que George lo estaba mirando y no le gustó lo que vio. Desenfundó el arma que llevaba en el cinto y le apuntó directamente a la cara.

—No —le dijo Calista.

Titus hizo una pausa para mirarla con furia.

—¿Cómo dices?

—Puede que lo necesitemos.

—El plan era...

—El plan era que tu equipo fuera competente —lo interrumpió Calista—. Ahora necesitamos trazar un nuevo plan.

Capítulo 38

Transcurrieron ochenta kilómetros antes de que Gibson levantara el pie del acelerador y adoptara una velocidad de ciento diez por hora. Conducía con un ojo en la carretera y el otro detrás, escrutando la oscuridad por si aparecía alguna señal de que los estuvieran siguiendo. Todavía le zumbaban los oídos.

Llevaba muy calada sobre los ojos la gorra de los Phillies. En medio de la confusión anterior, aquel le había parecido el lugar más seguro en que ponerla; ahora, sin embargo, le procuraba un extraño consuelo. Se las había arreglado para hacerse con ella en medio del caos, y también con el libro de Osita. Bajo el muslo derecho guardaba la pistola de Billy. Seguía sin entender del todo cómo había conseguido salir de aquella sin recibir ningún disparo. Aquello había sido coser y cantar, a la antigua usanza.

No tenía ni idea de si Jenn o Hendricks seguirían con vida. Durante el tiroteo se separaron y, que él supiera, los habían capturado o habían muerto. No le gustó dejarlos allí, pero es que Billy había recibido un balazo en el estómago y necesitaba un hospital. Se lo echó sobre el hombro, lo sacó de la casa y lo metió en el coche, esperando durante toda aquella operación ser alcanzado por una bala que no llegó.

Tomó una salida de la carretera y encontró una gasolinera abandonada que daba la impresión de llevar varios años cerrada. Apagó el motor, pero dejó las llaves de Hendricks colgando del contacto. Sentado a la sombra del toldo de la gasolinera, contempló durante unos momentos el camino por el que había venido mientras oía la respiración áspera de Billy.

Bajo el débil resplandor de las farolas, Gibson distinguió el rostro de Billy, pálido y perlado de sudor. Estaba tosiendo un líquido que parecía alquitrán. Al limpiárselo, reparó en que tenía la camiseta y el pantalón empapados de sangre. Billy murmuraba incoherencias. Desde que dejaron atrás el tremendo barullo que se había armado en la casa había recobrado el sentido a ratos, pero no había pronunciado ni una sola palabra lúcida.

Tenía que llevarlo a un hospital, pero antes necesitaba saber que no los había seguido nadie. El salpicadero emitió un ruido metálico cuando abrió la puerta del conductor. De improviso, Billy alargó una mano y lo aferró por la muñeca.

—¿Sabes ya adónde ir ahora? —le preguntó.

—Sí, más o menos tengo idea.

—Ya sabía yo que pensarías algo. ¿Te importa hacerme un favor?

—Lo que sea.

—Cuando encuentres a Suzanne, háblale de mí.

—Oye, ahora no te pongas en plan héroe. En cuanto estemos a salvo, nos vamos a un hospital. Estás vivo y así vas a seguir.

—Me alegra haberte conocido. Ha sido un alivio poder contárselo todo a alguien.

—El privilegio ha sido mío, Billy. Ahora cierra la boca y no te muevas. Enseguida vuelvo.

—Está bien —contestó Billy sonriendo a pesar del dolor.

Gibson se caló la gorra sobre los ojos y salió a la carretera. No vio a nadie, pero no por ello se sintió a salvo. Pero ¿cuánto iba a poder esperar? Billy necesitaba un médico.

Sacó el teléfono. Constituía un riesgo, tal vez hubiera sido aquella la manera en que Jenn y Hendricks le siguieron los pasos hasta la casa del lago, pero no vio otra alternativa. Lo encendió... apenas había cobertura. Se movió por el aparcamiento buscando un sitio donde hubiera mejor señal y finalmente se conformó con lo que encontró. Hendricks habría sabido sin más dónde estaba el hospital más próximo, pero él tenía que buscarlo. Halló uno a unos doce kilómetros de allí, memorizó la ruta y efectuó la llamada que tanto temía. No deseaba asustarla innecesariamente, pero ya no había más remedio.

—Te costaría creer el calor que hace aquí —le dijo cuando ella atendió el teléfono.

—¿Cómo has dicho? —preguntó Nicole.

—Que te costaría creer el calor que hace aquí.

—¿Cuántos grados hace?

—Cuarenta y tres.

—¿Cuál es la recomendación por altas temperaturas?

—Buscar una sombra.

Nicole guardó silencio unos instantes y luego dijo:

—Pues procura protegerte del calor.

—Dile a Ellie que la quiero.

Nicole colgó sin decir nada más.

Era la antigua clave que empleaban cuando él estaba con los marines. Significaba que se había comprobado la existencia de una amenaza terrorista en Washington y que ella debía refugiarse en un lugar seguro. Examinaban todas las llamadas telefónicas que se hacían a casa buscando palabras y frases clave, por eso muchos habían ideado alguna estratagema para avisar a sus familiares.

Nicole se llevaría a Ellie a la cabaña de caza que tenía un tío suyo en Virginia Occidental. Dentro de quince minutos estaría en la carretera y permanecería aislada de todo hasta que volviera a tener noticias suyas. Gibson nunca había tenido necesidad de utilizar aquella clave mientras estuvo de servicio, y ahora se sintió agradecido al ver que Nicole lo seguía respetando lo suficiente para fiarse de él sin hacer preguntas. Aunque sabía que, si sobrevivía a todo aquello, iba a tener muchas que contestar.

La carretera seguía estando desierta en ambos sentidos, así que hizo una segunda llamada. Era un número que no había marcado desde hacía diez años; no era capaz de recitarlo de memoria; sus dedos, sin embargo, no dudaron. Tan solo rezó para que siguiera existiendo.

Lo atendió una voz de niño. Gibson le preguntó por su tía. El niño dejó el teléfono bruscamente y salió corriendo y gritando: «¡Mamá!».

Al momento se puso una mujer. Su voz era la misma de siempre.

—Hola, Miranda.

—¿Gibson? ¿Eres tú?

Estuvieron hablando unos minutos y Gibson le dijo qué era lo que necesitaba. Ella no estaba segura de tenerlo todavía, pero le prometió mirarlo.

—Si lo tengo, solo puede estar un sitio —le dijo.

Fijaron un lugar y una hora para verse. Él le dio las gracias y colgó. La cosa había ido mejor de lo que él habría podido esperar razonablemente. A continuación probó con el número de Jenn, pero le saltó directamente el contestador. Estudió la posibilidad de dejarle un mensaje, pero no podía tener la seguridad de que no le hubieran quitado el teléfono. En vez de eso, colgó, extrajo la tarjeta SIM e hizo añicos el aparato contra la pared de la gasolinera. Si no estaba ya pinchado, no iba a tardar en estarlo.

Y, de todas maneras, ya no le quedaba nadie a quien llamar.

Emprendió el regreso al coche calculando cuánto tardaría en llegar a Charlottesville. Conduciendo de noche no iba a pasarle nada, pero cuando se hiciera de día los orificios de bala que presentaba el Cherokee iban a dar lugar a una serie de preguntas desagradables.

Se encontró la portezuela abierta; Billy no estaba. Vio unas pisadas manchadas de sangre que cruzaban el aparcamiento y se perdían al llegar al principio del ancho maizal que se extendía detrás. La pista desaparecía al cabo de diez metros. Llamó a Billy en la oscuridad, pero ni siquiera el viento le respondió.

Oteó el horizonte hacia el norte, pero se dio cuenta de que no podía saber con seguridad qué dirección había tomado Billy. Escrutó el maizal, sumido en la oscuridad, y volvió a llamar a Billy inútilmente.

Regresó al Cherokee. Llega un momento en el que un hombre ha de escoger por sí mismo su camino. Billy ya había escogido, y él esperó que fuera capaz de vivir con ello.

El suyo era Charlottesville.

Capítulo 39

Cuando se hizo de día, Gibson se detuvo en un motel que anunciaba «Habitaciones limpias» en un letrero pintado a mano. Estacionó en la parte de atrás, apartado de la carretera, y alquiló una habitación. Pagó en metálico dos noches, aun cuando solo tenía intención de quedarse hasta el final de aquella misma tarde. Metió la ropa a remojar en la bañera para que se diluyeran las manchas de sangre y se dio una ducha al tiempo que pisoteaba la ropa como en una prensa de uvas de las antiguas hasta dejarla limpia de todo rastro de sangre, que se fue por el desagüe. Se quedó bajo el agua hirviendo hasta que la piel se le puso sonrosada como la de un recién nacido.

Durmió como una piedra. Cuando lo despertó la necesidad de orinar, colgó las prendas de ropa de la barra de la ducha para que se secaran. Y cuando se despertó definitivamente, ya era media tarde. Tenía la sensación de haber dormido cinco horas, no diez. Se dio otra ducha para despejarse del todo y volvió a vestirse. La ropa había mejorado algo, pero todavía se apreciaban las manchas de sangre. Le dio la vuelta a la camiseta, y algo ganó con ello. Ahora parecía simplemente un idiota.

Un par de kilómetros carretera adelante, hizo un alto en una tienda de ropa barata que había dentro de un destartalado centro comercial. Se compró unos vaqueros y dos camisetas. Salió de la tienda con todo ello puesto y arrojó su ropa vieja a la basura. En una ferretería adquirió un martillo. Siguió viaje hasta que encontró una salida que llevaba a un lugar discreto. Entonces se puso a dar martillazos en los orificios de bala que tenía el Cherokee en el parabrisas; al terminar los dejó bastante peor de lo que estaban, pero por lo menos ya no parecían balazos.

Charlottesville había cambiado en los diez años que hacía que no iba él por allí, pero al mismo tiempo no había cambiado ni un ápice. No en los detalles importantes. Seguía siendo, por encima de todo, una ciudad universitaria. Claramente sureña y orgullosa de su patrimonio histórico y de sus tradiciones, era al mismo tiempo joven, vibrante y cordial: lo mejor de ambos mundos, en opinión de Gibson. Entró en la ciudad por la Ruta 29, que se transformaba en Emmet Street nada más cruzar la Ruta 250. La universidad salió a su encuentro. En el campus había edificios nuevos, pero aun así todo le resultó muy familiar. Una parte de él deseaba aparcar el coche y dar un paseo por la zona, y otra parte de él quería desviarse hacia el White Spot para tomarse una Gus Burger, y también había una parte de él que preferiría dar media vuelta y marcharse de allí. No había tomado de manera consciente la decisión de no volver nunca más y, sin embargo, siempre había encontrado alguna razón para no volver a pisar aquel lugar.

Distraído por los recuerdos, pasó de largo la salida de la avenida de la Universidad. En vez de volver por donde había venido, dio un rodeo por la avenida de Jefferson Park y se incorporó a West Main, que estaba al fondo. Ya habían finalizado las clases y, como en los veranos de su infancia, Charlottesville dormitaba, agotada tras un largo año escolar y procurando recuperar el sueño perdido antes de que, dentro de pocas semanas, acudieran veinte mil alumnos a llenarla otra vez.

De improviso surgió a su derecha el exterior de ladrillo blanco de la cafetería Blue Moon, antes de lo que él recordaba. Se metió en el estrecho aparcamiento que discurría a lo largo del edificio y aguardó unos minutos dentro del coche, a oscuras.

No veía a su tía desde el juicio. Miranda lo había acogido en su casa tras la muerte de su padre, y era justo decir que él no se había portado como un niño agradecido. Su tía había sido más que comprensiva ante sus tempestuosos cambios de humor como solo podía serlo una madre que ya hubiera criado a hijos adolescentes. Y él le había pagado su bondad con una incursión del FBI en su casa.

Durante el juicio, el contacto con su tía fue reservado y frío. Para ser justo, no podía reprochárselo, pero, como en aquel entonces era joven y estaba furioso, le guardó resentimiento de todas maneras.

Las facturas del abogado habían mermado la herencia que le había dejado su padre, y la última carta que cruzó con su tía fue cuando se vendió la casa. Llevó tiempo encontrar un comprador y ya estaba a punto de graduarse en Parris Island cuando llegó el sobre: liso, de color blanco y con un cheque dentro. No había ninguna nota y él no vio razón alguna para contestar. Al final terminó utilizando aquel dinero como entrada para la casa en la que vivían actualmente Nicole y Ellie.

No sabía qué esperar del encuentro y cayó en la cuenta de que de su tía únicamente conservaba recuerdos infantiles. Desconocía qué clase de persona era. Para él era tan solo la tía Miranda, que cuidaba de él y se cercioraba de que no pasara hambre mientras Duke estuviera ausente. Ocurriera lo que ocurriese después, se dijo, su tía había hecho más de lo que habría hecho la mayoría. Él había perdido a su padre, pero ella había perdido a un hermano. Y, aun así, Gibson no tenía ni la menor idea de lo que podía haber sido Duke para ella. Para ser sincero, si no había ido antes a Charlottesville había sido por el empecinado deseo de evitar precisamente aquel encuentro.

La cafetería Blue Moon no era la misma, lo cual no debería haberlo sorprendido, pero lo hizo. Habían pasado diez años o más, y había ido cambiando de dueños. Experimentó un sentimiento de tristeza al ver el local nuevo.

Una joven blanca llena de tatuajes en ambos brazos le tocó el brazo y lo invitó a que se sentara donde quisiera. Eligió un sofá de los de delante, para poder ver a Miranda cuando llegase.

Se dijo que los nuevos dueños habían conseguido preservar el ambiente, pero seguro que su padre habría expresado desdén por la mayoría de los cambios que habían hecho.

Duke Vaughn era una persona progresista en muchos aspectos, pero en otros, como sus cafeterías, era escrupulosamente de la vieja escuela. Los discos que abarrotaban los marcos de los ventanales, por ejemplo, o las cervezas y licores que había a la venta; ninguna de aquellas cosas era propia de la escuela de cafeterías americanas de Duke Vaughn. Y el programa de cantantes que actuaban por la noche, escrito con tiza, seguro que le habría arrancado un quejido de dolor. Ya estaba imaginándose a su padre protestando: «¡En las cafeterías no actúan cantantes!». Y la carta, en la que se incluían platos como trucha de las montañas y sándwich de pollo *tandoori,* con toda seguridad se habrían llevado un suspenso de su parte.

Lo de la trucha sonaba bastante bien. Le devolvió la carta a la camarera.

Volvió a pensar en Billy y en Hendricks y Jenn. ¿Estarían vivos? George Abe, Kirby Tate, Terrance Musgrove... Eran muchas las vidas prendidas en el nudo gordiano de aquella joven desaparecida. Sin embargo, para él todo se reducía a su padre. No se hacía la ilusión de estar a salvo, pero era una pregunta que necesitaba contestar antes de decidir la siguiente jugada. Por horrible que pudiera ser la verdad, sabía que la duda acabaría volviéndolo loco. ¿Qué había llevado a su padre a suicidarse? Sentía cómo iban apretando la tenaza los fríos dedos de sus sospechas.

Solo rezó para que su tía siguiera conservándolo.

De repente entró Miranda Davis por la puerta de la cafetería. Gibson se levantó para recibirla, sin saber muy bien qué hacer. Su tía resolvió el acertijo dándole un fuerte abrazo. Él se dejó abrazar y, cuando volvieron a separarse, ambos tenían los ojos húmedos.

Los años habían tratado bien a Miranda. Había envejecido, naturalmente, pero no había perdido ni una gota de su vitalidad. Su figura alta y delgada, fortalecida por los muchos años compitiendo como corredora, incluidas seis maratones, estaba casi igual. Únicamente el cabello se veía notablemente distinto.

—Me gusta tu pelo —le dijo.

—Oh, ya me harté de las canas. Bill dice que estoy muy guapa de pelirroja.

Bill era su marido, que tendría treinta y tantos años. Gibson solo le había oído dos temas de conversación: los deportes en la Universidad de Virginia y su encantadora esposa. Para los demás, dejaba hablar a Miranda.

—Y tiene razón. Estás estupenda.

Su tía desechó el cumplido con un gesto de la mano.

—Bueno, no sé, pero gracias. Cielo santo, Gibson, tú ya estás hecho un hombre. Ha pasado mucho tiempo. —Calló unos instantes—. De eso tengo yo la culpa, ya lo sé.

—No —replicó Gibson con una vehemencia de la que él mismo se sorprendió—. Yo me porté fatal.

—Eras un niño —lo corrigió Miranda—. Yo era el adulto y debería haber actuado como tal.

—Lo siento —se disculpó Gibson.

Su tía apoyó su mano en la de él.

—Me alegro mucho de que me hayas llamado.

—Yo también.

—Mira que somos cabezotas. ¿Vas a quedarte mucho tiempo por aquí? A Bill le encantaría verte.

Le dijo que pensaba marcharse aquella misma noche. Miranda puso cara de desilusión, y él le prometió que, cuando tuviera tiempo, iría a hacerle una visita.

—Tengo una hija.

Le habló de Ellie y también de Nicole. Miranda le hizo algunas preguntas y él fue narrándole su vida lo mejor que pudo, procurando que fuese un relato alegre. Él mismo se sorprendió del abundante material positivo que había para narrar y de lo agradable que resultó poder contárselo a alguien que deseaba oírlo.

—Espero conocerla algún día —dijo Miranda.

Gibson le prometió que dentro de poco la traería a Charlottesville. Eso provocó en Miranda una nueva ronda de lágrimas y reproches hacia sí misma. Sonrió entre lágrimas.

—Bill afirma —dijo Miranda con los ojos húmedos— que lloro en cuanto el viento cambia de dirección. Y supongo que tiene razón. Ah, tengo lo que me has pedido. Casi se me olvidaba a qué he venido. Se me va el santo al cielo. Lo he encontrado.

Rebuscó en su bolso y sacó un pequeño busto de mármol de James Madison. Lo depositó sobre la mesa, entre los dos. Lo había comprado su padre en un mercadillo callejero, cuando aún no se había graduado en la universidad. Duke afirmaba que había sido su primera «adquisición importante» y la tuvo en un lugar de honor hasta el día en que falleció.

Estuvieron conversando unos minutos más, Miranda toda sonriente, incluso cuando él la acompañó al exterior de la cafetería y se despidió de ella con otro abrazo.

—Te pareces muchísimo a él, sobre todo en los ojos —dijo su tía dibujando en el aire los rasgos de su cara—. Eres idéntico.

Gibson volvió a la mesa, donde lo estaba esperando la comida. Apartó el plato sin tocarlo y sostuvo la estatuilla entre las manos, sopesándola. Le dio la vuelta y buscó la mella que tenía en el pedestal. La encontró con el dedo pulgar y soltó la plaquita que ocultaba el hueco. Originariamente, aquel hueco estaba destinado a guardar notas y cosas similares, y era lo bastante grande para esconder un *pen drive*. Aun así, se quedó un poco sorprendido cuando le cayó en la palma de la mano.

Duke Vaughn llevaba un diario personal desde que estudiaba en la Universidad de Virginia. Él, que creía férreamente que cada uno se labra su destino, afirmaba que le sería de gran ayuda cuando llegara el momento de escribir sus memorias. Aunque hablaba de él a menudo, nadie había leído ni una palabra, así que el «diario» de Duke Vaughn se había convertido en una especie de leyenda familiar.

Gibson había visto a su padre hacer copias de seguridad del ordenador y esconder aquel *pen drive* en la estatuilla un millón de veces. Tras su detención, el FBI incautó el ordenador de su padre, que contenía suficientes pruebas incriminatorias para destrozar su reputación. Aquel ordenador jamás volvió a casa, de modo que, con toda probabilidad, el *pen drive* era la única copia que quedaba de lo que había escrito Duke Vaughn.

Lo introdujo en su portátil.

En la pantalla apareció una única carpeta, que llevaba el nombre de «PRIVADO». Sutil. Se abrió una ventana que le solicitó una contraseña. Cuando comenzó a interesarse por los ordenadores y los procesos de encriptado, su primer proyecto fue su padre. Fue la primera contraseña que hackeó en su vida. Su primer acto delictivo. El segundo, si se contaba la ocasión en que lo paró la policía por exceso de velocidad, cuando era un crío. Introdujo la contraseña y la ventana desapareció.

Dentro de la carpeta había más de treinta archivos, cada uno de los cuales llevaba por nombre el año en que se había creado. El más temprano databa de finales de los años setenta. En total, abarcaban toda la vida de Duke Vaughn, desde que fue a la universidad hasta el día en que se «suicidó», pasando por su ascenso en la política, y contenían bastante más de dos millones de palabras. Algunos párrafos eran sorprendentemente cortos. Había uno escrito durante una campaña electoral que decía: «7 de octubre de 1987: Odio hacer campaña para conseguir votos, lo odio». Otros eran mucho más serios y ocupaban varias páginas. Eran cada vez más elaborados y profundos. Encuentros con peces gordos del partido, legislación en la que Duke había estado involucrado, reflexiones filosóficas acerca de la política.

Gibson abrió un programa que servía para hacer búsquedas por palabras clave en todos los documentos a la vez. Tecleó «béisbol» y esperó a que la máquina peinase los diarios de su padre. Encontró casi dos mil coincidencias. Gibson frunció el ceño y añadió a la búsqueda las palabras «Suzanne» y «Gibson». El programa se puso a trabajar de nuevo y, cuando finalizó, lo anunció con un sonido de campanilla. Esta vez halló una sola coincidencia.

Visto superficialmente, parecía bastante inocuo: un viaje para asistir a un partido de béisbol que se vio interrumpido antes de tiempo por una niña que se había puesto difícil. Gibson leyó despacio, oyendo la voz de su padre en aquellas palabras, atento a cualquier detalle que se saliera de lo normal. Pero allí no había nada más que un padre preocupado por la hija de su amigo. Llegó a la parte en que Osita realmente se puso pesada. Coincidía con lo que recordaba él, hasta que se topó con un fragmento que le resultó nuevo:

Había organizado un cara a cara con Martínez. De carácter social. Sin presión. Una oportunidad para que Ben calmase un poco las cosas con el jefe del grupo parlamentario después de que hubiéramos roto filas respecto del proyecto de ley sobre el desempleo. Era lo que había que hacer, pero nos ha pasado factura. Aún quedaban dieciocho meses para las votaciones a mitad de legislatura, pero necesitábamos allanar el terreno ya, reparar los socavones.

Cosa que nos estaba costando bastante hacer, teniendo en cuenta el comportamiento de Suzanne. Era el momento adecuado para tomar decisiones. Ben quería aplazarlas, pero yo me había dejado la piel para conseguir aquella reunión y había que mantenerla. De modo que se acordó que yo regresaría a Virginia con Suzanne y que George se quedaría con Gibson y Ben. Me dolió mucho separarme de Gibson, pero el jefe del grupo parlamentario tenía un hijo más o menos de su misma edad. Parecía lógico y, por lo que me contaron, Gibson tuvo un éxito enorme. Ese chico tiene futuro.

Suzanne estuvo dando mucha guerra hasta que yo la saqué de la cancha. Me mantuve distante, para que no volviera a empezar de nuevo. Menuda escena. Me ofrecí a comprarle una gorra y eso pareció tranquilizarla un poco. De camino hacia el coche encontré un puesto de productos publicitarios. La gorra de los Orioles no la quiso. Nada de Orioles, nada de nada. Por Dios, si era un partido de los Orioles. ¿Qué otra cosa iban a vender allí? Empezó a llorar otra vez. El vendedor se puso a rebuscar entre las cajas y encontró dos gorras de los Phillies, no sabía muy bien por qué las tenía. Compré las dos, pensando que así haríamos las paces. Eran muy grandes para ella, pero tenían una cinta para ajustarlas, así que cerré del todo la suya y conseguí que más o menos se le quedara fija en la cabeza. Eso la puso contenta y, gracias a Dios, se pasó todo el trayecto de vuelta a casa dormida en el asiento de atrás.

Los Orioles perdieron.

Ahora se acordó Gibson de aquella gorra. La segunda se había quedado olvidada en el asiento de atrás. Le preguntó a su padre qué había sido de ella, pero él no le dio una respuesta clara y, cuando regresaron a Charlottesville, la arrojó a la basura. No había vuelto a relacionarla con Osita, hasta ahora.

Y resultaba extraño. Todo era de lo más extraño. No había encontrado nada definitivo, pero sí lo suficiente para alimentar sus dudas, que cada vez estaban más en ebullición. Tomó la gorra de los Phillies y volvió a contemplarla fijamente. Billy estaba en lo cierto: aquella gorra constituía un mensaje, y tenía la sensación enfermiza de que dicho mensaje iba dirigido a él. Billy había comentado que Suzanne no dejaba de buscar el modo de comunicarse con él mientras estuvo en la cárcel.

«¿Qué estabas intentando decirme?»

En vez de volver a ponerse la gorra en la cabeza, la guardó en su bolsa. La cafetería estaba llenándose. En un rincón se había instalado el cantante que actuaba aquella noche, afinando una guitarra. Necesitaba buscar un sitio tranquilo en el que poder examinar el resto del diario. Allí tenía que haber algo más.

Recogió todo, pagó, y salió al aparcamiento por la puerta de atrás del local. Era un riesgo, pero necesitaba establecer contacto con Jenn. Por supuesto, su teléfono estaba destrozado, tirado en el suelo de una gasolinera de Pensilvania. Los moteles antiguos todavía contaban con teléfonos de pago; necesitaba encontrar un sitio en el que poder refugiarse para pasar la noche y matar dos pájaros de un tiro.

Estaba junto al Cherokee, ya con la llave en la puerta, cuando de pronto una mano fuerte como una tenaza de hierro le cerró la boca y le torció el cuello hacia un lado para dejarlo desprotegido. El tacto helado de una aguja hipodérmica le besó la piel igual que una picadura de avispa.

—No hables —le susurró una voz que olía a fruta podrida—. Voy a llevarte a ver a tu padre.

Capítulo 40

Duke sonrió a su hijo y le hizo una seña para que se acercara. Él, obediente, fue hacia su padre y procuró no moverse mientras le abrochaba el último botón y le estiraba por tercera vez la corbata. La fiesta de Navidad se encontraba en su apogeo y, aunque el senador mantenía una estricta política de «no hablar de trabajo», durante dicha reunión anual, costaba mucho que la gente la respetase.

Un individuo de tez pálida y de rostro colorado como la grana se detuvo para estrecharle la mano a Duke. Gibson ya estaba acostumbrado a aquellas cosas; siempre había alguien interrumpiendo para hablar con su padre. Su padre era una persona importante y él sentía un inmenso orgullo al ver el respeto con que lo trataban todos. Sin embargo, en aquella conversación su padre hizo que el otro se sintiera el centro del universo: le preguntó por su mujer y por sus hijos llamándolos por sus nombres, y lo felicitó por un triunfo que había obtenido recientemente en la Casa Blanca. El otro se marchó feliz y su padre volvió a centrarse en él.

—El día en que ese hombre reciba una llamada mía será porque yo me haya prendido fuego y él tenga la única manguera disponible en tres estados.

Gibson rompió a reír, aunque en realidad no entendió muy bien el chiste. Pero le gustaba que su padre lo tratase como a uno de ellos. Como a alguien del círculo íntimo.

Duke pasó los dedos por el pelo de su hijo con gesto afectuoso.

—Papá... —se quejó Gibson, y enseguida se lo alisó con la mano.

—¿Dónde están los demás niños? No tienes por qué andar por aquí, en el matadero, sin hacer nada.

—Están todos en la planta de arriba, viendo películas para críos —respondió Gibson con fastidio.

A sus diez años, Gibson estaba volviéndose muy maduro para su edad. Su película favorita era *El Padrino, segunda parte;* no era que la primera fuera mala, pero todo el mundo sabía que la continuación era lo máximo. Según su padre, John Cazale era el actor más infravalorado de la historia del cine. «Solo ha hecho cinco películas, pero yo las defenderé delante de quien sea, son las cinco mejores que se han hecho», le dijo cuando la vieron los dos juntos por primera vez.

Aquel otoño, a Gibson lo mandaron al despacho del director del colegio por haber agarrado de la cara a un compañero de clase exclamando: «Sé que has sido tú, Bobby, me has partido el corazón» y después haberlo besado violentamente en la boca. Duke rio a carcajadas hasta que se le saltaron las lágrimas y, sin mucha seriedad, le dijo a su hijo que no volviera a hacerlo. Gibson señaló que a partir de aquel día ya no volvieron a faltarle cosas de la taquilla.

—Así que películas para críos, ¿eh? Suena bastante aburrido.

—Peor que aburrido. ¿Qué es lo que está pasando aquí abajo?

—Aquí es todo alinear y derribar. Todo apariencias, hijo. Acuérdate de lo que te digo: no hay nada que sea más falso que una fiesta de Navidad en Washington. Las únicas palabras sinceras que se oyen durante toda la velada son las bebidas que se piden en la barra.

—¿Y por qué se hacen, entonces?

—Porque hay cosas que es necesario hacer. Todo apariencias. Eso ya lo he dicho, ¿verdad? Sea como sea, el truco está en conseguir ver lo que otros intentan ocultar. ¿Qué es lo que están esforzándose por esconder a los demás? Si descubres eso, descubrirás al hombre. O a la mujer. Pero empieza por los hombres, porque son más fáciles. Para descubrir a las mujeres, hay que hacer un doctorado.

—Entendido —respondió Gibson asintiendo con gravedad, y después preguntó—: ¿Cómo?

—Bien, vamos a fijarnos en ese tipo de ahí. —Su padre señaló a un individuo alto y delgado que tenía la cara como el papel de lija. Estaba paseando la mirada por la sala con una cerveza en la mano.

—¿Es alguien importante?

—Dímelo tú —replicó Duke.

Gibson lo miró detenidamente durante largo rato.

—No.

—¿Por qué no?

—Porque nadie intenta hablar con él. Si fuera importante, no estaría solo.

—Bien visto —dijo Duke con una risita—. Pero fíjate únicamente en él. ¿Podrías saberlo con solo mirarlo?

Gibson lo miró de arriba abajo. Vestía un traje y una corbata de tela de brillo. Lucía una insignia en la solapa y llevaba unas gafas de montura metálica. Era rubio e iba peinado de forma conservadora. Gibson no veía nada.

—Es como todo el mundo.

—Nadie es como todo el mundo, lo intentamos, pero fracasamos. El truco, Gib, consiste en no fijarse en la parte central de una persona, ahí todos parecen iguales: traje, corbata, insignia en la solapa. Lleva puesto el uniforme, y le queda bien. En su parte central podría ser el presidente de los Estados Unidos. Sin embargo, donde radica la verdad es en los bordes. Pasa lo mismo con el pelo. Todo el mundo se peina para que le quede bien visto de frente. ¿Por qué? Porque así es como lo vemos en el espejo: de frente. Solo nos vemos a nosotros mismos de frente, de modo que ese es el único ángulo que nos preocupa.

—¿Entonces debería mirarlo por la espalda?

—No literalmente, pero sí. Fíjate en los zapatos. ¿Qué ves?

—Que están rozados. Y que tienen un cordón roto.

—¿Y qué te dice eso?

—¿Que los usa mucho?

—¿Y qué te dice eso?

Gibson caviló profundamente. Aquellos zapatos le recordaban a la pelota de baloncesto de Ben Rizolli. El padre de Ben Rizolli se separó de la familia cuando su hijo era pequeño, de modo que lo dejó solo con su madre. No tenían mucho dinero. Ben llevaba toda la vida con aquella pelota de baloncesto y la llevaba consigo a todas partes. Las costuras y las letras se habían desgastado, y ya casi no había por dónde agarrarla. A Gibson siempre le dio pena que un chico que adoraba el baloncesto no pudiera permitirse el lujo de comprarse una pelota nueva.

—Que no tiene tantos pares de zapatos. Lo más probable es que no pueda comprarse muchos. Espera que nadie se fije en sus pies.

—No está mal. ¿Te parece que esta noche el senador se ha puesto unos zapatos rozados?

—En absoluto.

—En absoluto. Exacto. Ahora fíjate en los que llevo yo.

Gibson observó cómo iba calzado su padre. Llevaba unos zapatos negros de puntera pespunteada, muy usados. El cuero presentaba una profunda arruga a la altura de los dedos. Levantó la vista con gesto interrogante.

—¿Qué te dice eso acerca de tu viejo? —preguntó Duke.

—No lo sé.

—Significa que no hay ningún detalle que revele cómo es una persona. No hay que tener la arrogancia de creer que uno conoce a alguien solo con verle los zapatos. Pero...

—¿Pero por algún sitio hay que empezar?

—Por algún sitio hay que empezar —ratificó Duke—. Bien, y entonces ¿cuál es la diferencia entre ese hombre y yo?

—Que contigo sí que habla la gente todo el rato.

Duke le guiñó un ojo.

—Por algún sitio hay que empezar.

Gibson se sintió orgulloso y asintió vigorosamente. Tenía la sensación de que se le estaba pasando algo por alto, pero estaba feliz contando con la atención de su padre y no quería estropear el momento haciendo demasiadas preguntas. Ya resolvería sus dudas por sí solo.

—Está bien, hijo. Concédeme una hora. Tengo que trabajar un poco, pero después conozco un sitio en Georgetown en el que preparan unos batidos de Oreo que quitan la respiración.

—Vale.

Tres horas después, se despertó en donde se había quedado dormido, hecho un ovillo encima de la cama de uno de los cuartos de invitados, bajo un abrigo de pieles.

—Despierta, hijo. Despierta. Despierta.

Duke lo tomó en brazos y lo llevó hasta el coche. Gibson no se despertó hasta que se cerró la portezuela.

—Despierta...

Capítulo 41

Gibson llegó al fondo de un océano cubierto de restos arqueológicos de su vida. En aquella luz tenue y turbia logró distinguir el casco oxidado de la ranchera de su padre, medio sumergido en un banco de arena. A un lado yacían las ruinas del que había sido su hogar en la infancia, fuertemente torcidas hacia un costado. De manera surrealista, el cerezo silvestre del patio trasero se hallaba en plena floración. Apoyada contra él estaba su primera bicicleta. Y a su derecha, el aula en la que el FBI lo esposó y lo hizo desfilar como un delincuente por delante de un sinfín de cámaras de televisión.

Algo le llamó la atención allá arriba, en la superficie. Dio una patada contra el fondo para impulsarse y empezó a ascender. Cuando afloró a la superficie, abrió los ojos de golpe y aspiró una profunda bocanada de aire. Una bombilla desnuda, semejante a un sol a la deriva, bailoteó delante de su rostro. Parpadeó rápidamente, tratando de enfocar la vista, pero cuando lo logró deseó haber seguido sin ver nada.

Estaba de puntillas, balanceándose sobre un taburete de madera. Lo único que le impedía caerse era una cuerda que tenía puesta alrededor del cuello, pero el precio era la crueldad con que se le clavaba en la piel. Intentó agarrar la cuerda para aflojar la presión que sentía en la garganta, pero tenía las manos atadas a la espalda. Presa del pánico, empezó a forcejear y a punto estuvo de perder el equilibrio. Una mano lo ayudó a rectificar la postura y continuar colgando.

—De acuerdo. Cálmese. Todavía no. Todavía no. Antes, los asuntos prácticos —dijo la voz que había oído en el exterior de la cafetería.

La cafetería.

De repente rememoró la agresión. Algo referente a su padre. Se le cayó el alma a los pies y de pronto se sintió muy necio y muy solo. Por culpa de la soga que le rodeaba el cuello le resultaba difícil mirar en derredor, pero respiró lo más hondo que pudo y examinó el entorno.

Se encontraba en un sótano. Los ventanucos estaban situados muy alto, en unas paredes pintadas de un tono amarillo pálido. Fuera era de noche. Todo estaba decorado con acuarelas de aves: colibríes, pájaros carpinteros y cardenales. En el rincón habían colocado un caballete. ¿Sería el estudio de un pintor? Había un tramo de escaleras enmoquetadas que subían, pero ¿hacia dónde?

Un hombre entró en su campo visual. Gibson sintió un escalofrío. En su confusión, creyó que aquel individuo provenía de su subconsciente, que era uno de esos depredadores de la zona béntica que acechan en las negras profundidades del océano. Pero era simplemente un hombre. Al menos en la superficie. Estatura media. Constitución ligera. Un rostro pálido y anodino, aparte de una nariz recién fracturada que aún se veía hinchada y enrojecida. Era la clase de individuo que cabría encontrar en la recepción de un hotel o en la sala de espera de un médico. Por lo menos esa era la impresión que quería transmitir él. Sin embargo, en los bordes el camuflaje empezaba a deshilacharse.

Lo que lo delataban eran los ojos. Los ojos tenían aquel color amarillo de ictericia que tienen los búhos y una inmovilidad semejante a la superficie yerma de la luna. Profundamente hundidos en sus cuencas, permanecían fijos en Gibson, dando la impresión de ver todo y nada al mismo tiempo. Gibson había conocido a varios individuos que daban miedo cuando estuvo en la cárcel, y a más aún cuando estuvo en los marines, pero aquel hombre, si es que era un hombre, le daba más miedo que ninguno. Aquel hombre era la muerte, que venía a buscarlo.

Pero quizá más inquietante todavía era la ropa que llevaba. Iba vestido igual que él. No de forma similar, sino idéntica. No con un color y un estilo parecidos, sino exactamente con la misma camiseta, el mismo vaquero y el mismo calzado. Parecían un par de gemelos que iban juntos de compras. Lo cual quería decir que había estado en la tienda con él, que había seguido sus pasos, que lo había visto comprando y había escogido exactamente el mismo atuendo. Aquel secuestro había sido planificado con toda precisión. Fuera lo que fuese lo que lo esperaba, no era nada bueno, y fuera lo que fuese lo que él se propusiera intentar, aquel hombre ya lo tendría previsto.

—Ahora preste atención. ¿Está prestando atención? No tenemos mucho tiempo —dijo el hombre en un tono de voz suave y educado. Era el tono de voz de un cirujano que intenta explicar un procedimiento complejo a un paciente irritante. Se miraron el uno al otro en silencio y luego, sin ceremonias y sin previo aviso, el hombre dio un puntapié al taburete que Gibson tenía bajo los pies. Con un chirrido agudo, resbaló por el suelo de madera y fue a estrellarse contra la pared del fondo.

Gibson no cayó más de un par de centímetros, pero la diferencia fue notoria. Eran los crueles dos centímetros que separaban la vida de la muerte. La cuerda sostuvo su peso con una sacudida y se le clavó en la piel por debajo del mentón. Sintió los tendones del cuello y de los hombros como si se los estuvieran arrancando, igual que se hace con las malas hierbas. Sus piernas se agitaron en el aire.

El hombre dio un paso hacia él y le palpó suavemente una pierna. Gibson sintió una oleada de desesperación e impotencia. Un profundo arrepentimiento, que supuso que era lo que se sentía cuando la vida acababa de forma prematura. Pero su arrepentimiento era frío y no le procuró consuelo alguno. Estaba lleno de cosas que hubiera querido decir y de rostros a los que hubiera querido decírselas.

Esperó perder rápidamente el conocimiento; eso era lo que ocurría en las películas: unos breves momentos de forcejeo inútil y después la soga le arrebataba la vida a la víctima. Pero en vez de eso continuó allí colgado, debatiéndose y escuchando su respiración rasposa y el golpeteo de la sangre en las sienes.

—Esta es la caída corta —dijo el hombre—. Observará que, a diferencia de la caída estándar o de la caída larga, en este caso no se rompe el cuello. Lo cual en este momento puede parecer una bendición, pero al final deseará haber tenido una caída más larga y una espera más breve. Pero eso es lo bueno y lo malo que tiene la caída corta: uno vive más, pero... vive más. La mayoría de las personas creen que siempre van a querer vivir más, pero veinte minutos colgando de una cuerda es mucho tiempo para morirse. Mucho tiempo para arrepentirse de cosas que ya no pueden cambiarse y que ya no importan.

A continuación, el hombre abrazó a Gibson por las piernas y lo elevó sosteniendo su peso. Gibson volvió a notar el taburete bajo los pies y se apoyó débilmente en él.

—Ahora que ya nos estamos entendiendo —dijo el hombre—, a mi parecer, conviene que una persona que se encuentra en su situación comprenda el castigo que la aguarda. El castigo por no satisfacerme. Y usted preguntará: «¿Cómo voy a satisfacerlo?» Bien. Tengo una pregunta que hacerle. Solo una, pero es importante. Se la formularé hasta que quede satisfecho con la respuesta. Hasta que quede satisfecho... la caída corta. ¿Me ha entendido?

—Sí.

El hombre levantó en alto el *pen drive* de su padre.

—¿Ha hecho alguna copia? ¿Lo envió a alguna dirección antes de salir de la cafetería?

—Si se lo digo, ¿me soltará?

El taburete desapareció de nuevo y Gibson se desplomó. Sintió una aguda punzada de dolor que le recorrió los hombros y la espalda. Quedó colgando así un rato muy largo, más largo que la vez anterior. Al final, los brazos del hombre volvieron a izarlo y lo sostuvieron hasta que sus pies notaron de nuevo la presencia del taburete. Se sentía más pequeño, como si le hubieran arrancado una parte de lo que era. El hombre le dio tiempo para que recuperase la escasa claridad mental que le quedaba. Con el rabillo del ojo vio a su padre sentado al pie de las escaleras, descalzo, contemplando a su hijo con mirada triste. En cuanto parpadeó, la visión desapareció, pero de pronto supo dónde estaba. Estaba en casa.

—Oh —dijo el hombre—, bienvenido a casa. No estaba seguro de que fuera a reconocer este sitio, ha cambiado un poco en estos diez años. Me gustaba más cuando estaba pintado de rojo.

—Que te jodan —intentó gritar Gibson, pero no le salió más que un susurro.

—Me gustó conocer a su padre. —El hombre sacó una navaja y desplegó una hoja larga e implacable—. Tuvimos una conversación muy agradable en este mismo sótano, dos hombres llegando a un entendimiento. —Sonrió levemente, rememorando—. Pero, para responder a su pregunta, no voy a soltarlo aunque me diga lo que necesito saber. En ninguna circunstancia. Su vida no es algo por lo que pueda negociar. Ya sé que resulta doloroso escucharlo, pero es mejor ser sincero. No obstante, voy a decirle lo que estoy dispuesto a ofrecerle.

—Váyase a la mierda.

—En la planta de arriba hay una pareja. Linda y Mark Tompkins. Linda pinta unas acuarelas preciosas, como puede ver. En este momento, lo único que saben es que un individuo enmascarado y trastornado irrumpió en su casa y los ató. Un hombre que iba vestido como usted. Venía llorando, histérico. Dijo que lo sentía mucho, que no tenía intención de hacerles daño. Les dijo que en otra época esta casa había sido de él. Mañana, cuando encuentren a los Tompkins, ellos lo identificarán a usted como la persona que los atacó. La policía llegará a la conclusión, muy razonable, de que usted, en un arrebato de desesperación tras divorciarse y haberse quedado sin trabajo y sin familia, entró a la fuerza en el que había sido su domicilio durante su infancia y siguió los pasos de su padre.

—¿Eso es lo que me está ofreciendo?

—Sí.

—¿Y si no le doy respuestas?

—En ese caso, daré una patada al taburete. Cuando usted haya muerto, subiré al piso de arriba y haré una carnicería con Linda y Mark Tompkins. Acabaré con los dos. Sé qué hacer para que mueran lentamente.

Gibson percibió una excitación cada vez más acelerada en el tono de voz de su captor. La disimulaba bien, pero él le notó la alegría en la cara, o por lo menos un sentimiento que pasaba por ser de alegría en un individuo como él.

—¿Por qué? Ellos no han hecho nada.

—Ni usted tampoco —señaló el hombre—. Por desgracia para ellos, las circunstancias han hecho que se crucen en nuestro camino, de igual modo que las circunstancias han hecho que se cruce usted en el mío. Y porque no tienen culpa de nada es por lo que ahora sus vidas penden de un hilo. Por así decirlo.

—¿Y qué? —preguntó Gibson—. Yo no los conozco, no los he visto nunca. ¿Qué diablos me importa a mí a quién asesine usted? Eso es cosa suya, no mía.

Era un farol. Intentó que fuera de los buenos.

—Cierto, cierto, es cosa mía. Usted tiene la conciencia limpia. Pero no es su conciencia lo que debe preocuparlo. —Se encogió de hombros—. ¿No debería estar pensando en Ellie?

Al oír mencionar el nombre de su hija, Gibson se quedó paralizado del miedo.

—¿Qué ocurre con ella?

—Pues... ¿cómo le va a afectar esto? Me refiero al crimen cometido por usted —explicó el hombre—. Piense en la sordidez con que lo presentarán los medios de comunicación. Imagine cómo será usted recordado, por los demás y por Ellie. La gente dirá que perdió la razón, pero que antes de ahorcarse asesinó a los Tompkins, el infortunado matrimonio que compró la casa de su padre. Lo tacharán de psicópata, un degenerado que necesitaba proyectar su sufrimiento sobre seres inocentes. El desquiciado punto final de una tragedia familiar que se inició hace más de una década. Ese será el epitafio de su vida. Cuando Ellie se haga mayor, cada vez que piense en su padre sentirá confusión y vergüenza. Lo mismo que ha sentido siempre usted al pensar en su padre. Así que se lo pregunto por Linda y por Mark. Y por su hija. ¿Ha hecho alguna copia?

Gibson abrió la boca para hablar, pero al momento volvió a cerrarla. Empezaron a rodarle las lágrimas por la cara. Lloraba por su padre. Por su hija. Por la decisión que tenía que tomar ahora.

Pero sabía que con aquel hombre ya no podía ni discutir ni suplicar. Desde el primer instante en que vio aquellos ojos carentes de sentimiento, algo le dijo que en él no había compasión y que no la habría nunca. Y por nada del mundo iba a desperdiciar los últimos momentos de su vida suplicando. Emplearía aquel tiempo en hacer algo bueno. Salvaría a Linda y a Mark. Eso merecería la pena… aunque las acuarelas que pintaba ella fueran horrorosas.

—¿Ha hecho alguna copia?

—No he hecho ninguna —contestó.

—¿Por qué no?

—Porque no lo vi necesario.

El hombre reflexionó unos instantes.

—Sin embargo, sí era necesario. Fue una equivocación.

—Sí.

—¿Entonces no ha hecho ninguna copia?

—No.

—¿No existen copias?

—No.

La cosa continuó así durante un rato. La misma pregunta formulada decenas de veces de diferentes maneras. Era demencial, pero Gibson luchaba para que su captor le creyera. Esperaba que en cualquier momento diera otra patada al taburete. Hasta que por fin…

—Le creo —dijo el hombre.

Gibson se detuvo, invadido por una sensación de agotamiento.

—Gracias —dijo. No supo muy bien por qué, pero experimentó una profunda gratitud, una gran paz, ahora que aquel hombre había dicho que le creía. Tan solo deseaba dormir.

El hombre asintió con un gesto y plegó la navaja. Recogió sus cosas para irse y echó un vistazo en derredor para cerciorarse de que no había olvidado nada. Después volvió a mirar a Gibson.

—¿Dónde está Suzanne? —le preguntó Gibson.

—No lo sé.

—¿Por qué mató usted a mi padre?

Su captor lo observó con curiosidad.

—¿Y qué mas da eso?

—Suzanne estaba embarazada. ¿El niño era de mi padre?

—¿Eso es lo que quiere saber en realidad? ¿Así tendrá paz interior?

Gibson no lo sabía.

—Por favor.

El hombre reflexionó unos instantes. Luego metió la mano en un bolsillo, extrajo un papel y lo desplegó con cuidado, como para no ver sin querer lo que había escrito en él.

—Diga lo que diga este papel, sea lo que sea, ni me lo diga ni permita que se le note en el gesto de la cara. Acuérdese del matrimonio que está en el piso de arriba.

Gibson afirmó con la cabeza y el hombre sostuvo el papel en alto para que pudiera leerlo. Tuvo que hacer un gran esfuerzo para enfocar la vista y entender lo que estaba leyendo. Aquel documento era una prueba de paternidad. En él figuraban tres columnas: «Suzanne Lombard», «Hijo» y «Padre (supuesto)». Debajo había varias filas de pares de números que Gibson no entendió. Y al final del todo decía:

El supuesto padre no queda excluido como padre biológico del hijo objeto de la prueba. Tomando como base los resultados obtenidos tras el análisis de las localizaciones de los genes del ADN, la probabilidad de paternidad es del 99,9998%.

Pero fue la frase siguiente, y sus implicaciones, lo que hizo que le retumbaran los oídos, lo que provocó el estrépito de cientos de fichas de dominó que representaban su vida entera y que por fin se derrumbaban. Oh, Osita. Oh, Dios santo.

Benjamin Lombard no se excluye como padre biológico, y es considerado el padre de la niña.

De pronto se oyó un estruendo de madera que se rompía en añicos y unas fuertes pisadas, todo proveniente del piso de arriba. El hombre le arrebató el papel. Gibson le sostuvo la mirada. La fachada que mostraba para mezclarse con la gente se debilitó durante unos instantes; lo que había debajo de ella era abominable, algo arcaico e infinitamente cruel que las personas, para tranquilizarse, creían que ya hacía mucho tiempo que había quedado extinguido, pero que aquel hombre había vuelto a revivir.

—¡Gibson! —exclamó una voz de mujer.

«¿Jenn?»

Intentó responder, pero de improviso el taburete desapareció bajo sus pies y rodó por el suelo de madera. De repente comenzó a agonizar otra vez, colgado de aquella soga, hasta que finalmente perdió el conocimiento.

Cuando lo recobró, estaba tumbado boca arriba en el suelo del sótano, con Jenn Charles arrodillada a su lado.

—¿Lo has capturado? —le preguntó.

—¿A quién? —se extrañó Jenn—. Aquí solo estamos nosotros.

—¿Y la gente del piso de arriba? —preguntó, acordándose de las horribles amenazas que había proferido su captor contra los dueños de la casa.

—No les ha pasado nada, Hendricks está con ellos. ¿Te encuentras bien?

Gibson reía y lloraba a la vez, alternando entre el alivio y la desesperación.

—¿Qué ha ocurrido aquí? —quiso saber Jenn, pero, gracias a Dios, el cerebro de Gibson había localizado el interruptor de apagar y no le fue posible contestar a su pregunta.

Tercera parte
GEORGIA

Capítulo 42

Gibson se despertó acostado en una cama individual, con la sensación de haber vivido una noche de lujuria con la muerte. Quiso volverse de costado, pero simplemente no pudo, así que se rindió y se quedó quieto. Tenía el cuerpo como si dos potentes coches lo hubieran arrastrado por el suelo. Apareció Hendricks con una botella de agua y lo ayudó a beber unos cuantos sorbos. El esfuerzo lo dejó agotado y volvió a dormirse.

Tardó tres días en poder tragar un poco de la papilla que le daba Jenn con una cuchara y otros cinco más en poder sentarse solo. Cuando habló, la voz le salió en forma de sonido tembloroso y áspero. Hendricks empezó a llamarle «Drácula» y él empezó a escribir las cosas en vez de decirlas.

Al octavo día, por la mañana, el hecho de seguir vivo ya dejó de parecerle la peor idea que había tenido jamás. Sacó las piernas por un lado de la cama e hizo acopio de fuerzas para llevar a cabo la hercúlea tarea de echar una meada. Se levantó, puso un pie delante del otro y fue dando pasitos como un anciano. Hizo un alto cuando se vio reflejado en el espejo del cuarto de baño. Efectivamente, era un anciano, y su cara demacrada parecía la de un alcohólico impenitente. La barba de diez días no lograba ocultar el doloroso hematoma que le recorría todo el cuello, de oreja a oreja.

Se pasó el dedo por él pensando lo cerca que había estado de morir.

¿Qué iban a hacer ahora?

Se dio una ducha caliente y permaneció un buen rato bajo el chorro de agua. Osita abrió los ojos. Estaba en la cama. Era tarde y estaba observando la luz que se filtraba por debajo de la puerta, atenta a cualquier sombra, casi sin respirar.

Gibson intentó sacudirse aquella imagen del cerebro, pero al hacerlo llamó la atención de Osita, que se volvió hacia él con gesto implorante. Le entraron ganas de preguntarle cómo había hecho Lombard para obligarla a guardar silencio, pero ya se imaginaba el horrible chantaje emocional que debió de utilizar para aislarla, para controlarla.

«Pero te salió mal, hijo de puta, te salió mal.» Durante todo el tiempo, Osita había estado planeando fugarse con Billy Casper. Y de pronto Gibson lo comprendió: no existía ningún Tom B., se lo había inventado ella. Había creado un padre ficticio para su hijo, por si acaso no lograba escapar. Una historia plausible que contar para explicar su embarazo, para proteger a su hijo. Y proteger a su madre. Tal vez incluso para proteger a su propio padre, porque resulta muy difícil conseguir que los hijos dejen de ser leales. Prefirió cargar ella sola con todo. ¿Cómo era posible que fuera tan fuerte?

Se vistió con sumo cuidado, acusando el dolor que le provocaba el simple gesto de ponerse una camiseta. Su mochila estaba a los pies de la cama, y rebuscó en su interior para comprobar que su portátil ya no estaba, ni tampoco el *pen drive* de su padre. Sin embargo seguía estando la pistola de Billy, y también la gorra de los Phillies y *La Comunidad del Anillo*. También encontró la foto de Osita embarazada y tumbada en el sofá. Embarazada del hijo de «Tom B.».

De pronto se le ocurrió una idea loca. Empezó a pasar las hojas del libro hacia atrás, hacia el comienzo. Le llevó un minuto, pero encontró el pasaje que estaba buscando y leyó en voz alta: «—Bien, mis amiguitos, ¿a dónde vais, resoplando como fuelles? ¿Qué pasa aquí? ¿Sabéis quién soy? Soy Tom Bombadil. Decidme cuál es el problema. Tom tiene prisa».

Le corrían las lágrimas por la cara, pero también estaba sonriendo. Era una mezcla de alegría y desesperación. En el margen, escrito con tinta anaranjada, decía lo siguiente:

Ya sabía que lo encontrarías.

Gibson lanzó una carcajada y al momento se tapó la boca con la mano. Costaba trabajo creer lo que había hecho su valiente Osita. Aún seguía llorando, pero por primera vez en mucho tiempo sintió la mente despejada. Y también se sintió furioso. Se enjugó las lágrimas. Ya sabía lo que había que hacer a continuación.

Se puso la gorra y, sosteniendo el libro en la mano como si fuera un catecismo, salió cojeando en dirección al cuarto de estar, una estancia pequeña y rústica que olía como el interior de un arcón de madera. Hendricks estaba dormido en un raído sofá, pero abrió los ojos cuando él pasó por su lado. Había un televisor viejo y aparatoso, apoyado en un pie torcido, que estaba dando las noticias. Hablaban de la inminente convención que se iba a celebrar en Atlanta. Aunque Anne Fleming no se había dado por vencida de manera oficial, Lombard tenía la candidatura asegurada. Según el informativo, estaba previsto que ambos se vieran en Atlanta para estudiar la posibilidad de presentarse conjuntamente.

Jenn estaba sentada ante una mesa de pequeño tamaño, junto a la ventana, con varias pistolas y municiones, desmontando una Steyr M-A1. Estaba casi seguro de que aquello era capaz de hacerlo a oscuras, porque en ningún momento apartó la vista de la minúscula rendija que quedaba entre las cortinas y por la que podía ver quién se aproximaba a la casa.

—¿Qué, ya te has cansado de estar tumbado? —le preguntó sin levantar la mirada.

—Yo también me alegro de verte.

Lo miró un momento y sonrió.

—Se te ve más alto.

—A mí no me lo parece. ¿Dónde estamos?

—En Carolina del Norte. A las afueras de Greensboro.

—¿Greensboro?

Jenn y Hendricks lo pusieron al día. Le contaron lo del caos que se armó con el tiroteo en la casa del lago, y también lo del rastreador que le habían cosido ellos a la mochila y que los condujo hasta Charlottesville y hasta el Cherokee aparcado junto a la casa que había sido su hogar cuando era pequeño.

—¿Cómo nos encontraste tú? —preguntó Jenn.

—Hackeando el móvil de Hendricks.

Jenn estaba casi impresionada, pero Hendricks no tanto.

—Con eso ya estamos en paz —dijo Jenn.

—Sí, supongo que sí.

Su captor había salido por la escalera exterior del sótano y había huido por el patio de atrás. Algún vecino debió de llamar a la policía, porque cuando llegaron los coches patrulla ellos justo acababan de marcharse. Al llegar a Roanoke abandonaron los vehículos en el aparcamiento de un supermercado y compraron un Ford Probe de 1995 pagándolo en metálico.

—Nos lo llevamos puesto —comentó Hendricks, bostezando y estirándose en el sofá.

Desde allí tomaron dirección sur y avanzaron hasta dar con una cabaña de alquiler barato. Escondieron a Gibson dentro y se hicieron pasar por unos recién casados que estaban celebrando su primer aniversario. Alquilaron la cabaña para todo el mes de agosto. Se alzaba en un lugar aislado. Pagaron por adelantado y con dinero en efectivo y, dado que el casero vivía en Raleigh, era poco probable que se dejara caer por allí sin previo aviso. En conjunto, era lo más que podía aislarse uno con rapidez llevando consigo un herido.

—¿Y los teléfonos móviles? —preguntó Gibson.

—Pegados con cinta adhesiva al chasis de dos camiones de dieciocho ruedas —respondió Hendricks.

—Estamos funcionando con aparatos de usar y tirar —dijo Jenn mostrando un teléfono desechable—. Así que ya conoces nuestra historia. ¿Te importaría contarnos cómo es que acabaste colgando de una cuerda?

—¿Qué tenemos de comer? Me muero de hambre —pidió Gibson.

—Puré de guisantes, papilla de zanahorias...

—Además de comida para bebés.

—Hay que ver lo deprisa que crecen —comentó Hendricks.

Hendricks resultó ser un magnífico cocinero. O tal vez era que Gibson tenía más hambre que en toda su vida. Se pulió los huevos, el beicon y los gofres de patata y regresó para servirse un segundo plato. Y después un tercero. Jenn se acercó desde el cuarto de estar y se quedó en la puerta.

—¿Qué había en Charlottesville? —le preguntó.

Gibson miró primero a uno y después a la otra. ¿Por dónde empezar? Sin la prueba de paternidad o el *pen drive* de su padre, no había elementos para demostrar nada. ¿Cómo podía pedirles que hicieran un acto de fe? Hasta que a él le plantaron la prueba de paternidad delante de la cara, había creído que el culpable era su padre; ¿cómo convencerlos ahora de que el verdadero enemigo era Benjamin Lombard? Al final decidió que no estaría mal empezar por el principio, de modo que abrió *La Comunidad del Anillo* para enseñarles las anotaciones de Osita. Por lo menos aquello era algo tangible.

—¿Qué es lo que debería haberte contado Suzanne? —le preguntó Jenn levantando la vista del libro—. ¿Qué ocurrió en el partido?

Les contó lo sucedido en el partido de béisbol y el colapso emocional que sufrió Osita en el estadio.

—Fui a Charlottesville a por el diario de mi padre, pensando que tal vez en él estuviera el resto de la historia.

—¿Y estaba?

Acto seguido les contó lo que relataba su padre. La decisión de llevarse a Suzanne a casa antes de la hora, la compra de las dos gorras de los Phillies.

—¿La gorra la compró Duke? —preguntó Jenn.

Hendricks lanzó un silbido.

—Eso sí que es alucinante.

Gibson les explicó de dónde había salido lo de Tom Bombadil y por qué Suzanne se había inventado un novio.

—Había sido Lombard —dijo—, por eso se fugó Suzanne. El hijo era de Lombard.

Jenn y Hendricks guardaron silencio durante unos instantes, asimilando aquella bomba. Luego, Jenn miró a su compañero y ambos, sin decir nada, llegaron a una conclusión.

—¿Qué? —quiso saber Gibson.

—Hay una cosa que tenemos que mostrarte —le dijo Jenn.

Salió, y al poco regresó trayendo su portátil y una carpeta de papel manila. Tomó del archivo una fotografía de escena del crimen en la que se veía a un hombre ahorcado en el garaje de su casa.

Gibson la estudió fijamente.

—¿De quién se trata?

—De Terrance Musgrove.

—¿El dueño de la casa del lago?

—El mismo. Ahora tengo que enseñarte otra foto, pero... —Hizo una pausa, no muy segura de continuar—. Es tu padre.

—¿Duke? —preguntó Gibson tontamente—. ¿Es lo que creo que es?

—Yo no lo preguntaría, pero tienes que verlo con tus propios ojos.

Gibson tragó saliva y afirmó con la cabeza. Jenn mostró la foto en la pantalla del portátil y giró este para que pudiera verlo. Gibson pasó largos instantes mirando solo los bordes de la imagen, con la esperanza de que se le grabara en la mente gracias a la visión periférica y así se amortiguara el impacto. Se dio cuenta de que estaba respirando muy deprisa.

Miró.

Lo que lo sorprendió fue que muchos de sus recuerdos eran erróneos. En su mente, su padre se encontraba junto a la escalera cuando él lo descubrió aquella tarde, por encima de él, casi al alcance de la mano. Sin embargo, en la fotografía se encontraba en el otro extremo del sótano. Y lo que había tenido bajo los pies no era un taburete sino una silla. Y no tenía los ojos abiertos, sino cerrados.

—¿Por qué estoy viendo esta foto? —preguntó, mirando alternativamente una imagen y otra. Las dos tenían en común todo lo que podían tener en común dos muertos. Incluso ambos iban en calcetines. Los zapatos. Espera... Volvió a la otra fotografía. Los zapatos estaban igual.

—¿Los zapatos?

Jenn hizo un gesto afirmativo.

Se fijó de nuevo. En las dos fotografías los zapatos aparecían colocados juntos, con sumo cuidado, a un lado, en diagonal con el cadáver. En la misma diagonal. Un hombre colgado de una cuerda era natural que se convulsionase, con lo que la cuerda se retorcería y se giraría, y tardaría un rato en quedar inmóvil del todo. La posición de los zapatos era una coincidencia imposible.

—Él los asesinó a ambos.

—Y ahora reaparece diez años más tarde para matarte a ti.

—Es demencial —dijo Gibson.

—Por curiosidad, ¿ese tipo tenía la nariz rota? —preguntó Hendricks.

—Sí. ¿Cómo lo has sabido?

—¿Tendría unos cincuenta años? Blanco, delgado, pelo castaño y corto, calvicie incipiente. Más bien de aspecto anodino.

—Sí, era exactamente así.

Hendricks meneó la cabeza.

—Es el mismo hijo de puta que disparó a Billy Casper. Y no puedo demostrarlo, pero yo diría que también se cargó a Kirby Tate.

—Resulta cada vez más extraño —intervino Jenn—. Yo vi a ese mismo individuo disparar a uno de los del tiroteo por la espalda.

—¿Fuego amigo? —sugirió Hendricks.

—Yo no veo que tenga nada de amistoso.

—De modo que Lombard se entera de que nosotros hemos establecido contacto con WR8TH y llama a su antiguo asesino a sueldo para que venga a atar unos cuantos cabos sueltos —reflexionó Hendricks—. Empieza a seguirnos ya desde el primer día, va con nosotros hasta Pensilvania y, antes de efectuar su jugada, espera a ver si damos con WR8TH.

—Pero se precipita y mata a Kirby Tate en el trastero de alquiler —dijo Jenn.

—Exacto. Y nos manda a ese equipo táctico a la casa del lago para que nos liquide —agregó Hendricks.

—Sí, porque yo, como una idiota, le di a Mike Rilling nuestra ubicación.

—¿Tú crees que Mike Rilling nos delató? —preguntó Hendricks.

Jenn se encogió de hombros.

—¿Cuánto tiempo tardaron en presentarse aquellos tíos después de que estuviéramos hablando?

—Qué hijo de puta.

—¿Quiénes eran? —inquirió Gibson.

—No lo sé. Lombard tiene relaciones con una empresa denominada Cold Harbor. No me extrañaría que hubieran sido ellos.

—Entonces, ¿para qué envió a su asesino a sueldo? —preguntó Hendricks.

—¿Para quitarlo también de en medio? No había motivo para dejarlo con vida, ahora que ya ha terminado todo.

—Lombard no anda perdiendo el tiempo —comentó Hendricks.

—Lógico —dijo Jenn—, teniendo en cuenta lo que se juega en Atlanta. En estos momentos, el elegido es Lombard. Si Gibson tiene razón, y abusó sexualmente de su propia hija y la dejó embarazada... Dios, hay intereses muy poderosos que han apostado mucho a que en noviembre salga él ganador. ¿Hasta dónde serías capaz de llegar con tal de guardar un secreto?

—¿Hasta Suzanne? —propuso Gibson.

—¿Tú crees que mató a su propia hija?

—No lo sé. Billy comentó algo parecido y a mí me pareció que estaba loco. Pero puede ser que no. ¿Dónde está Suzanne? ¿Y dónde está la criatura? Si ella aún está viva y el asesino a sueldo de Lombard dio con Musgrove hace diez años, eso quiere decir que también dio con Suzanne. Dime si me equivoco. ¿Dónde está Suzanne?

Jenn apoyó la cara entre las manos. Hendricks daba la impresión de haberse olvidado del arte de respirar. En opinión de Gibson, tan solo les quedaba una jugada que ejecutar y tenían que darse prisa en hacerlo. Si en aquel preciso instante no estaban ya en el objetivo de Lombard, no iban a tardar mucho. Pero, aunque lograsen seguir con vida hasta que finalizase la convención y la nominación estuviera asegurada, Lombard no haría volver a sus asesinos. Ellos tres representaban una amenaza demasiado grande. Les daría caza, los encontraría y los mataría. Era inevitable. Simplemente, carecían de los recursos necesarios para seguir escondiéndose de un hombre cuyo objetivo era la Casa Blanca.

—En fin, menuda historia de fantasmas, pero ¿cómo vamos a probar nada?

—Podemos probar que Suzanne estaba embarazada.

—¿Pero no podemos relacionarlo con Lombard?

Gibson hizo un gesto negativo con la cabeza para confirmarlo.

—Bien, ¿y cuál es nuestro próximo movimiento? —preguntó Jenn.

—Ir a Atlanta.

—¿A la convención? —se extrañó Hendricks—. ¿Cuánto tiempo has estado sin oxígeno en el cerebro?

—Es la única forma —aseguró Gibson, y a continuación les explicó su plan. No estaba exento de riesgos. Implicaba meterse en la boca del lobo. Implicaba recurrir a la única persona que posiblemente, solo posiblemente, era inocente en todo aquello. Implicaba acudir a Grace Lombard y demostrar lo indemostrable: que su marido había violado a su hija y estaba involucrado en su desaparición.

Cuando terminó, nadie dijo nada. No había nada que decir. Primero uno y después otro, Jenn y Hendricks salieron de la cocina. Igual que dos boxeadores que se retiraban a sus rincones para recobrar fuerzas después de que sonara la campana. Gibson fue al frigorífico a ver qué más había para comer.

Un ahorcamiento obraba maravillas con el apetito de una persona.

Capítulo 43

Cuando llegaron a Atlanta una semana más tarde, la ciudad era un hervidero de gente y la convención se encontraba en pleno apogeo. Además, estaba todo vendido, en sentido literal. Los asistentes a la convención se sentían eufóricos y optimistas acerca de su candidato y de las posibilidades con que este contaba en las elecciones generales. No experimentaban ningún dolor: aquello era política, pero también era lo más parecido a un martes de carnaval. Las calles aledañas al centro de convenciones eran un complicado laberinto de puntos de control y acampadas de los medios de comunicación. Se hacía difícil caminar por las aceras, abarrotadas de peatones a todas horas. Atlanta aceptaba aquella intrusión con la cordial y anticuada hospitalidad de las gentes del sur. Desde luego, los bares y restaurantes que rodeaban el centro de convenciones no se quejaban en absoluto.

Gibson vio que Denise Greenspan, la asistente personal de Grace Lombard, doblaba la esquina y venía hacia él. Doble diplomatura en Historia y en Ciencias Políticas por Hamilton College. Un máster en Políticas Públicas por la Universidad de Georgetown. La acera se hallaba repleta de asistentes a la convención, pero no había peligro de perderla a ella de vista. Con su metro setenta y ocho, lucía un peinado claramente afro con un toque pelirrojo. Hoy lo llevaba recogido en la nuca con un pañuelo verde y amarillo que se mecía con elegancia asomando por encima del mar de cabezas que iba surcando al andar. Cuando estudiaba en Hamilton, practicaba deportes como la carrera campo a través y en pista, y el otoño anterior había completado la maratón del Cuerpo de Marines en 3 horas y 28 minutos, una marca impresionante para alguien que lo intentaba por primera vez. En Washington, casi todas las mañanas salía a correr con Grace, lo cual, según afirmaban los que estaban dentro, constituía el núcleo de su estrecha relación de trabajo. Denise llevaba cuatro años con Grace y, a todas luces, protegía ferozmente a su jefa.

Además, era un animal de costumbres. Los últimos tres días, a las seis de la tarde, se reservó una hora libre para ir a cenar sushi al mismo restaurante, uno situado a ocho o nueve manzanas del centro de convenciones. Escogió la misma mesa junto a la cristalera principal y, mientras comía, se puso a echar un vistazo a las noticias y los blogs de política con la ayuda de su ordenador portátil.

El día anterior, Hendricks había ocupado la mesa contigua. El restaurante era pequeño, y las mesas eran estrechas y estaban muy apretadas unas con otras. Por eso le fue fácil obtener las dos grabaciones, bastante nítidas, de la contraseña que introdujo en el portátil: una cuando llegó y otra un poco más adelante, cuando volvió del cuarto de baño. Luego ralentizó las grabaciones y los tres se sentaron en torno a un monitor y estuvieron viendo la cinta una y otra vez, discutiendo si se trataba de una K o de una L. Debido al ángulo de la cámara, la mano izquierda tapaba parcialmente el lado derecho del teclado. Pero estaban razonablemente seguros de que la contraseña era DG5kjc79oGD. O posiblemente DG5kjl79oGD. Jenn se inclinaba por DG5lhj79oGD. Sin lugar a dudas, era una de aquellas tres.

Hoy, cuando Denise se sentó de nuevo en su sitio, era Gibson el que la aguardaba en la mesa contigua. Le pidió disculpas y quitó su bolsa del asiento. Ella se lo agradeció con una sonrisa y se puso cómoda, pero no hizo ningún comentario acerca del hecho de que ambos tenían el mismo ordenador. Al fin y al cabo, era un modelo bastante popular.

Gibson continuó trabajando en su nuevo portátil, adquirido el día anterior. Denise hizo el pedido a la camarera y pasó a leer una sucesión de blogs que hablaban de la lista conjunta, recientemente anunciada, que habían formado Lombard y Fleming.

Gibson veía a Jenn reflejada en el espejo de gran tamaño que había junto a la puerta. Estaba sentada a la barra de sushi, de espaldas a él. Cuando la camarera recogió el pedido de Denise para llevárselo a la mesa, Jenn se levantó y se fue por el pasillo del fondo, en dirección al cuarto de aseo unisex. La camarera le depositó el plato a Denise y preguntó, primero a ella y después a Gibson, si deseaban alguna cosa más. Denise pidió un té; Gibson pidió la cuenta.

Los tres días anteriores, Denise esperó hasta que llegó la comida para lavarse las manos. Gibson contuvo la respiración hasta que la vio cerrar el portátil y levantarse para salir entre las dos mesas. Por el espejo, observó cómo desaparecía doblando la esquina. Al instante, sin levantar la vista, cambió un portátil por otro. Era mejor hacer una cosa rápidamente y con seguridad que llamar la atención mirando alrededor como si uno fuese un ladrón.

—«Ya está fuera de combate» —le dijo una voz en el auricular que llevaba en la oreja—. Noventa segundos.

Abrió el portátil de Denise e introdujo la primera contraseña. La ventana de inicio de sesión se sacudió para indicar que la rechazaba. Gibson lanzó un resoplido de frustración. Siempre tiene que ser la última, pensó enfurruñado. Probó la segunda… y sucedió lo mismo. Con la tercera… la ventana volvió a temblar, en gesto de rechazo.

—¿Cómo vas por ahí? —le preguntó Jenn.

—Necesito un minuto —respondió murmurando al micrófono.

—Define minuto.

—Búscalo en el diccionario. Estoy ocupado.

Observó fijamente la lista de tres posibles contraseñas. La D y la G eran obviamente las iniciales de Denise, puestas del derecho y del revés. Así que no era reacia a emplear reglas mnemotécnicas. Si La D era Denise y la G era Greenspan, ¿5k haría referencia a las carreras? ¿Y qué representaban las otras dos minúsculas? Miró de nuevo las tres posibilidades que había deducido. Había muchas j, l y h y una c. ¿Qué estaría intentando deletrear con semejante sopa de letras?

Vio que Jenn regresaba por el pasillo y volvía a sentarse a la barra. Lo de hc podía querer decir Hamilton College. ¿Sería así de sencillo? Tecleó DG5kjhcG79oGD y el ordenador le franqueó el acceso. A la gente la encantaba su *alma mater*. A continuación, insertó el *pen drive* y empezó a descargar el archivo que contenía en el portátil de Denise. El escritorio se hallaba inmaculado, de modo que su dueña advertiría la presencia de la carpeta en cuando fuera a abrir algo.

Todavía estaba descargándose cuando salió Denise del baño. Gibson la vio por el espejo, pero mantuvo la cabeza baja. ¿Qué razón creíble podía darle para estar usando su ordenador? Aparte de la de estar robándole algo, claro está.

—Frénala —susurró.

Jenn se giró bruscamente y le dijo algo a Denise. Denise se detuvo y, muy despacio, fue dando la espalda a Gibson. Las dos mujeres charlaron amigablemente por espacio de unos instantes. Gibson elevó una plegaria ante el altar de Jenn Charles, desconectó el *pen drive* y volvió a intercambiar los portátiles. Cuando Denise regresó a su mesa, él ya estaba recogiendo todo para pagar.

—¿Qué le dijiste? —preguntó Gibson.

—Le pregunté dónde se había comprado aquel pañuelo. Le expliqué que una amiga mía tenía el mismo pelo que ella y que estaba buscando algo que regalarle.

Se inclinaron hacia delante y entrechocaron las dos botellas de cerveza por encima de la mesa de centro.

—Tal vez sea un poco prematuro celebrar nada, ¿no? —sugirió Hendricks, que estaba sentado junto a la ventana mirando por el hueco que quedaba entre las cortinas.

Habían encontrado una habitación libre en un motel situado a unos cuarenta y cinco minutos de Atlanta y dormían por turnos, uno de los tres siempre apostado junto a la ventana.

A Gibson le estaba costando mucho no mirar continuamente el móvil de usar y tirar que descansaba sobre la mesa de centro. Con los teléfonos móviles se cumplía el refrán clásico: El que espera, desespera.

«Vamos, Grace. Llama ya.»

De improviso Hendricks cogió las llaves del coche diciendo que tenía hambre. Desapareció por espacio de treinta minutos y los sorprendió trayendo provisiones para todos. Comida china bastante decente. Extendió todos los platos de plástico sobre la pequeña mesa de formica y se juntaron los tres a comer. Él comió únicamente rollitos de huevo: cortó los extremos, vació el relleno y lo mezcló con salsa agridulce. A continuación, laboriosamente, fue rellenándolos otra vez con un tenedor y, por último, se los comió.

El teléfono permanecía en medio de la mesa, como si fuera un objeto ornamental. No estuvieron hablando de nada en particular, fue una conversación en tono despreocupado. Desde luego, no era el trabajo que estaban esperando todos. Gibson, por su parte, continuó fingiendo que se sentía seguro respecto de su plan.

El contenido del mensaje dirigido a Grace Lombard era relativamente simple. Primero estaba la fotografía de Suzanne y la mochila encima de la mesa de la cocina, tomada por Billy tantos años atrás. Gibson se acordaba de cómo había reaccionado él la primera vez que la había visto en Abe Consulting, y sabía que a Grace iba a dejarla conmocionada. También había fotos del libro de Suzanne. Lo único que no incluyeron fue la foto de Suzanne embarazada; era su carta oculta, y solo pensaba descubrírsela a Grace en persona.

El último elemento era una corta grabación en vídeo de Gibson sentado a la mesa, con la gorra de béisbol frente a sí. A esto último Jenn se había opuesto; ella quería enviar una simple carta, pero él insistió en que aquel era el único modo de proceder. Si querían abrigar alguna posibilidad de tener un encuentro en persona, sería necesario que Grace le viese la cara.

En el vídeo le hablaba directamente a Grace:

«Hola, señora Lombard, soy Gibson Vaughn. Ha pasado mucho tiempo, pero espero que esté bien. Usted hacía el mejor sándwich que he probado nunca. Echo de menos la época de Pamsrest, y espero que la casa todavía siga existiendo. —Hizo una pausa para cambiar de tono—. Señora Lombard, ya sé que esta es una manera un tanto extraña de abordarla, pero sin duda coincidirá conmigo en que estas son circunstancias extraordinarias. Tengo información acerca de Suzanne, de Osita, que debo transmitirle a usted. En persona. He incluido unas fotografías que estoy convencido de que demuestran la veracidad de lo que tengo que decirle. No quiero nada, tan solo la oportunidad de hablar con usted, y con nadie más. Para contarle la verdad.

»Voy a rogarle que mantenga una estricta reserva al respecto hasta que tengamos la oportunidad de hablar. Si decide hacer intervenir a su esposo, le garantizo que jamás sabrá por qué su hija se fue de casa ni qué le sucedió. Esto puede que suene a amenaza, pero es simplemente la verdad.

Hendricks había afirmado que aquel plan era una locura e intentó hacerlo pedazos. Todavía estaba despotricando sobre él.

—Oye —le dijo Jenn—, es la mejor alternativa que tenemos.

Habían venido teniendo esta discusión desde Greensboro, con algunas variantes. Hendricks se mostró todo el tiempo escéptico, por no decir más.

—Ya, pero, que nosotros sepamos, ella irá con el mensaje derecha a su marido. Me da lo mismo que de pequeño la conocieras mucho, Gibson. ¿De verdad crees que va a guardar en secreto algo así y no decirle nada?

—Sí, lo creo.

—¿Por qué?

—Porque es Grace, y esto tiene que ver con Suzanne.

Hendricks dejó escapar un quejido.

—Pues ve y, cuando lleguen los de la brigada especial de la policía, se lo cuentas. Sigo estando a favor de hacerlo público. Acude a los medios de comunicación. Publícalo por todo internet. El libro, la gorra. Una vez que lo sepa todo el mundo, Lombard ya no tendrá motivo para querer liquidarnos.

Ya habían hablado de todo en ello en Greensboro. Pero Hendricks no era el único que albergaba dudas y en ocasiones resultaba útil volver a analizar las cosas.

—Eso no funcionará —replicaron Gibson y Jenn al unísono.

—¿Por qué no?

—Tu has sido policía, ¿verdad?

En aquel preciso momento, Hendricks no parecía estar muy inclinado a admitirlo.

—Pues hay cosas que uno sabe y otras que puede probar. Y ¿qué podemos probar nosotros? El libro no hace nada más que formular preguntas. Eso no demuestra que Lombard sea un pedófilo. Si acudimos a internet, nuestra teoría será simplemente otra paranoia más dentro de una constelación de teorías conspiratorias que se inventa la gente. No nos hace ningún bien.

Hendricks reconoció a regañadientes que aquello era verdad, pero no se quedó contento.

—Sí, pero esto es una locura. Estás hablando de entrar en ese hotel. Es una fortaleza. Y está protegido por los hombres de Lombard. Si entras ahí, eres hombre muerto.

—Yo diría que lo has entendido al revés. Es posible que ese hotel sea el lugar más seguro para mí.

—¿Por qué piensas eso?

—¿Has visto que nosotros tres salgamos en las noticias?

—No.

—Exacto, porque Lombard está haciendo esto de manera confidencial. El Servicio Secreto no me está buscando. Los que me buscan son los de Cold Harbor, y ni se acercarán por las inmediaciones del hotel.

—No vas a poder hacerlo —insistió Hendricks.

—Hay que hacerlo —replicó Jenn—. Grace es la única persona que nos creerá. Es la única persona a la que Lombard no puede silenciar.

—Si Grace cree que yo puedo contarle algo acerca de Suzanne que ella desconoce, me escuchará —dijo Gibson, esperando que dicha afirmación no les pareciera un castillo en el aire, que era lo que le parecía a él.

—¿Y qué pasaría si ya conociera esa información? ¿Qué pasa si es tan retorcida como su marido? —Jenn se había situado en la parte de la discusión que defendía Hendricks.

—No, no lo creo. La conozco. De ninguna manera pudo Grace Lombard haber participado en todo ello.

—Pero ¿qué pasa si resulta que ya ha aceptado todo ese asunto y ahora le gusta demasiado el prestigio y el poder para renunciar a ellos? Irás directo a una trampa.

—Es posible que le ocurra eso, pero mi padre siempre decía que Grace era la persona más equilibrada que había conocido en el mundo de la política.

—Dios —exclamó Hendricks—. ¿De verdad vas a jugarte la vida por una opinión expresada hace doce años? ¿Y expresada por un hombre que, sin ánimo de ofender, más bien la cagó a la hora de interpretar a su jefe?

—Mira, puede que lleves razón —le dijo Gibson—. Puede que sea una idea estúpida. Pero en ese caso, no contamos con nada que vaya a funcionar. Y eso quiere decir que debemos huir. Y si huimos ahora, pasaremos huyendo el resto de la vida. Eso sí que me parece a mí una idea estúpida.

Aquello los hizo callar a los tres. Sí, era un plan muy malo, y era la única opción que tenían.

Hendricks dejó escapar una risita.

—Maldita sea, Vaughn. ¿Cuándo te han salido las pelotas? Me gusta esta nueva faceta tuya.

De repente sonó el teléfono. Todos hicieron un alto y se lo quedaron mirando. Resultaba doloroso dejarlo sonar, pero era lo que habían acordado. Al cabo de unos instantes se oyó un zumbido que indicaba que acababan de recibir un mensaje de voz.

Jenn tomó el aparato y escuchó el mensaje. Cuando hubo terminado, lo cerró y miró a sus compañeros.

—Vamos allá.

Capítulo 44

Denise Greenspan aguardaba de pie en la esquina del final de la calle, con una cara que reflejaba la poca gracia que le hacía aquello. Cada treinta segundos consultaba el reloj. Calle abajo estaba Gibson, mirándola desde el ventanal de una cafetería, deseando que Hendricks se hubiera esforzado un poco más para hacerlo desistir de aquel plan.

—Si la está siguiendo alguien, desde luego lo están haciendo muy bien —comentó Jenn a través del auricular. Se hallaba apostada en un tejado cercano que le permitía ver el cruce de calles en ambos sentidos.

—Eso es muy tranquilizador.

—No recuerdo que pronunciaras la palabra «tranquilizador» cuando propusiste este loco plan.

—Supuse que estaba implícita.

—¿Implícita? Ya, mira: la esperanza media de vida de un varón norteamericano de raza blanca es de 76,2 años. Así que, según las estadísticas, probablemente saldrás vivo de esta.

—Se te está dando fatal.

—Oye, si te sirve de algo, te diré que eres todo un psicólogo. Solo espero que la señora Lombard todavía sea la mujer que tú recuerdas.

Siguió una larga pausa a través del auricular.

—¿Quieres decir unas últimas palabras? —preguntó Jenn.

No se le ocurrió nada. Tiró el auricular a la basura, pues no quería entrar en el hotel llevándolo puesto, y salió a la calle. Ahora tocaba acostumbrarse a pender de un hilo. En el momento de cruzar la calzada se volvió hacia donde estaba Jenn para hacerle una seña de confirmación, pero vio que había desaparecido.

Denise Greenspan se puso en tensión al verlo llegar.

—Usted es el del restaurante. Estaba sentado en la mesa de al lado.

—Lo siento, sí —contestó él.

—¿Cómo ha averiguado mi contraseña?

—Como usted se sentaba todos los días en el mismo sitio, la grabé en vídeo.

—Eso es surrealista. ¿Me ha robado alguna otra cosa?

—No.

—No esperará que le crea.

—No lo espero.

Denise frunció los labios.

—¿Qué le ha pasado en el cuello?

—Han intentado ahorcarme.

—Me lo merezco, por preguntar. Vamos.

Los hematomas que tenía Gibson en el cuello habían disminuido un poco y la barba estaba ya lo bastante crecida para disimular la mayor parte, pero, aun así, se subió el cuello de la camisa y se reajustó la corbata.

—¿Estamos solos? —preguntó, en un intento de juzgar las intenciones de Denise.

—¿Qué? Sí, estamos solos, Garganta Profunda. Esas han sido las instrucciones. Pero deje que le diga que lo he buscado en internet. Estoy enterada de lo que hizo en el pasado, o por lo menos de lo que intentó hacer. De modo que escúcheme: si viene aquí con la intención de molestar a la señora Lombard, de la manera que sea, si esto es alguna engañifa, si esa fotografía de Suzanne está manipulada con Photoshop y usted solo pretende hacerle daño o aprovecharse de su buena voluntad, agarro una olla de agua hirviendo, lo ato a usted de pies y manos y se la meto por el gaznate. ¿Le queda claro?

—Clarísimo —confirmó Gibson—. Sí, le doy mi palabra.

El sincero enfado de Denise le hizo concebir la esperanza de que Grace Lombard estuviera jugando limpio con él. Naturalmente, también podía ser que Denise ni siquiera supiese que estaba ayudando a tenderle una trampa.

Aquello iba a ser peligroso. Lo que les había dicho a Jenn y a Hendricks era cierto: estaba convencido de que Grace era una persona de la que se podía fiar. Pero, obviamente, dicha confianza era solo unidireccional. Si Grace no se fiaba de él, ¿cómo iba a hacer para convencerla de que su marido, un hombre en quien sí confiaba, estaba envuelto en la desaparición de Suzanne? Tener una sola prueba consistente no le vendría nada mal. Una prueba que ya no estaba en su poder, gracias al tipo del sótano. Entonces, ¿cómo iba a hacer para conseguir que Grace viera la verdad? No podía ser él quien se la dijera, eso lo tenía claro. Tenía que salir de ella. Grace Lombard tenía que unir los puntos por sí sola. Si tenía la sensación de que la estaban manipulando, su mente abierta podía cerrarse súbitamente como un cepo.

El gentío fue haciéndose más denso conforme se iba aproximando a la convención. El discurso de aceptación de Lombard estaba programado para aquella tarde y la ciudad entera hervía de emoción.

—Lo he inscrito a usted como periodista que desea hacerle una entrevista a la señora Lombard —le dijo Denise—. Utilice su nombre auténtico. Enseñe el permiso de conducir. Si presenta un documento falso, no pasará el control de seguridad. Pero yo lo acompañaré, de modo que no habrá ningún problema.

Jenn le había descrito cuáles serían las medidas de seguridad que rodearían el centro de convenciones, pero se había quedado bastante corta. La presencia de las fuerzas de seguridad resultaba impresionante: la policía de Atlanta, el Servicio Secreto y varios elementos de la Guardia Nacional. La sala donde iba a tener lugar la convención y el hotel contaban con multitud de puntos de control distribuidos en varios niveles. Podía burlarse un control, pero la probabilidad de poder burlarlos todos parecía ser nula. Todo lo que había dicho de que aquel hotel era el lugar más seguro para él iba a quedar en eso: en mera palabrería.

Un par de agentes uniformados lo taladraron con la mirada cuando pasó por su lado y le costó trabajo silenciar aquella vocecilla de su cerebro que, paranoica, le instaba a salir corriendo de allí a toda pastilla.

Comprobó que resultaba muy útil conocer a Denise Greenspan. Denise lo desvió hacia una entrada lateral que estaba reservada al personal de campaña. Había una fila de unas veinte personas esperando a pasar el control de seguridad. Denise fue directa a la cabecera de la fila, un gesto que Gibson esperaba que causase alarma, pero nadie alzó siquiera una ceja. Aquel era ahora el partido de Lombard, y todo el mundo lo sabía.

Denise conocía a todos los miembros del Servicio Secreto por sus nombres.

—Hola, Charlie, llevo a este caballero a una entrevista con la señora Lombard. Se inscribió en el último momento. No lleva credenciales, pero anoche lo apunté en la lista.

Charlie examinó un papel grapado a una tablilla, hizo un gesto de asentimiento con la cabeza y los hizo avanzar hacia el detector de metales, donde un segundo agente cacheó a Gibson de arriba abajo, le registró la bolsa, examinó su documento de identidad y le pasó un detector por encima. Acto seguido le entregaron una credencial temporal y le desearon que tuviera un buen día.

Denise se lo llevó por un pasillo que desembocaba en unos ascensores, ocho en total. Los seis primeros eran para uso del público; los dos últimos estaban acordonados y el Servicio Secreto había instalado otro punto de control.

—Esos dos ascensores están cerrados —explicó Denise—. Uno sube a las dependencias del personal del vicepresidente y el otro conduce a la suite de la señora Lombard. Nos vemos allí.

—Solo por curiosidad, ¿dónde se encuentra el vicepresidente en estos momentos?

—Enredado en reuniones. Va a estar ocupado hasta la hora del discurso.

—Ya, pero ¿dónde?

—Una planta más abajo.

Aquello no lo tranquilizó demasiado, no era lo bastante lejos.

De nuevo los detuvo el Servicio Secreto y de nuevo pasaron por todo el proceso: cacheo, detector de metales, documentación. Gibson contuvo el aliento, pero su documento de identidad volvió a salir limpio de toda sospecha. «La suerte favorece a los tontos», se dijo.

«Qué va —replicó la vocecilla—, tan solo te están llevando a un sitio más tranquilo, fuera de la vista del público.»

Un agente se metió con ellos en el ascensor y lo accionó empleando una llave. Gibson, con una aguda sensación de claustrofobia, empezó a notar que le bajaba el sudor por la espalda. Y cuando el ascensor se detuvo de pronto en un piso intermedio, lo recorrió un escalofrío y el corazón le latió con más fuerza.

«Cálmate, vamos.»

—Yo me imaginaba que a Lombard le gustaría más bien alojarse en el ático —comentó.

—Va variando —contestó Denise—. No se recomienda resultar predecible a la hora de alojarse en un hotel. Ello lo hace a uno vulnerable a un posible ataque contra el edificio proveniente del exterior.

Denise hizo un alto en el pasillo y llamó para informar de que ya habían llegado.

—Y ahora, ¿qué?

—Ahora toca esperar.

—¿Aquí? Es una broma, ¿no?

Denise se encogió de hombros.

—¿Cree que resulta fácil saltar por encima de todo el personal de Grace Lombard y por encima de su agenda de compromisos sin llamar la atención? Usted ha pedido un encuentro en privado y eso requiere tiempo.

—Estamos en un pasillo.

—Pues entonces procure no montar una escena.

Permanecieron en aquel pasillo veinte penosos minutos, durante los cuales Gibson comprendió lo que significaba verdaderamente el término «paranoia». Probó a interpretar la intención de cada persona con la que se cruzaron en el pasillo, de cada mirada que se clavó en él; buscó en todos los rostros el más mínimo indicio de que lo hubieran reconocido. Conforme fueron pasando los minutos, aquel pasillo fue estrechándose y estirándose hacia el infinito. Un individuo con gafas se detuvo a consultar con Denise algo referente al itinerario de aquella tarde. Cuando se apartaron un momento para hablar en voz baja, Gibson juraría que alcanzó a oír que pronunciaban su nombre.

Finalmente, Denise, con una sonrisa carente de humor, lo condujo hasta la habitación número 2301, llamó una sola vez a la puerta y, sin esperar respuesta, lo hizo pasar al interior.

Capítulo 45

Jenn observó cómo Denise Greenspan se alejaba con Gibson por la calle. Lo que estaba haciendo Gibson era un acto de valentía, pero dudaba que él supiera por qué lo estaba haciendo. ¿Era para protegerlos a ellos y a sí mismo, o para obtener justicia para Suzanne y Duke? Si sólo pudiera elegir una de aquellas dos cosas, ¿cuál sería? ¿Los sacrificaría a ellos con tal de derribar a Lombard? Por el bien de todos, esperó que la situación no llegara a tal extremo.

Guando Gibson se perdió de vista, Jenn se sacó del bolsillo un teléfono móvil con su batería y empezó a darle vueltas y más vueltas en la mano. Se lo había quitado a uno de los cadáveres de la casa del lago. Ni Gibson ni Hendricks sabían que lo tenía, y Hendricks, si se enterase de lo que estaba a punto de hacer, seguro que la internaría en un psiquiátrico. Y quizá fuera lo más razonable. Pero es que a George lo habían capturado los malos... Desconocía quiénes eran, tal vez Cold Harbor, tal vez otra gente, pero tenían a George en su poder e iban a devolverlo.

No sabía si aún estaría vivo, pero si lo estaba, el reloj empezaría a correr en el instante mismo en que Gibson entrara en aquel hotel. No había forma de saber cómo iba a reaccionar Lombard si se sentía acorralado.

Introdujo de nuevo la batería en el teléfono y lo encendió. Ahora ya podrían rastrearlo. Si es que estaban vigilando. Reflexionó unos segundos y marcó el número principal de Abe Consulting, que estaba desconectado. A continuación llamó al móvil de Hendricks, estuviera donde estuviera. Le saltó el contestador, dejó un mensaje mudo y colgó. Por último, llamó al móvil de George. Era un número que no se había atrevido a marcar desde la casa del lago; contuvo la respiración mientras lo oía sonar y tan solo expulsó el aire de los pulmones cuando oyó el mensaje de George.

No quiso extenderse.

—George, hemos tenido que arreglar unos asuntos en Pensilvania, pero ya estamos fuera de peligro. Hemos encontrado lo que andábamos buscando. Esperamos instrucciones. Cuatro. Cero. Cuatro.

Esto último debería dar que pensar a cualquiera que estuviera escuchando. El prefijo telefónico de Atlanta era el 404. Un poquito obvio, pero es que Jenn no estaba para sutilezas. Y contaba con que ellos tampoco. En la casa del lago habían perdido a un gran número de efectivos y la venganza era una motivación muy potente. Metió el teléfono en una salida de ventilación y tomó las escaleras para bajar a la acera. Ya en la calle, a mitad de la manzana, entró en un aparcamiento abierto y subió a la tercera planta; desde aquella altura alcanzaba a ver sin estorbos la entrada principal del edificio en el que acababa de dejar el teléfono.

No tuvo que esperar mucho: alguien había previsto que se presentarían en Atlanta.

Un monovolumen de color negro se detuvo delante del edificio y se quedó parado junto al bordillo. Transcurrieron varios minutos. No entraron en tromba, lo cual demostraba que lo ocurrido en Pensilvania les había servido de lección a los muy cabrones.

«Bien por ellos.»

Se abrió una portezuela de color negro y se apeó un individuo vestido con un cortavientos y botas de combate que entró en el vestíbulo. Solo había una razón para que, en una mañana como la que hacía aquel día en Atlanta, alguien llevara puesto un cortavientos holgado.

Durante los cinco minutos siguientes no vio más movimiento. Después, se abrieron otras dos portezuelas y se apearon dos hombres más que se apresuraron a entrar en el edificio, como su colega. Solo quedaba el que iba sentado al volante.

«Perfecto.»

De repente percibió un movimiento en la calle. Vio aparecer el morro de un vehículo de color verde que se detenía en la entrada del callejón, a un costado del aparcamiento. Habían traído refuerzos. Muy listos. No alcanzaba a ver cuántas personas iban dentro, pero era muchísimo más fácil eliminar un coche en un callejón que un monovolumen en una calle soleada. La Navidad se había adelantado.

Cruzó el aparcamiento en dirección a las escaleras. Cuando iba a agarrar el tirador de la puerta, esta se abrió y salió por ella un individuo que portaba una bolsa de gimnasio. Jenn se hizo a un lado para dejarlo pasar y, por un momento, ambos cruzaron la mirada. El otro disimuló bien, pero a ella no se le pasó por alto la ligera vacilación que sufrió cuando su cerebro la reconoció y durante un milisegundo se olvidó de andar. El hombre dio un paso e hizo un gesto de cortesía con la cabeza al tiempo que manoteaba con la cremallera de la bolsa. Al instante, Jenn se puso su porra extensible a un lado de la pierna y la desplegó completamente, hasta los cincuenta y cuatro centímetros que medía.

El otro, nada más oír el chasquido metálico, dejó la cremallera y decidió arrojar la bolsa contra ella. Era un individuo corpulento y la bolsa pesaba mucho. Le acertó en pleno hombro y la hizo trastabillar hacia un lado y caer sobre una rodilla. Entonces el otro se olvidó de la bolsa y le lanzó un puñetazo. Jenn lo bloqueó con la porra. Él se abalanzó sobre ella; dado su tamaño y su peso, forcejear con él iba a ser una causa perdida, de modo que Jenn optó por clavarle la culata de la porra en el nervio del peroné. El golpe le dejó la pierna insensible y lo hizo tambalearse hacia atrás. Pero, antes de que llegara a caer al suelo, Jenn se incorporó otra vez y le propinó un pisotón en el tobillo de la pierna buena. Oyó cómo le crujían los tendones. La porra silbó cortando el aire una y otra vez, hasta que el otro dejó de moverse. Jenn levantó de nuevo la porra, con las venas inundadas de adrenalina, y respiró para controlar su furia. El miedo sensato que experimentaba antes de una pelea se había esfumado; ahora quería simplemente cobrarse venganza, y ya se la había cobrado con aquel individuo. Dio la vuelta a la porra y se sirvió de la cara de su adversario para volver a plegarla.

Mientras recobraba el aliento, lo ató de pies y manos y lo llevó a rastras hasta un coche que estaba aparcado, para esconderlo detrás. Dentro de la bolsa del gimnasio había un estilizado CZ 750 de color negro: un rifle de francotirador de cañón corto, de fabricación checa, que distaba mucho de ser el arma estándar de los agentes del FBI. Pensó que podía serle de gran utilidad y se echó la bolsa de gimnasio al hombro.

La escalera la depositó en un extremo del callejón, por detrás del coche. Dentro vio una única cabeza, que seguramente correspondía al compañero del hombre que había dejado arriba. Tenía el codo asomado por fuera de la ventanilla. Jenn sacó una pistola aturdidora compacta, se la apretó contra la oreja como si fuera un teléfono y echó a andar por el lado derecho del callejón fingiendo que iba conversando acerca de la noche loca que había tenido.

La descarga de la pistola aturdidora se estrelló contra el cuello del conductor.

El conductor se agitó un momento y abrió la boca en una mueca cómica. El bajo voltaje tan solo lo dejaría incapacitado unos minutos, de modo que Jenn se apresuró a atarle las muñecas al volante. También le cortó de un tajo el cinturón de seguridad, por si acaso se le ocurría pasarse de listo mientras conducía y, por último, se metió en el coche, a su lado, y le clavó el cañón de la pistola en la ingle.

—He tenido una semana horrible, así que lo más probable es que te pegue un tiro cuando acabe todo esto —le dijo—. Pero si te portas bien, te dejaré escoger el sitio. ¿Lo captas?

El conductor afirmó con la cabeza y se pasó la lengua por los labios.

—Bien. Hace una mañana estupenda para dar un paseo. Dirección norte.

El conductor salió despacio del callejón y giró a la izquierda. Jenn siguió con la mirada el monovolumen, inmóvil, hasta que se perdió de vista.

—¿Eres de Cold Harbor?

El conductor asintió.

—¿Todavía tienes problemas para hablar?

Asintió de nuevo.

—No pasa nada. Así tendré tiempo para contarte lo que te va a ocurrir si no me ayudas a encontrar a George Abe.

Capítulo 46

Durante unos segundos insufribles, Gibson, en tensión, se dejó conducir al interior de la suite. Si aquello era una emboscada, aquel era el sitio adecuado para que se la tendieran. Contuvo la respiración, medio esperando ser recibido por el cañón de un arma, pero, gracias a Dios, quien lo recibió fue Grace Lombard, de pie y sola junto a una ventana.

El radiante sol de Atlanta iluminaba su melena rubia, que le caía en una suave onda sobre los hombros y tenía un flequillo recortado y peinado hacia un lado: su marca personal. No era posible, pero estaba exactamente tal como él la recordaba. Siempre había sido una mujer de constitución menuda y nada ostentosa, y esta vez iba vestida fiel a su costumbre, con vaqueros y una camisa a cuadros. Daba la impresión de acabar de bajarse del porche de Pamsrest. Al verla, Gibson experimentó un profundo sentimiento de nostalgia y le entraron ganas de abrazarla, pero Grace Lombard no hizo ademán de querer acercarse. Los abrazos no figuraban en el orden del día.

—Hola, Gibson.

—Señora Lombard. Me alegro de verla.

—Señora Lombard —repitió ella—. Siempre fuiste un muchacho de lo más educado.

—Gracias por recibirme. Sé que ha sido un acto de fe.

—Eso, también —repuso ella—. Espero no haberme equivocado.

Le indicó con una seña que tomara asiento; ella, en cambio, se quedó junto a la ventana, guardando las distancias. Sus ojos se posaron con mirada interrogante en las magulladuras que tenía Gibson alrededor del cuello.

—¿Cómo te van las cosas? —le preguntó con cautela.

Gibson le hizo un resumen esquemático de lo que había sido su vida y terminó con Ellie.

—Tengo una hija. De seis años.

—¿Seis? —repitió Grace—. Estoy segura de que te las apañarás muy bien con una hija pequeña.

A él este comentario le pareció alentador, así que sacó una foto de Ellie tomada en el zoo. Grace se acercó, la tomó y se sentó en un sillón que tenía cerca.

—Tiene pinta de ser un torbellino. —Sus labios se curvaron en una levísima sonrisa.

—Eso es poco decir. Debería verla jugar al fútbol.

—¿Se le da bien? —Le devolvió la foto.

—Se le da fatal, pero no por eso tiene menos energía.

Grace rio, pero enseguida volvió a dominarse.

Gibson cambió de tercio.

—Quería darle las gracias por la carta.

—¿Qué carta?

—La que me escribió cuando entré en los marines.

—Ah, sí, claro. Me pareció necesaria.

—Significó mucho para mí. Me ayudó tener noticias de usted. Siempre tuve la intención de contestar, pero fue una época difícil para mí.

—Fue una época difícil para todos. Yo no la recuerdo precisamente con afecto. Pero te lo agradezco, Gibson. Tu padre y tú erais muy especiales para mi familia.

«Erais», en pasado. Lo había dicho sin retintín, como una mera constatación de los hechos.

—Gracias.

—Sobre todo para Suzanne. Se quedó destrozada con lo sucedido. Tu padre. Tus... dificultades —terminó muy diplomáticamente.

—Sí, sentí mucho no estar con ella en aquellos momentos. Debería haber estado. Ella se merecía algo mejor.

Grace se puso en tensión. Gibson se había expresado de una forma tan torpe que sonó vagamente acusatorio. «A partir de aquí ve con cuidado», se dijo; solo iba a tener una oportunidad.

—Sí, bueno, ahora estás aquí —dijo Grace—. Supongo que deberías explicar lo de la fotografía. ¿Dónde la has encontrado?

—Seguramente es mejor que empiece por el principio.

—Tienes toda mi atención.

Gibson carraspeó y le contó la historia. Le habló de Abe Consulting y de cómo le siguieron la pista a Billy Casper hasta Somerset, en Pensilvania. Antes de esta reunión, había estudiado la posibilidad de suprimir bastantes cosas, pero al final se lo contó prácticamente todo.

Grace lo escuchó en silencio, mientras que Denise permanecía de pie junto a la puerta.

Cuando terminó de describir la casa del lago, sacó la gorra de los Phillies, que llevaba guardada en la bolsa. Se la tendió a Grace sosteniéndola por el borde; ella la miró desde lejos, con gesto suspicaz.

—¿Y qué? ¿Me estás diciendo que esta es la gorra del vídeo?

—Dígamelo usted. —Le mostró las iniciales, y Grace las miró fijamente.

—Esa es la letra de Suzanne. —Alzó la vista y agregó—: ¿La gorra te la ha dado ese tal Billy Casper?

—Así es.

—¿Por qué no lo han detenido? Secuestró a mi hija.

—Señora Lombard, Billy Casper tenía dieciséis años cuando se fugó Suzanne.

—¿No era más que un crío? —Grace se levantó y fue hasta la ventana—. ¿Cómo es posible?

Gibson la observó detenidamente, para ver hacia qué lado se inclinaba: si optaba por creerlo o por rechazarlo.

—Yo creo que estaban enamorados. Bueno, Billy estaba enamorado de ella. En el caso de Osita, no lo sé.

Al oír mencionar aquel antiguo apodo de su hija, Grace rompió a llorar. No intentó taparse los ojos, lloró sin más.

—Hay algo que no quieres decirme —dijo al fin, sosteniéndole la mirada con sus ojos almendrados, sin pudor alguno.

—Señora Lombard, ¿cuándo se le torcieron las cosas a Osita?

Aquello dejó a Grace petrificada.

—¿Que cuándo empezaron a torcérsele las cosas? ¿Te refieres a su comportamiento? Yo misma me he preguntado eso mismo durante muchos años, y nunca he sido capaz de responderme. No hubo un momento en concreto. Ocurrió a lo largo de varios años. Detalles sin importancia. Yo pensaba que era simplemente la adolescencia.

—Billy también me ha dado esto.

Le entregó el ejemplar de *La Comunidad del Anillo*. Grace lo abrazó con fuerza al tiempo que asentía con la cabeza.

—Suzanne lo llevaba consigo a todas partes —dijo, pasando unas cuantas páginas—. Después de que tú hubieras terminado de leérselo. Se sentaba en la cocina y me acribillaba a preguntas, y también hacía anotaciones.

—A mí también. Me volvía loco.

Grace rio con tristeza, entre lágrimas.

—Lo estuve buscando por todas partes. Tiene lógica que se lo llevara. A ti te quería mucho.

—¿Se acuerda de cómo me llamaba ella? —preguntó Gibson.

—Sí —contestó Grace—. Te llamaba Son.

Guio a Grace hasta la página en cuestión y le explicó el significado del color naranja. Grace leyó la nota escrita por su hija y después alzó la vista con ademán interrogante.

—¿Qué partido de béisbol?

Gibson le contó la historia.

—Pues verás, recuerdo ese fin de semana —dijo cuando Gibson hubo terminado—. Yo había estado una semana en California, viendo a unos familiares, y regresé al día siguiente. Benjamin no se había acostado. Estaba enfadadísimo, como yo no lo había visto nunca. Tuvimos una bronca terrible. Y Suzanne... Dios mío, estuvo varios días como zombi. —Volvió a mirar la gorra—. ¿Allí consiguió esta gorra, en ese partido?

—Se la regaló mi padre cuando ya volvían a casa, para intentar calmarla un poco. ¿De verdad que usted no la vio nunca, antes del vídeo de Breezewood?

—Hasta ahora, jamás. Y menos personalmente. ¿Sabes cuánto tiempo estuve mirando a Suzanne a los ojos? ¿Sabes cuánto tiempo estuve con la vista fija en aquel horrible fotograma congelado de mi pequeña, intentando adivinar qué era lo que se le había pasado por la cabeza, por qué huyó de mí?

—Yo no creo que huyera de usted —replicó Gibson.

—Es muy amable por tu parte, pero sí que huyó. —Grace hizo una pausa para recapacitar—. Pero no de mí, según tú.

—Así es, señora.

—Pero ¿qué relación puede tener ello con una gorra de béisbol? Tú no crees que fuera accidental que la llevara puesta en el vídeo.

—No, señora. Yo creo que era un mensaje.

—¿Un mensaje? ¿Dirigido a quién?

—A mí.

—¿Qué significa eso?

Gibson calló unos instantes intentando buscar el momento oportuno. En algún punto de la conversación iba a tener que asestar el mazazo. No quería que Grace sufriera, pero necesitaba que el golpe le hiciera daño; solo así lo entendería. Respiró hondo y lo dijo en el tono más sereno que le fue posible.

—Osita estaba embarazada.

Aquella frase robó todo el aire de la habitación. Grace abrió la boca varias veces para hablar, su semblante se oscureció y se puso de pie muy despacio.

—Debería haber sabido que era una equivocación concederte una entrevista. Gibson, cuando me acuerdo de lo encantador que eras de pequeño y veo ahora el hombre en que te has convertido, no entiendo cómo es posible. Voy a decirle a Denise que te acompañe a la salida.

Grace se le estaba escurriendo de entre los dedos, tal como había previsto. Era necesario y cruel. Estaba haciendo equilibrios al borde de un precipicio y la caída iba a dejarla destrozada, así que era mejor tacharlo a él de embustero que dar el salto. Sin embargo, a Gibson le pareció advertir una chispa de conciencia en sus ojos, aunque solo fuera durante un instante.

Le pasó la última foto, la de Osita embarazada. Ella se la quitó con un gesto brusco y la sostuvo con ambas manos, petrificada. Gibson se le acercó y le habló en tono quedo.

—Todo esto es, en suma, una mentira. Una mentira muy hábil y elegante, contada de una manera tan convincente que nadie la cuestionó. Tal vez yo fuese encantador de pequeño, como dice usted, y sí, lo que soy ahora no es algo de lo que me sienta orgulloso. Pero ahora sé distinguir la mentira de la verdad. Y he venido aquí porque usted está atrapada en esa misma mentira y le ha causado a usted el mismo daño que me causó a mí. La ha hecho tomar decisiones y organizar su vida en torno a ella. Así que cuando alguien le dice la verdad, que su hija estaba embarazada, que se fugó porque tenía miedo, usted no es capaz de asimilarla. Pero esa es la verdad. Y nos lleva a hacernos una pregunta: ¿quién es el padre?

—¡Sal de aquí! —chilló Grace.

Denise se interpuso entre los dos.

—Créame, no le conviene que vengan los del Servicio Secreto.

—Ya sabía que tenía que tratarse de algo así —se lamentó Grace con la voz ahogada por un torrente de lágrimas—. Otro mezquino intento de humillar a mi familia. ¿Tan importante es para ti el agravio que te hizo mi marido? Suzanne te adoraba, Gibson. ¿De verdad estás dispuesto a arruinar su reputación para hacerle daño a él?

—¿Va todo bien por aquí? —preguntó una voz masculina.

En la suite se hizo el silencio. Denise lo miró enarcando una ceja, como preguntándole: «¿Va a ir todo bien?».

—Ya me voy —contestó Gibson.

—Sí, todo bien, John. Gracias —respondió Grace al agente del Servicio Secreto que aguardaba al otro lado de la puerta.

Le tendió el libro a Gibson, pero él lo rechazó con un gesto.

—Es suyo, y debe conservarlo usted.

—¿Es auténtico, siquiera?

—Usted sabe que sí.

Grace pasó las páginas con ademán descuidado, sosteniendo el libro de lejos, como si goteara sangre. De pronto se detuvo, con la respiración congelada en el pecho y alisando una página concreta con la mano temblorosa.

—¿Grace? —dijo Denise—. ¿Qué ocurre?

Grace, blanca como la cal, levantó la vista hacia ellos.

—Que mi color favorito es el azul.

Capítulo 47

Tinsley estaba acuclillado en el cuarto de baño, dejando que el respiradero del aire acondicionado le susurrara la verdad. Llevaba mucho tiempo allí dentro, inmóvil y sin hacer ruido, con los ojos cerrados, escuchando lo que sucedía en la habitación de al lado.

Tras la interrupción sufrida en Charlottesville, le requirió un cierto esfuerzo seguirles la pista. No eran idiotas. Una vez que descubrieron que los estaban persiguiendo, se las ingeniaron admirablemente para borrar sus huellas. Hasta que llegaron a Atlanta no consiguió recuperar su rastro.

Calista Dauplaise estaba muy descontenta. Comprensible. El altercado que tuvo lugar en la casa del lago había sido una chapuza, en eso Tinsley estaba totalmente de acuerdo. Ciertamente, era prerrogativa suya llamar a un segundo equipo, pero si no consideraba oportuno incluirlo a él en dichos planes, no podía exigirle responsabilidad alguna cuando aquella superposición diera lugar a una inevitable confusión.

Pero ella no lo vio así.

Tinsley había contemplado la posibilidad de marcharse, y si las circunstancias fueran otras habría hecho exactamente eso. Sin embargo, era una clienta ya antigua, y no le interesaba convertirse en enemigo de Calista. Pero, al margen de eso, había algo que lo mantenía unido a aquellas tres personas.

Un conocimiento de la historia. Una sensación de estar poniendo fin a algo inacabado. Habían pasado más de tres años desde que él entró a formar parte de aquel relato. Sentía una inesperada afinidad con el hijo de Duke Vaughn y era importante cerciorarse de que aquel muchacho llegara hasta el final.

De pronto llamó su atención el chasquido de un interruptor de la luz al accionarse. ¿Y qué era aquel zumbido? ¿Alguien que estaba cantando? ¿Una persona o la televisión? Las tuberías del aire acondicionado sisearon, gruñeron, y poco después se oyó el tentador salpicar del agua de una ducha. Tinsley esperó. El chapoteo cambió y se volvió más grave: el agua ya no impactaba contra los azulejos sino contra la piel. Había llegado el momento.

Salió de su escondite y oteó el aparcamiento. Jenn Charles y el hijo de Duke Vaughn se habían ido, y solo quedaba aquel individuo malhumorado. Decidió ocuparse de él mientras tuviera la oportunidad.

Cruzó a pie los dos metros y medio que había hasta el siguiente edificio y se arrodilló como si fuera a atarse el zapato. Se trataba de un motel barato provisto de cerraduras baratas que él podía forzar con el palito de un helado. Se coló en la habitación y desenfundó su arma. Se acabaron las interrupciones. Había fallado dos veces y, aunque en cada uno de los dos casos se dieron circunstancias atenuantes, no se sentía a gusto. Habían desviado el discurrir natural de las cosas, igual que cuando se construye una presa en un río. Y, al igual que ocurre con un río cuyo curso se ha interrumpido con una presa, él percibía los intentos que hacía la naturaleza por rectificarlo.

Aparte del resplandor de la televisión, el cuarto estaba en penumbra. Las camas, revueltas. La puerta del baño, entreabierta. El zumbido o canturreo había cesado. Fue avanzando por la habitación, atento a cualquier cambio. Al llegar al corto pasillo del cuarto de baño, pegó la espalda a la pared. Ya casi demasiado tarde, cayó en la cuenta de que el ruido que hacía el agua no era el que tenía que ser: era el chapoteo de una ducha vacía, del agua cayendo directamente sobre las baldosas.

Levantó los brazos y logró desviar parcialmente la palanqueta que venía directa hacia su cabeza. Sintió un agudo dolor en las muñecas y la palanqueta le pasó rozando la coronilla. Quemaba igual que una cerilla ardiendo.

La pistola se le cayó al suelo. Giró sobre sí mismo para defenderse mejor del siguiente ataque. Iba a resultar difícil asestar un segundo golpe eficaz con una palanqueta en aquel pasillo, y su maniobra debería darle tiempo para afianzarse y enfrentarse a su agresor de igual a igual. Por desgracia, el tipo malhumorado había pensado lo mismo. La palanqueta todavía estaba rebotando por el suelo cuando Tinsley sintió un fuerte puñetazo en el puente de la nariz. Una nariz que justamente estaba empezando a curarse después de lo de Pensilvania y que este golpe volvió a destrozar. Se desplomó y notó el sabor de la sangre.

El tipo malhumorado lo obligó a quedarse en el suelo con varios puñetazos bien atinados. Tinsley tuvo que reconocer su ferocidad, pero también su precisión; era difícil conseguir las dos cosas a la vez.

Los golpes lo hicieron rodar boca abajo, y de pronto sintió una rodilla que se le clavaba entre los omoplatos, el chasquido de unas esposas que se cerraban en torno a sus muñecas y el frío del cañón de su propia pistola apretado contra su sien.

—No eres tan duro cuando alguien te está esperando.

—¿Y quién lo es? —replicó Tinsley.

—¿Para quién trabajas?

Tinsley se quedó mudo.

—Tienes que entender que, si no me das lo que quiero, eres hombre muerto —le dijo el tipo malhumorado—. Puede que tengas un código ético de algún tipo que te impide delatar a tus clientes, y la verdad es que me importa una mierda. Pero piensa de qué va a servirte esa reputación cuando estés fiambre.

Tinsley, sangrando, parpadeó y preguntó:

—¿Qué es un código ético?

—Última oportunidad. ¿Quién te ha contratado? ¿Benjamin Lombard?

—¿Quién?

—¿Dónde está George Abe?

—¿Quién?

—De acuerdo —dijo Hendricks—. Como quieras.

El tipo malhumorado lo metió a rastras en el cuarto de baño. Tinsley comprendió lo que se proponía: las baldosas eran más fáciles de limpiar.

—Voy a hacerte unas cuantas preguntas. Si lo que me respondes no me gusta, te meto en la bañera. Y no va a ser para que te des un bañito. ¿Me has entendido?

—La bañera recogerá la sangre cuando me dispares.

—Eso es.

—Pues cierra la cortina, así no salpicará tanto.

—¿Qué eres tú?

—Soy amigo tuyo.

El tipo malhumorado lanzó un bufido.

—¿Amigo mío? ¿Matas a todos tus amigos?

—En ese momento no lo éramos. No teníamos base alguna para serlo.

—Ah, ¿y ahora sí la tenemos?

—Las cosas han cambiado. Tú te encuentras en posición de dejarme en libertad. De modo que me gustaría que fuéramos amigos. Y a cambio yo te haré un favor. De un amigo a otro.

—Eres un hijo de puta de lo más optimista, ¿sabes? —se mofó Hendricks al tiempo que incorporaba a Tinsley para dejarlo sentado—. ¿Y ese favor consiste en decirme para quién trabajas?

—No, ese favor consiste en darte el arma y los casquillos que demuestran que tú mataste a Kirby Tate.

Hendricks se sentó en el inodoro con la pistola apuntando al pecho de Tinsley.

—¿Dónde la tienes?

—En el maletero de un coche. Si me matas, dentro de unos días se llevarán el coche y la policía encontrará tu pistola en mi maletero. Con tus huellas y otros elementos incriminatorios. Claro que también podemos salir de aquí los dos juntos, como amigos, y yo te entrego la pistola. Y después, cada uno se va por su lado.

—¿Y el cadáver?

—No lo llevé conmigo —contestó Tinsley—, pero tengo las coordenadas GPS del lugar donde lo escondí.

—¿Y luego nos dejarás en paz a mis socios y a mí?

—Sí.

Hendricks lo miró durante largo rato.

—Entonces, ¿qué? —dijo Tinsley—. ¿Amigos?

Capítulo 48

Grace alargó una mano buscando el brazo del sillón que tenía a la espalda, sin poder apartar la vista del libro. Su mano quedó allí flotando, olvidada, y su rostro reflejó una expresión de profundo dolor al tiempo que empezaron a encajar un millar de trozos que estaban sueltos, los fragmentos de una verdad que ella no sabía que existiera. Pero a medida que dicha verdad fue tomando forma con diversos recuerdos que antes estaban inconexos, cuando dio un paso atrás y empezó a ver no solo la cola del elefante sino el elefante entero, abrió la boca y dejó escapar un grito de dolor.

—¿Qué ocurre, señora Lombard?

—Maldito seas, Gibson. —Grace apretó el libro contra el pecho de Gibson, todavía abierto por la misma página, y se volvió hacia Denise—. ¿Dónde está? —preguntó.

Gibson sostuvo el libro abierto y buscó una anotación que estuviera escrita con tinta azul. La encontró en el margen izquierdo:

Ojalá pudiera explicártelo. Si me voy ahora, antes de que él se entere, volverá a tranquilizarse. Seguro que sí. Yo saco a la luz su lado malo, eso es lo que él dice siempre. No debería haber esperado tanto para marcharme, pero es que tenía miedo. Lo siento. No estés triste.

Gibson, horrorizado, levantó la vista hacia Grace, pero ella ya iba camino de la puerta.

—¿A quién se refiere? —preguntó Denise.

—A mi marido, Denise. ¿Dónde está?

—Señora Lombard... —dijo la asistente con inquietud en el tono de voz—, ¿qué es lo que sucede? Siéntese un momento y hable conmigo. ¿Qué es lo que ocurre?

Grace se giró hacia ella con ademán agresivo.

—Denise, deja de manejarme. Te he preguntado dónde está mi marido.

—En la sala de reuniones número 3 —balbució Denise—. Señora Lombard...

Pero Grace ya había salido por la puerta y había pasado por delante del agente del Servicio Secreto antes de que este, atónito, fuera capaz de reaccionar. Medio andando y medio corriendo, se fue rápidamente por el pasillo con un gesto en la cara que presagiaba graves consecuencias. Todo el mundo iba apartándose para hacerle paso como si fueran ratones huyendo de una cosechadora.

Denise fue tras ella. Gibson fue tras Denise, la cual, furiosa, le lanzó una mirada acusatoria. El agente del Servicio Secreto se encargó de cubrir la retaguardia.

Alcanzaron a Grace en los ascensores. Estaba iluminada la flecha de bajar, pero aun así Grace apretó repetidamente el botón: un goteo de morfina para aplacar un dolor incontenible.

Tan solo bajaron una planta, pero aquel corto trayecto se les antojó una cadena perpetua, tal era la tensión acumulada en aquel espacio claustrofóbico. Denise intentó que Grace le hiciera caso y, al ver que no lo conseguía, volcó su rabia contra Gibson.

—¿Qué es lo que ha hecho? —le preguntó al tiempo que le arrancaba el libro de las manos.

Gibson le deseó buena suerte. Cualesquiera que fueran las fuerzas que había puesto en marcha, la situación ya no estaba en sus manos. Ahora le correspondía al matrimonio Lombard solucionarla; Denise y él eran meros espectadores.

En la sala de reuniones número 3 solo quedaba sitio para estar de pie. El vicepresidente se encontraba a la cabecera de una gigantesca mesa de reuniones con la chaqueta quitada, el botón de la camisa desabrochado, la corbata floja y las mangas subidas hasta el codo. Parecía un hombre apoyado en la barra de un bar después de haber cerrado un negocio importante, deseoso de contar anécdotas y de brindar por la victoria obtenida. Pero lo cierto era que estaba reunido con sus asesores, con los que le escribían los discursos y con sus enlaces de prensa, todos colocados alrededor de la sala por orden de importancia. Se asemejaba a la sala del trono de la época medieval: la proximidad al poder era el poder mismo. En el círculo exterior se hallaban situados los cuerpos celestes menores: ayudantes ávidos, auxiliares y becarios.

En el ambiente flotaba un aire optimista y lleno de buenas vibraciones. Gibson ya lo percibió antes de verlo: el murmullo de risas generosas y de felicitaciones mutuas. Aún quedaba trabajo que hacer, pero ya se había adueñado de los presentes una actitud de celebración generalizada.

Los dos agentes que guardaban la puerta habían sido alertados de que ocurría algo. Ambos medían por lo menos un metro ochenta y ocho y tenían unas muñecas más gruesas que las piernas de Grace Lombard. Se mantenían el uno pegado al otro, hombro con hombro, y hablaron empleando un tono tranquilo y conciliador, pero no tenían la menor posibilidad.

—Señora Lombard, ¿puedo ayudarla en algo?

—Thomas, me caes bien, pero si no te apartas de mi camino, cuando entre ahí el siguiente serás tú —le dijo ella—. Solo te lo voy a decir una vez.

Una sola vez fue más que suficiente. Los dos gigantes se apartaron, pero al momento cerraron filas de nuevo y bloquearon el paso a Denise y a Gibson. Grace frenó nada más trasponer la puerta de la sala y clavó la mirada en su esposo. Quienes estaban más cerca la vieron y enmudecieron al momento, pues percibieron un cambio terrible en el ambiente, la calma que precede a la tormenta. Su silencio se extendió al resto de los presentes. Las conversaciones fueron apagándose. Varias caras levantaron la vista con expresión confusa y expectante, hasta que lo único que se oyó fue a un individuo que, ajeno a lo que estaba sucediendo a su alrededor, continuaba hablando animadamente acerca de varios anuncios televisivos para Iowa. Alguien le propinó un codazo y él se volvió, palideció de repente y se sumó al coro de los que se habían quedado mudos.

La sala entera esperó a que la señora Lombard dijera algo, pero ella se limitó a mirar fijamente a su marido. El vicepresidente carraspeó. Era un político experto. Había pasado toda su carrera desviando las preguntas de la prensa. Lo habían descrito tantas veces como un hombre imperturbable que en los medios ya se había convertido en un cliché. Sin embargo, aquello era otra cosa.

—¿Grace?

—Fuera. Todo el mundo —ordenó ella.

Nadie se movió.

—Grace. ¿Qué sucede? —le preguntó Lombard.

—¿Quieres hacer esto delante de todos? Porque yo estoy dispuesta.

Todas las miradas se posaron en el jefe. A Lombard no le gustó el aluvión de murmullos que siguieron a la pregunta de su mujer. Se esforzó por esbozar una sonrisa.

—De acuerdo, haremos un descanso —dijo al fin, la viva imagen de la benevolencia—. Vamos bastante bien de tiempo, así que podemos irnos todos a almorzar. Nos reuniremos de nuevo a las doce y media.

Algunos de los presentes se pusieron a recoger sus cosas procurando no dar la impresión de tener prisa; otros lo dejaron todo tal como estaba, deseosos de alejarse de aquella terrible escena. Fueron unos momentos incómodos y tensos, mientras todo el mundo iba saliendo de la sala desfilando junto a Grace. Lombard miraba a su mujer como un jugador que está intentando decidir si pedir carta, retirarse o doblar la apuesta. El rebaño se congregó en el pasillo con caras que expresaban confusión y recelo. Algunos intentaron sonsacarle una explicación a Denise, pero ella se los quitó de encima; otros se pusieron a comentar entre sí. Por fin, un individuo de más edad y físico imponente les ordenó con voz estentórea que se dispersaran.

Cuando el pasillo quedó vacío, Gibson captó unos gritos airados, amortiguados por la gruesa puerta de la sala. Los dos agentes del Servicio Secreto mantuvieron la vista al frente y fingieron no oír la batalla que se estaba librando allí dentro. Denise y él aguardaron expectantes ante la puerta, como las ineptas cohortes de Dorothy en *El Mago de Oz* anhelando que el Mago les concediera una audiencia. El individuo que había dispersado al rebaño se acercó a Denise y le exigió que le explicara lo que estaba ocurriendo.

—No lo sé.

—Soy el jefe de gabinete del vicepresidente. ¿Qué es lo que ocurre?

—Pregúnteselo a este —replicó Denise señalando a Gibson con un gesto de barbilla.

—Soy Leland Reed —dijo el hombre extendiendo una mano.

Gibson se la quedó mirando.

—Leland, voy a darte un pequeño consejo de amigo: ve preparando tu currículum.

Antes de que Reed o Denise pudieran reaccionar, la puerta se abrió de par en par y Gibson se encontró cara a cara con Benjamin Lombard. Durante unos momentos los dos se miraron con una expresión insondable, e inmediatamente después apareció Grace.

—Ben, vuelve aquí —ordenó—, aún no hemos terminado.

Gibson vio cómo Lombard contraía los músculos de la cara en una batalla épica para reprimir la reacción natural de su cuerpo: sorpresa, vergüenza y cólera. Fue una notable exhibición de fuerza de voluntad, y Lombard ya estaba controlando la respiración y recobrando el dominio de sí mismo, preparando respuestas para neutralizar las preguntas de su mujer.

Lo que necesitaba era que alguien lo empujara en la dirección contraria.

Así que Gibson le guiñó un ojo.

El efecto fue inmediato e incendiario. El vicepresidente abandonó todo fingimiento de haber recobrado la compostura, y la cara y el cuello se le tiñeron de un intenso color rojo. Se abrió paso entre los dos agentes y se dirigió hacia Gibson con los puños en alto.

Lo único que Gibson fue capaz de pensar fue: «Por favor, por favor, pégame un puñetazo». No era posible que fuera a tener tanta suerte. Obligó mentalmente a sus manos a que no se movieran de los costados, pues si estaba indefenso la cosa saldría todavía mejor. «Lúcete, hijo de puta. Te vas a cavar la tumba tú solito.»

Calista Dauplaise se había quedado sentada al fondo de la sala de reuniones, con una expresión de angustia que deformaba su gesto autoritario. ¿Qué estaba haciendo ella allí? Pero, antes de que pudiera responder a aquella pregunta, Benjamin Lombard le lanzó un directo y le acertó de lleno en el mentón. El vicepresidente era un hombre corpulento, de modo que, para cuando su cabeza rebotó contra la moqueta, Gibson ya había perdido el conocimiento.

Capítulo 49

Gibson volvió en sí en el suelo de la sala de reuniones número 3. Tumbado boca arriba, mirando fijamente los paneles del falso techo. En la sala no había gente, pero tampoco se hallaba vacía. Le recordó a una de esas películas apocalípticas de zombis, porque había toda clase de envoltorios de comida, vasos de papel, maletines y estuches de ordenadores portátiles, todo tirado por el suelo. La chaqueta del vicepresidente aún estaba colgada en el respaldo de una silla, sola y abandonada.

Había tenido días mejores. Su cuerpo todavía acusaba los efectos de haber estado colgando de una soga y el puñetazo que acababa de propinarle Lombard no le había hecho precisamente ningún favor. Se incorporó despacio, un tanto sorprendido de descubrir que no estaba esposado. Denise Greenspan estaba sentada en un sillón, con la mirada fija en una mancha de la moqueta.

—¿Estoy detenido? —preguntó.

Denise, ensimismada en sus propios pensamientos, tardó mucho en contestar.

—No.

—¿Puedo marcharme?

—Sí.

Recogió sus pertenencias y se puso de pie. Al llegar a la puerta, hizo un alto y se volvió hacia Denise.

—¿Se encuentra bien?

—No, no me encuentro bien —respondió Denise—. ¿Y usted?

—Me duele la cabeza. Me han dado un puñetazo. No sé si lo ha visto —añadió con una sonrisa.

Denise no se la devolvió.

—De hecho, tengo un recuerdo un poco borroso de lo sucedido.

—¿Quiere saber lo que ha sucedido? —A modo de respuesta, Denise juntó las manos como formando una bola, y a continuación las levantó por encima de la cabeza al tiempo que imitaba el ruido de una explosión.

—¿Así de horrible?

—¿No era eso lo que pretendía?

Gibson hizo un gesto afirmativo con la cabeza.

—Pues ya lo ha conseguido. Espero que esté contento.

Le tendió una tarjeta de visita, y Gibson la aceptó. En ella figuraba el número de teléfono de Grace Lombard.

—Si tiene algún problema, llame a la señora Lombard directamente.

—¿Algo más?

—Cierre la puerta cuando salga —dijo Denise, y se marchó sin pronunciar otra palabra más.

En el pasillo estaban los miembros del equipo de Lombard, asustados y hablando entre ellos en voz baja. Eran como niños que sabían que los mayores habían estado peleándose pero no entendían lo que estaba ocurriendo. Observaron a Gibson al pasar, pero no le dijeron nada.

Gibson tomó el ascensor para bajar. El ambiente de seriedad que se había adueñado de la planta que ocupaba el vicepresidente aún no había llegado al vestíbulo. Gibson se abrió paso entre alegres multitudes compuestas por peces gordos del partido, delegados y el personal contratado para la convención. Para todos ellos, los buenos tiempos no habían hecho más que empezar.

«Disfrutad mientras podáis, amigos.»

Más adelante había un par de carritos portaequipajes abarrotados de maletas y bolsas para trajes que empujaban dos botones con sumo cuidado. Detrás de ellos iba Calista Dauplaise, hablando colérica por un teléfono móvil, por lo que no se percató de su presencia, pero de todos modos Gibson retrocedió sin querer.

«¿Qué pecado has cometido, Calista?»

Estaba tan sumido en sus pensamientos que a punto estuvo de no ver a la niña. La pequeña Catherine Dauplaise iba detrás de su tía, a unos diez metros de ella, desorientada y desamparada como un perrito que va detrás de la última comida que tiene seguro que va a ingerir. Se la veía asustada. A la deriva. Como solo lo están los niños cuyo mundo acaba de tambalearse. Sintió lástima de ella y de repente se le ocurrió una cosa. Continuó observándola hasta que la perdió de vista y, durante un rato más, siguió mirando el punto por el que se había marchado.

Unas horas antes de tener que pronunciar su discurso de aceptación, Benjamin Lombard dimitió del cargo de vicepresidente y se retiró de la candidatura. Al actuar así, se convirtió en el primer candidato en retirarse de la lista a la presidencia en toda la historia del país. Su decisión causó una fuerte conmoción que tardaría varios años en apaciguarse.

Con gesto atormentado y cara de agotamiento, estuvo hablando solo por espacio de cinco minutos, y con voz entrecortada. Explicó que recientemente le habían hecho unos análisis en los que se había descubierto una enfermedad mortal. En dichas circunstancias, sería una irresponsabilidad por su parte continuar aspirando a la presidencia del país. El pueblo norteamericano se merecía poder confiar en la salud de su presidente. Fue un discurso conmovedor.

Grace Lombard no se encontraba a su lado.

Gibson estuvo viendo la rueda de prensa en la habitación del motel, en compañía de Jenn y Hendricks. Al principio se sentían eufóricos ya solo por estar fuera del alcance del vicepresidente, pero en cuanto empezaron a verse las ramificaciones de la charada de Lombard, enseguida se quedaron mudos. Cuando la rueda de prensa finalizó, Jenn apagó la televisión.

—Es un buen argumento —comentó.

—Tiene mucho futuro en Hollywood.

—Pero ¿conseguirá que cuele? —preguntó Hendricks.

—Naturalmente. La gente necesitará creérselo —dijo Gibson.

—¿Por qué crees tú que su mujer ha accedido a que cuente esta historia? —le preguntó Hendricks a Gibson, como si este fuera un experto en todo lo relativo a Lombard.

—Quizá para proteger la memoria de Suzanne —respondió—. No lo sé.

—Debería haber protegido su vida, más bien. —Fue un comentario frío y calculador, pero nadie supo qué decir para refutarlo.

Descubrieron que ninguno tenía muchas ganas de hablar de lo que había ocurrido. Gibson había imaginado que tal vez experimentaría un sentimiento de triunfo. Desde la adolescencia venía soñando con derribar a Lombard; ahora, en cambio, no había nada que celebrar. Al final, lo que había era una niña desaparecida que sistemáticamente quedaba excluida de la conversación. Tal vez todo lo sucedido los hubiera salvado a ellos tres, pero no le había hecho justicia a Osita. No habían ganado; tan solo habían sobrevivido.

Después de todo por lo que habían pasado, Gibson seguía sin saber qué le había ocurrido a Osita. Sin embargo, ahora tenía cierta idea de a quién podía preguntárselo. Contempló la posibilidad de contarles a Hendricks y a Jenn la revelación que había tenido en el vestíbulo del hotel, pero para ellos había sido todo el tiempo un trabajo. No les tenía rencor, pero necesitaba poner fin al asunto él solo.

Hendricks abrió otra cerveza y mencionó el encuentro que había tenido con el asesino de Kirby Tate. Gibson y Jenn se lo quedaron mirando, estupefactos.

—¿Cuándo ibas a contárnoslo?

—Acabo de hacerlo.

—¿Estás de broma, Dan? —le dijo Jenn—. ¡Suéltalo ya!

Hendricks les contó toda la historia. A Gibson le pareció imperdonable. Hendricks había tenido a punta de pistola al hombre que había asesinado a su padre, pero lo había dejado marchar para protegerse a sí mismo. El mismo hombre que lo había colgado a él por el cuello y le había robado los diarios de su padre. Aquel individuo seguía andando por ahí, libre como un pájaro y sin haberse manchado con nada de lo ocurrido.

Jenn fue mucho más práctica:

—¿Y tú crees que ese psicópata va a respetar ese pacto entre caballeros? ¿Por qué? ¿Porque tú eres lo que él entiende por un «amigo»? Es demencial.

—Llevé el asunto como había que llevarlo —replicó Hendricks—. Las huellas que hay en esa pistola no son las tuyas.

Dejaron pasar unos instantes en silencio mientras Hendricks se bebía la cerveza. Cuando se la terminó, fue la señal para irse a la cama. Nadie tuvo nada más que decir. Al día siguiente, Gibson, al despertarse, vio que Jenn estaba haciendo el equipaje. Hendricks ya se había ido. Se despidieron en el aparcamiento del motel. Ella le dio un breve abrazo y le entregó las llaves del coche.

—¿Adónde piensas ir? —le preguntó él.

—A buscar a George.

Gibson asintió con un gesto. No se había dado cuenta de lo mucho que le importaba a Jenn su mentor.

Jenn le dio otro abrazo.

—Vuelve a casa —le susurró—, y esta vez que sea de verdad. Ve a ver a tu hija.

—Déjame ayudarte.

—Si te necesito, ya te llamaré.

—Si me necesitas... ¿quién, tú?

—Exacto —contestó ella sonriendo.

—Gracias por salvarme la vida.

—Gracias a ti por volver —replicó Jenn—. Y no se te ocurra volver a abrazarme.

—Reconoce que vas a echarme de menos.

Ambos rompieron a reír.

—Es posible —contestó ella.

Capítulo 50

Gibson estaba a una hora al norte de Atlanta cuando dieron por la radio la noticia de que Benjamin Lombard había fallecido.

A las 4:43 h, el Servicio Secreto acudió a la suite de Benjamin Lombard tras haber oído un disparo y lo halló tendido en el suelo, inconsciente y sin responder a estímulos. Lo trasladaron al hospital universitario de Emory, donde confirmaron la muerte. Un único disparo en la cabeza. Todo apuntaba a un suicidio, pero no se esperaba que se emitiera ningún anuncio oficial. Gibson se dijo que, a su modo de ver, se había hecho justicia.

No se hizo mención alguna de los zapatos del vicepresidente, pero ello no impidió que Gibson se quedara pensando.

Tristemente, al menos según los informativos, Grace Lombard ya había partido en dirección a su casa de Virginia. Durante el trayecto Gibson fue oyendo la historia que habían confeccionado para protegerla: devota madre y esposa a la que el destino había deparado tremendas desgracias en dos ocasiones. Incluso se invocó el nombre de Jacqueline Kennedy Onassis para describirla.

Gibson descubrió que no le importaba que Lombard hubiera muerto. Al principio lo sorprendió, pero se dio cuenta de que su apatía suponía un alivio. Al final, que Lombard hubiera muerto ni arreglaba nada ni restauraba nada.

Hasta Washington había diez horas en coche, pero Gibson hizo el trayecto en poco menos de ocho. Condujo deprisa, con la pistola de Billy Casper envuelta en un paño y metida en la guantera. Un recordatorio de que la cosa no había acabado. Solo había pasado un par de días con Billy, pero, sin embargo, sentía que se había creado un vínculo entre ellos. Billy había dicho que ambos estaban conectados a través de Suzanne y no sabía cuánta razón tenía. Cuando todo esto terminara, volvería a Pensilvania y peinaría el estado entero hasta que diera con Billy; aquello de dejarlo tirado detrás de una gasolinera abandonada era algo que no iba con él.

Llamó a Nicole para decirle que ya podía volver a casa. Ella respondió en tono tenso, y cuando él le preguntó si podía hablar con Ellie, le respondió que la niña estaba durmiendo. Silencio. Experimentó el impulso urgente de llenarlo de algún modo, de contarle a Nicole lo que había averiguado acerca de su padre, de decirle que Duke Vaughn no se había suicidado, que no lo había abandonado. No le había sido posible limpiar el nombre de su padre ante la opinión pública, pero sí ante sí mismo. No había sido una poción mágica que lo dejara intacto, porque la vida no funcionaba así, pero había logrado aflojar la opresión que sentía desde siempre en el pecho. En aquellos últimos días había conseguido volver a pensar en su padre, y, aunque teñidos de melancolía, los recuerdos le hicieron sonreír por primera vez. Si no renacido, se sentía, como mínimo, renovado.

Pasó el momento y Nicole se despidió y colgó sin esperar a que él dijera adiós. Gibson se quedó pensando si alguna vez tendría ocasión de contarle la verdad a alguien.

Quedaba una cosa más que hacer. Tenía que hacerla por Osita.

Al entrar en la ciudad encontró tráfico denso. Cruzó Key Bridge y se incorporó a la calle M para entrar en Georgetown. Avanzó con la ventanilla bajada. Los estudiantes universitarios y los turistas lo obligaban a circular despacio y, cuando hubo atravesado Wisconsin Avenue, torció en dirección norte y penetró en el acaudalado barrio residencial que se extendía detrás de las tiendas y los restaurantes.

Las verjas de Colline estaban cerradas. Gibson se acercó con el coche hasta el telefonillo. Tras una larga espera le respondió una voz masculina y Gibson le dijo quién era. La verja se abrió y subió en dirección a la casa.

Un mayordomo trajeado de negro le abrió la puerta y le dio la bienvenida.

—Buenas tardes, señor. Me llamo Davis. La señora Dauplaise lo está esperando.

—Ah, ¿sí?

—Sí. Esperaba a... bueno, a alguno de ustedes.

—Pues he venido yo.

—¿Me permite que le ofrezca alguna cosa? ¿Algo de beber?

Que un mayordomo lo invitara a entrar y le ofreciera una copa no era lo que él tenía previsto para aquel encuentro, pero ya que se lo ofrecían...

—Me tomaría una cerveza.

—Muy bien, señor.

Davis lo dejó solo, y el eco de sus pisadas al alejarse reverberó por aquel vestíbulo de entrada, repleto de esculturas y retratos. Colline era enorme en su silencio.

Se sentó a esperar en un sillón horriblemente caro y se acomodó la pistola de Billy, que le molestaba en la espalda. En el último peldaño de la majestuosa escalinata que había al fondo descubrió a Catherine Dauplaise, sentada y mirándolo fijamente. Había transcurrido poco más de un mes desde que se presentó en su fiesta de cumpleaños, pero se le antojó que de ello hacía ya una eternidad. Llevaba un bonito vestido de color azul y tenía las manos cerradas en dos puños sobre las rodillas y la barbilla apoyada en ellas.

Gibson la saludó con la mano y, al cabo de unos segundos, ella le devolvió el gesto.

En aquel momento regresó Davis con la cerveza envuelta en una servilleta de tela amarilla. Muy elegante.

—Tenga la bondad de acompañarme, señor.

Davis lo llevó por el interior de la casa y de nuevo al exterior, a la terraza en la que Gibson había visto a Calista por primera vez. Las mesas y las carpas de la fiesta de cumpleaños ya no estaban, y Colline se veía mucho más amplia y regia sin tanto estorbo. Había unos muebles de hierro forjado orientados hacia la mansión y unos enormes parterres repletos de toda clase de flores. Solo le faltaba un estanque japonés.

Al llegar al borde de los escalones, Davis se detuvo y señaló la cúpula que se veía al fondo de los jardines.

—La señora Dauplaise se encuentra justamente allí. Le pido disculpas, pero me ha dado instrucciones de que no lo acompañe. Si sigue el sendero, lo llevará hasta el otro lado del seto.

—Diga a la niña que vaya haciendo el equipaje.

—Ya lo tiene preparado, señor.

Naturalmente.

—Jodida bruja.

—Sí, señor.

La cúpula en cuestión, al igual que una gran parte de la arquitectura decimonónica de Washington, estaba inspirada en la obsesión que habían sentido al principio en aquella ciudad por todo lo griego. Unas columnas de estilo dórico sostenían el techo en forma de bóveda y flanqueaban una serie de puertas recias y reforzadas con chapas metálicas. La cripta central estaba rodeada por un muro de baja altura, y el interior estaba ocupado por varias filas de lápidas blancas colocadas simétricamente, todas idénticas.

Calista Dauplaise estaba sentada en una silla metálica de color verde puesta entre dos tumbas. Un de ellas se veía más antigua, más cubierta de vegetación. Sobre ella había una sencilla cruz blanca. La otra, cubierta recientemente de tierra, estaba indicada con una pesada lápida de mármol gris.

Gibson no detectó el menor rastro de la autoritaria altivez de Calista. Se la veía envejecida y cansada. Su cabello, antes inmaculado, se lo había recogido de forma precipitada y de él escapaban varios mechones sueltos. En el rostro tenía la mirada ausente de quien está esperando un autobús que ya no va a venir. En la mano tenía agarrado un pañuelo, y no levantó la vista al verlo llegar.

—Espero que hayas tenido un viaje tranquilo —le dijo.

—Benjamin Lombard ha muerto.

—Sí, ya me he enterado. Es lamentable que algunas personas carezcan de la fortaleza necesaria para capear los temporales de la vida.

—¿Debería darle las gracias?

—Estoy segura de que eso no va a ser necesario —replicó Calista—. ¿No quieres sentarte?

Había una segunda silla, pero Gibson no quería estar tan cerca de ella. De modo que dio la vuelta y se apoyó en la lápida de la tumba reciente. En ella decía «Evelyn Furst». Calista lo miró y sus ojos se inflamaron de rabia, pero no había suficiente combustible para que siguieran ardiendo.

—Por favor. Un poco de respeto. La que está ahí es mi hermana.

—Está de broma, claro.

—Por favor.

Gibson sacó la pistola y la dejó encima de la lápida.

—¿Dónde está Suzanne?

Una expresión de sorpresa cruzó el semblante de Calista.

—¿Acaso no lo sabes? ¿De verdad?

—¿Dónde está?

—Aquí mismo. Siempre ha estado aquí.

Gibson siguió su mirada hasta la tumba coronada por una sencilla cruz de color blanco. No había ninguna inscripción. En Somerset, Hendricks le había dicho que Suzanne debía de estar muerta. Todavía se acordaba de Hendricks meneando la cabeza en gesto de negación. La esperanza es un cáncer. Pueden suceder dos cosas: o nunca llegas a conocer la verdad, o sí llegas a conocerla, en cuyo caso sales despedido por el parabrisas a cien por hora porque la esperanza te dijo que no pasaba nada por conducir sin llevar abrochado el cinturón.

Ahora fue Gibson el que salió despedido por el parabrisas, llevado por una inercia que lo lanzó cruelmente por los aires.

«Oh, Osita, cuánto lo siento, lo siento muchísimo.»

Echó mano a la pistola.

—Murió al dar a luz —dijo Calista—. Esperó demasiado para ponerse en contacto conmigo y el parto ya estaba muy avanzado cuando llegamos. Se le complicó, sufrió desgarros y perdió mucha sangre. Evelyn hizo todo cuanto estuvo en su mano, pero los daños eran graves. No hubo absolutamente nada que pudiéramos hacer por ella.

—¿De manera que la trajeron aquí y la enterraron? Tenía entendido que este lugar estaba reservado para la «familia Dauplaise».

—Hice una excepción. Suzanne era mi ahijada y no estaba dispuesta a abandonar su cuerpo en el bosque, como si fuera un animal. Mi pobre niña.

—¿Su pobre niña? —repitió Gibson. Ya tenía el arma junto a su costado, con el dedo apoyado en el gatillo—. Basta. Da lástima esta farsa de que usted la está vengando de algún modo. Mi padre acudió a usted, ¿verdad?

—Así es.

—Le contó lo que sospechaba de Lombard y Suzanne. Usted podría haberlo impedido en aquel momento, pero no hizo nada. En vez de eso, envió a ese asesino a que matara a mi padre. Usted permitió que aquello continuase. Usted mató a Suzanne.

Calista negó con la cabeza.

—Duke no quería entrar en razón. No comprendía lo mucho que estaba en juego. Se podría haber conseguido que Benjamin recobrara la lucidez. Si tu padre me hubiera hecho caso, no habría sido necesario hacer nada de esto.

—Cállese —exclamó Gibson al tiempo que levantaba la pistola—. Ni una palabra más.

Calista llevaba años distorsionando su maldad en una lógica que excusara su comportamiento. ¿De qué forma podía él vencer dicha lógica? Ella había hecho que pareciera bueno algo que era imperdonablemente malo, y jamás habría un argumento en contra que ella permitiera esgrimir a nadie. Pero si decía una sola palabra más, la mataría.

—¿Por qué nos envió tras el hombre que secuestró a Suzanne? ¿Por qué se tomó esa molestia? ¿Tanto deseaba vengarse?

Calista levantó la vista y lo miró.

—¿De verdad quieres que te conteste?

—Sí.

—Muy bien. ¿Sabes cuánto vale un secreto? No me refiero a un jugoso chismorreo que conozcan un puñado de infiltrados y lo cuenten mientras se toman unas copas, sino a un secreto de verdad, que podría causarte la ruina si llegase a ser desvelado. ¿Sabes cuánto vale ser tú el único que lo conoce, además de la persona que lo teme? Un secreto así te permite tener la vida de esa persona en tus manos. Hará lo que sea para que lo guardes durante un poco más de tiempo. Lo que sea. —Alargó la última frase para recalcar lo que implicaba—. Te concede un poder absoluto sobre su vida. Pero solo si tú, y nadie más que tú, conoces la verdad.

—De modo que usted ha esperado todo este tiempo. ¿Ha guardado ese secreto para arruinarle ahora la vida?

—¿Es que tu imaginación no da para más, Gibson? ¿Piensas que he esperado diez años para arrebatarle lo que más ambicionaba en la vida? ¿Es eso lo que crees haber presenciado en Atlanta? Oh, eres un muchacho con una mente muy simple. Hice lo que he hecho siempre, lo que Benjamin era demasiado arrogante para reconocer: lo protegí.

—¿Que lo protegió?

—¿Qué consecuencias imaginas que tendría desvelar un secreto como ese para el presidente de los Estados Unidos? Representaría su fin, el fin de su presidencia. ¿Y qué imaginas que habría hecho él para asegurarse de que yo le guardara dicho secreto? Cualquier cosa. Yo no le guardé el secreto con la intención de buscarle la ruina. Por favor. Le guardé el secreto para que cumpliera su destino.

—Y su presidencia se la habría debido a usted.

—A mi familia —lo corrigió Calista—. Me has preguntado por qué te envié tras el hombre que hizo esa fotografía a Suzanne. Creía que Terrance Musgrove hacía ya mucho que había cerrado aquella puerta, pero estaba equivocada. Esa fotografía quería decir que había alguien más enterado del secreto. Si llegara a descubrirse, el poder que tenía yo sobre Benjamin se habría esfumado. Y yo había sacrificado demasiado para consentir algo así.

—A mi padre.

—Sí.

—Kirby Tate. Terrance Musgrove. Billy Casper.

—Y también Jenn Charles, Daniel Hendricks y Gibson Vaughn, si las cosas hubieran salido según el plan.

«George Abe, Michael Rilling», añadió Gibson para sus adentros.

—¿Catherine sabe quién es en realidad? ¿Sabe que no tiene ocho años, sino diez?

—Alberga sus sospechas, pero ese asunto te lo voy a dejar a ti.

—¿Qué le ha dicho usted?

—Solo que su estancia en Colline ha tocado a su fin.

Gibson sacudió la cabeza en un gesto de negación.

—Habla usted de la decadencia de su familia. La decadencia de su familia es usted. —Levantó el arma—. Esta pistola era de Billy Casper. Él habría querido que la tuviera usted.

—Ah. Cuando nos conocimos, no me pareciste un tipo irónico.

—Cuando a uno lo envían a buscar a una niña desaparecida que no ha desaparecido... en fin, uno aprende enseguida.

—¿Tienes la intención de matarme?

—No, tengo la intención de que siga el ejemplo de Benjamin.

—¿Y por qué demonios iba a hacer yo eso?

—Imagine lo que le sucederá al preciado apellido de su familia cuando todo esto salga a la luz.

—Por favor. Si hubieras tenido suficientes cargos contra mí, ya habrías acudido a la policía.

—¿Qué fue lo que me dijo usted cuando nos conocimos? Que el único tribunal que importa es el de la opinión pública.

—Oh, ¿me estás proponiendo que dé la vida por la reputación de mi familia?

—Sí.

—Muy generoso, pero he de rechazar tu oferta.

—No es ningún farol.

—Sí lo es. No seas irritante. Conozco la afición que sientes por la venganza, pero no eres lo bastante hombre para infligir semejante sufrimiento a Catherine.

—¿A Catherine? ¿Qué tiene que ver ella en esto?

—Ya que recuerdas con tanta claridad lo que digo, estoy segura de que recordarás lo que he dicho acerca de los secretos. Tienen el poder de destruir. Puede que tú guardes mi secreto, pero también es el de Catherine, ¿no? No puedes dejarme a mí al descubierto sin dejarla también a ella. Y si haces eso, la convertirás en una paria. Una curiosidad, un caso patético. Jamás podrá llevar una vida normal.

Gibson la miró con una expresión de asco.

—Uno mueve las piezas que le quedan en el tablero, Gibson. Si quieres verme muerta, será únicamente por tu mano. No obstante, en esta zona de la ciudad la policía acude con una rapidez verdaderamente excepcional, de modo que espero que tengas tus asuntos en orden.

Gibson retiró el dedo del gatillo.

—Una sabia decisión.

—Ojalá pudiera —dijo él.

—Yo también —repuso Calista—. Quizá en otra ocasión.

—No se acerque a Catherine, ni a ninguno de nosotros.

—Adiós, Gibson.

Gibson regresó a la casa. Iba pensando de nuevo en Suzanne y en su padre, y de nuevo se sintió como si hubiera salido disparado por el parabrisas. Volvió a experimentar aquella sensación de flotar a la deriva, sin timón, e hizo un alto para esperar a que se le pasara la náusea. Más adelante volvería, el parabrisas aún no había acabado con él.

Catherine estaba sentada junto a la puerta principal. Al aproximarse a ella advirtió que tenía los ojos enrojecidos e hinchados, de haber estado llorando.

—¿Ya es la hora de marcharnos? —preguntó con una vocecilla débil como una hoja de papel.

—Sí. ¿Quieres venir conmigo?

La pequeña asintió con la cabeza.

—¿Va a venir tía C a despedirse?

Gibson hizo un gesto negativo. Por un instante llegó a pensar que Catherine iba a echarse a llorar otra vez, pero no fue así: se dominó y se puso de pie.

—¿Puede ayudarme con la maleta? Pesa mucho.

Y era verdad. Dentro de ella llevaba guardada una vida entera.

Epílogo

La cafetería Nighthawk estaba llena de gente, pero encontraron dos banquetas vacías junto a la caja registradora. Gibson se acercó a donde estaban las cartas y cogió dos; Toby Kalpar estaba demasiado ocupado detrás de la barra y tardó unos minutos en poder atenderlos a ellos. Les puso unos vasos de agua con hielo y miró con gesto interrogante las cicatrices que tenía Gibson en el cuello.

—¿Quién es tu amiga? —preguntó.

—Catherine, te presento a mi buen amigo Toby.

La niña le tendió la mano.

—Encantada de conocerte, Toby.

El dueño enarcó una ceja.

—No es hija tuya, obviamente.

—Catherine, me estás haciendo quedar mal —se quejó Gibson dándole un leve codazo entre las costillas.

La pequeña rio un tanto azorada. Era igual que Osita. Por primera vez, vio a aquella niña como lo que era: la hija de Osita. Su madre había luchado mucho por ella, había dado su vida por mantenerla alejada de Benjamin Lombard. Y, a la luz de todo ello, resultaba asombroso ver ahora a Catherine: sonriente, riendo. Era la hija de Osita, sana y salva.

Cuando Toby regresó, pidieron una cena contundente. Catherine reconoció no haber tomado nunca un batido de chocolate, así que Gibson insistió en pedir un par de ellos. Cuando llegó la comida, Catherine al principio comió de manera tímida, pero luego devoró con glotonería la hamburguesa y las patatas fritas, y se bebió el batido balanceando los pies en el aire. Acabada la cena, compartieron una ración de tarta de manzana.

—¿Cuántos años tengo en realidad? —preguntó la pequeña entre un bocado y otro.

—Diez.

La niña reflexionó unos instantes.

—¿Y cuándo es mi verdadero cumpleaños?

—El 6 de febrero.

—Siempre ha sido en mayo.

—Ya lo sé.

—¿Tú crees que este año podré celebrar otro más?

—Sí, creo que sí.

—¿No será demasiado pedir?

—Pequeña, no es demasiado pedir. Será nuestro secreto, ¿vale?

—Vale. —Catherine le sonrió—. ¿Vendrás a la fiesta?

—Si me invitan.

—Pues te invitaré —resolvió con una ancha sonrisa.

—Pues allí me tendrás. Pero quiero darte un regalo por adelantado.

Puso una foto sobre la barra.

—Menuda rana más grande —dijo Catherine—. ¿Ese eres tú?

—Sí.

—¿Y quién es esa niña?

—Tu madre.

Catherine volvió a mirar la foto, esta vez con más detenimiento.

—¿Tú la conocías bien? —preguntó.

—Sí, la conocía muy bien. Era inteligente como tú. ¿Te gusta leer?

Catherine afirmó con entusiasmo.

—A tu mamá también le gustaba mucho. Siempre tenía un libro en las manos.

—¿Cuál era su favorito?

Gibson le habló de *La Comunidad del Anillo,* de aquellos días en que se lo leía a Suzanne en voz alta. Catherine dio la impresión de estar disfrutando de su relato y miraba de vez en cuando la foto. Cuando terminó de contarle la historia, se excusó y salió fuera de la cafetería para hacer la llamada.

Una vez de regreso en el coche, Catherine le preguntó adónde iban.

—A casa —respondió Gibson.

La niña asintió con la cabeza y acto seguido se durmió. Lo bueno que tenía la comida era que dejaba a los niños fuera de combate.

Se dirigió hacia el sur, a solas con sus pensamientos. Pensó en su infancia, revivió recuerdos que durante diez años había tenido suprimidos. Acerca de Osita y de su padre. Recuerdos agradables. Decidió que en la próxima temporada llevaría a Ellie a su primer partido de béisbol. Aunque no le pediría que lo escuchara por la radio, por lo menos al principio.

Cuando llegaron a Pamsrest, las tiendas del centro estaban casi todas cerradas. Todo le resultaba familiar, pero no consiguió acordarse de por dónde se iba. Encontró una gasolinera que estaba abierta y se detuvo a preguntar. Había hecho un día excelente y estaba dando paso a una noche también espectacular. Contempló un momento el cielo estrellado y luego volvió a subirse al coche.

Catherine ya se había despertado.

Continuaron por la carretera comarcal hasta que cruzaron el puente que salvaba el cauce de un arroyo seco. En la bifurcación tomaron el ramal que los condujo hacia el mar, y poco después llegaron a la casa, que estaba tal como él la recordaba.

—¿Es aquí? —preguntó Catherine.

Gibson afirmó con la cabeza.

—¿Preparada para conocer a tu abuela?

—¿Tú crees que le gustaré?

—¿Estás de broma? Le vas a encantar.

Afuera, en la oscuridad, se oyó el crujido de una puerta de rejilla que se abría y volvía a cerrarse.

Agradecimientos

La tarea de escribir es muy solitaria, o eso afirma el conocido dicho. Pero en mi caso ha ocurrido lo contrario: a la hora de escribir *La soga* descubrí que era yo el que pretendía haber trabajado en solitario. Estoy rodeado de personas brillantes y que me quieren: mi familia y mis amigos. He tenido que escribir una novela para comprender lo afortunado que soy. Me avergüenza haber tardado tanto en aprender esa lección, pero me siento agradecido de que en la mayoría de los casos no haya sido demasiado tarde. He de empezar por Mike Tyner, que me proporcionó la materia prima para el personaje de Gibson Vaughn y que me hizo parecer considerablemente más listo de lo que soy en realidad; no dejo de asombrarme y de alarmarme al contemplar lo mucho que sabes, Mike. Eric Schwerin y Gerald Smith me procuraron refugio durante la tormenta en ese primer año tan difícil; lamento no haber sido mejor compañía para ellos, pero en retrospectiva me doy cuenta, con un sentimiento egoísta, de que fue para bien. Steve Feldhaus, que siempre ha puesto el listón más alto, fue un conspirador irreemplazable; sin su claridad mental sin parangón, este libro habría sido muy diferente. David y Linda Gibson me abrieron su hogar de Blue Run Farm y me ofrecieron una hospitalidad sin límites cuando necesité escapar de la ciudad; allí fueron escritas las mejores páginas de este libro.

Lori Feathers llevó a cabo la presentación de su vida cuando me dio a conocer a David Hale Smith, que ya ha demostrado ser un fenómeno como agente y como persona; fue el almuerzo que me cambió la vida. Alan Turkus de Thomas & Mercer: tu fe en *La soga* hizo posible este nuevo capítulo de mi vida, te estoy profundamente agradecido por tus sugerencias y tu pasión. El brillante Ed Stackler me enseñó lecciones muy valiosas sobre el arte de corregir un texto y, al mismo tiempo, hacer que parezca que uno está trabajando con un viejo amigo. Doy las gracias a los lectores que me prestaron un hombro amigo en el que apoyar la cabeza mientras bregaba con personajes obstinados y tramas enmarañadas: Nathan Hughes, Karen Hooper, Allie Heiman, Christine López, Brian Orzechowski, Giovanna Baffico, Tom Hughes, Micheklle Mutert, David Kongstvedt, Drew Hughes, Daisy Weill, Ali FitzSimmons, Kit Manougian, Rennie O'Connor y Vanessa Brimner; vuestra generosidad me deja asombrado. Por último, he de dar las gracias a mis padres. Empecé usando un cliché, de modo que voy a terminar usando otro: este libro no existiría sin vuestro amor, vuestro apoyo y vuestra sabiduría. No es un tópico dicho en sentido figurativo, sino la pura verdad, literal y sincera.

ÍNDICE